EXTRA《エクストラライフ》

なぜ100年間で寿命が54年も延びたのか

LIFE

スティーブン・ジョンソン＝著
大田直子＝訳

朝日新聞出版

母に捧ぐ

EXTRA LIFE

A SHORT HISTORY OF LIVING LONGER

by Steven Johnson

This edition published by arrangement with Riverhead Books, an imprint of Penguin Publishing Group, a division of Penguin Random House LLC., through Tuttle-Mori Agency, Inc., Tokyo

◉

ブックデザイン
DESIGN WORKSHOP JIN　遠藤陽一

校閲
くすのき舎

図表制作
朝日新聞メディアプロダクション
DESIGN WORKSHOP JIN　遠藤陽一（1-2のみ）

＊本書掲載の図表（I-2、I-3、I-4、1-3、1-4、7-2、8-1、C-1）は、原著掲載の図をもとに、本書に合わせて一部変更を加えて作成しました。

EXTRA LIFE

なぜ100年間で寿命が54年も延びたのか

◉

目次

序章

人類はどのように〝二万日〟を勝ち取ったのか？

第1章

「私はあとどれくらい生きられるのか」を知る方法

第2章

ひらめきを世界に普及させる方法

人痘接種とワクチン

第3章 生死を分ける数字を探す方法

データと疫学

第4章

青い牛乳に殺されない方法

低温殺菌と塩素殺菌

第5章 大規模な薬害を起こさない方法

薬の規制と治験

第6章 世界を変えるカビを大量生産する方法

抗生物質

第7章

卵を屋上から落としても割れないようにする方法

自動車と労働の安全

第8章

土とヒヨコの力で世界を養う方法

飢饉の減少

序章

人類はどのように“二万日”を勝ち取ったのか？

肺に巣食うとげだらけの球体

カンザス州ジャンクションシティの北を流れるカンザス川は、一八五三年から軍と関係している。その年、カリフォルニアのゴールドラッシュが始まってから急増した西に向かう旅行者を守るため、駐屯所が設立された。二、三〇年のうちに、そこはキャンプ・フォートライリーと呼ばれるようになり、一時期は米国騎兵学校が置かれた。一九一七年、アメリカの第一次世界大戦参戦に陸軍が備え始めると、大戦のために海外に派遣される中西部の兵士を訓練するべく、人口五万人の小さな町がほぼ一夜にして築かれた。

キャンプ・ファンストンと呼ばれたその町には、およそ三〇〇〇棟の仮設建物が建てられ、ありきたりな兵舎、食堂、指揮官室のほかに、雑貨屋や劇場、さらにはコーヒーハウスまであった。急ごしらえの町には、若い新兵にとっての楽しみも充実していて、ある兵士は、キャンプ・ファンストンで軍隊を慰問するオーケストラの演奏を聴いたことを、実家に宛てた手紙に書いている。しかし建物が仮設だということは、ほとんど断熱されていないということでもある。キャンプができて最初の冬は異常な寒さで、すでに狭い部屋に詰め込まれていた兵士たちは、兵舎や食堂のストーブの周りにさらに密集せざるをえなかった。

一九一八年三月初め、冬が終わりに近づいたころ、アルバート・ギッチェルという二七歳の兵卒が診療所に現われ、筋肉痛と熱を訴えた。[*1] ギッチェルは肉屋が本業で、キャンプ・ファンストンでは食堂の料理人として働いており、仲間の訓練兵数百人分の食事を用意していた。医師は彼の病気をインフルエンザと診断し、病気の流行を防ごうとして伝染病棟に送ったが、結果的にその処置は遅すぎた。一週間とたたないうちに、何百人というキャンプ・ファンストンの居住者がインフルエンザの症状を訴えたのだ。四月までに、キャンプ・ファンストンの兵士一〇〇〇人以上が入院していた。そのうち三八人が死亡したが、ふつう重症化するのは乳幼児や高齢者だけの病気にしては驚きの多さだ。

キャンプ・ファンストンの診療所に患者が

図表I-1

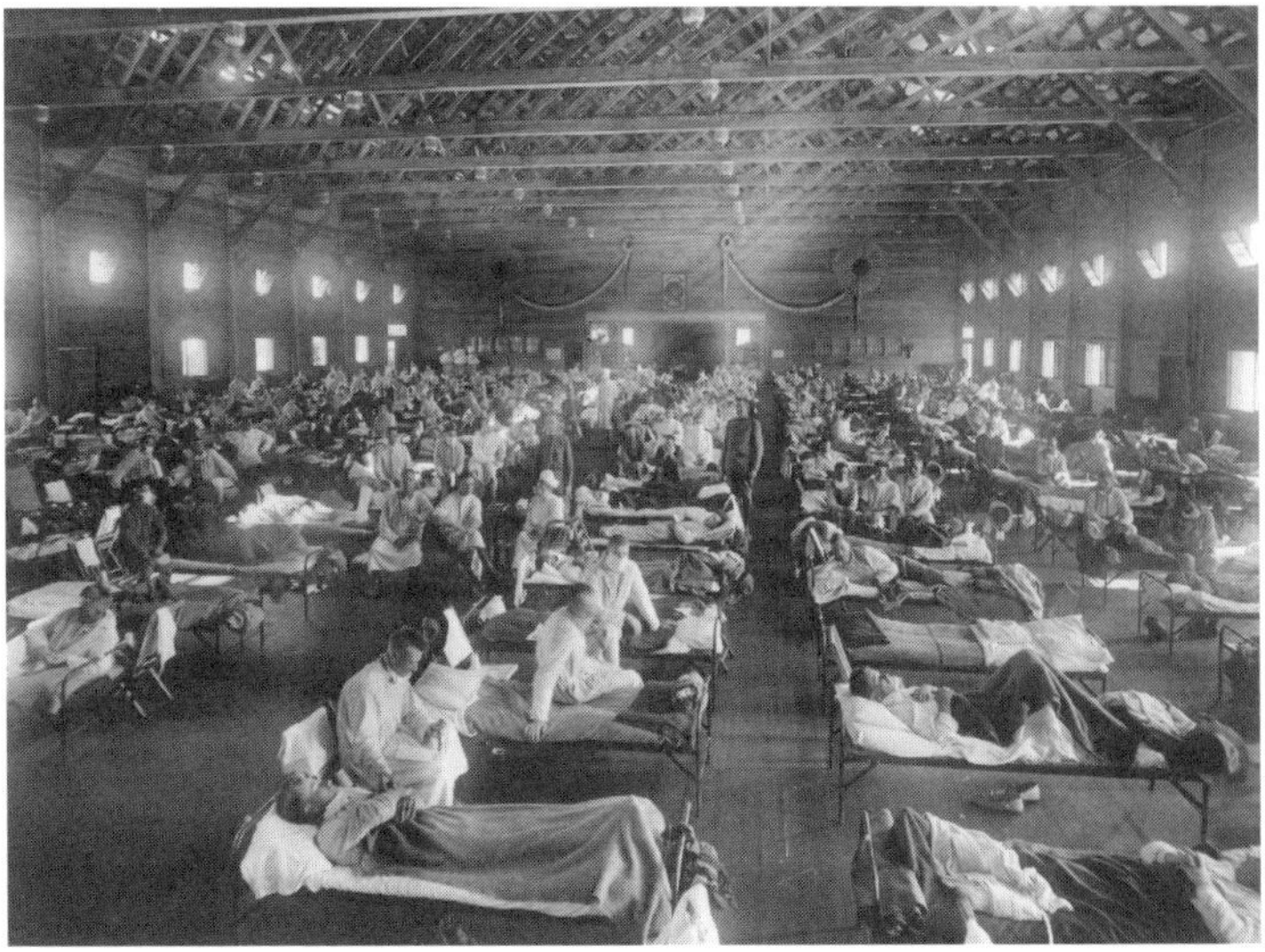

インフルエンザ流行中の救急病院、カンザス州キャンプ・ファンストン、1918年

あふれ、遺体安置所に遺体が積み重なったことは、このカンザス州陸軍基地で何か異常なことが起きているという最初の手がかりだった。しかし、そこで実際に何が起きていたかを科学者が目で確認できるようになったのは、数十年後に電子顕微鏡が開発されてからのことだ。アルバート・ギッチェルの肺の内部では、とげだらけの球体が、若い兵卒の気道表面をおおう細胞にしがみついていた。球体は細胞膜を通って細胞質に潜り込み、自身のわずかな遺伝子コードのらせん構造を、ギッチェルのそれと結合させ、自分のコピーをつくり始める。一〇時間とたたないうちに、細胞は新たに複製された球体でぱんぱんになり、膜が伸びきってしまって、最悪の場合は細胞が破裂し、何十万という新しい球体を食堂料理人の呼吸器に放出する。こうした球体の一部は、咳とくしゃみで食堂や兵舎の大気中に放出される。残りはギッチェル兵卒の肺にとどまり、同じ容赦ない自己複製の機構で、ほかの細胞にしがみつく。

キャンプ・ファンストンの医師たちは当時知るよしもなかったが、アルバート・ギッチェルの肺を攻撃するこの球体は、新型H1N1《エイチワンエヌワン》ウイルスで構成されていた。このウイルスはそれから二年にわたって、一般にスペイン風邪と呼ばれるパンデミック（世界的大流行）で、全世界を恐怖におとしいれた。ウイルスそのものが兵士たちの呼吸器内で自己複製したように、キャンプ・ファンストンの光景は、それから数カ月のうちに世界中の軍事基地で複製されることになる。それをあおったのは、アメリカ全土およびヨーロッパ前線へのたえまない兵士の流れだった。アメリカ軍はフランスのブルターニュ北西端にあるブレストの軍港にウイルスを運んだ。そのウイルスは四月末にはパリで爆発した。そしてすぐにイタリアが続く。五月二二日、マドリードのエル・ソル紙が「まだ医師による診断がついていない病気」[*2]がマドリードの駐屯地を襲っていると報道している。五月末には、ウイルスはボンベイ、上海、そしてニュージーランドにも出現した。

一九一八年春に地球を一周したH1N1は感染拡大のスピードがほかのどのインフルエンザとくらべても驚異的だった。人から人にすぐに伝染し、大部分の感染者の肺で細胞破壊の連鎖を引き起こすことに成功している。ただ、死者はゼロではないものの、毒性はそれほど強くなかった。インフルエンザがこれほど短期間で世界中を駆け巡ることができた、さらに、感染したあらゆる肺で球体が自己複製していた。いずれも恐ろしいことにちがいないのだが、そうした肺の多くは球体の攻撃から回復した。専門用語で言うと、そのウイルスは高い「罹患率」を示しながら、「死亡率」は比較的低かった。恐ろしく巧みに自己複製するが、宿主を生き延びさせる傾向にあったのだ。

しかし一九一八年秋に爆発したH1N1変異種はそんなに寛容ではなかった。

死因の五割がインフルエンザ

なぜ、一九一八年のスペイン風邪の第二波が、春に初めて出現したウイルスよりはるかに毒性が強かったのか、いまもなお研究者は議論している。二つの波はH1N1の異なる変種によって引き起こされたのだと主張する人もいれば、二つの変異種がヨーロッパで遭遇し、どういうわけか結びついて、新しい致命的な変異株になったと考える人もいる。第一波が弱かったのは、ウイルスが宿主を動物から人間に乗りかえたばかりで、ホモサピエンスの呼吸器という新たな生息環境にうまく適合するのに何カ月も要したのだと考える人もいる。[*3]

根本的な原因が何であるにせよ、第二波による死者数は圧倒的だった。アメリカでは、この新しい脅威がまずキャンプ・デヴェンズに現われた。ボストン郊外にある軍事基地で、人が密集している。九月の第三週までに、キャンプの人口の五分の一がインフルエンザに感染した。キャンプ・ファンストンでのH1N1大流行を上回る罹患率だ。しかしキャンプ・デヴェンズの医療スタッフに衝撃を与えたのは、その死亡率である。「死亡までほんの数時間だ」と、ある軍医が書いている。

恐ろしい。一人、二人、いや二〇人なら死んでいくのを見るのも耐えられるが、かわいそうな人たちがハエが落ちるようにばたばた倒れるのを目にするのは……。死者は平均で一日約一〇〇人だ。……肺炎はほぼすべての患者で死を意味する。……とんでもない数の看護師と医師を失っていて、エーアの小さい町は異様なことになっている。遺体を運ぶには特別な訓練が必要だ。数日のあいだ棺がなくて、遺体が積み重なるのはすさまじいものだった。……大戦後のフランスより悲惨な光景だ。さらに長い兵舎が、遺体安置所として使うために明け渡された。死亡した兵士は全員軍服を着せられ、二列に並べられていて、その長い列の前を歩くと、誰もが姿勢を正し、目がくぎづけになる。[*4]

キャンプ・デヴェンズの惨事のあとすぐに、世界中でさらに壊滅的な集団発生が起こった。翌年、アメリカでは全死者のうち五割の死因がインフルエンザだった。何百万人がヨーロッパの前線と軍の病院で死亡している。インド各地で感染者の死亡率は二〇パーセントに近づいた。第一波のウイルスとは桁ちがいである。現在、このパンデミック中にインフルエンザで亡くなった人は最大一億人に上ると推定されている。この大流行についての正統なルポ『グレート・インフルエンザ――ウイルスに立ち向かった科学者たち』(ちくま文庫)の著者ジョン・バリーは、この数字をわかりやすく表わしている。「一九一八年の世界人口が約一八億だったことを考えると、前述の推定値は、二年で――というか、ほとんどは一九一八年秋の恐ろしい一二週間で――世界人口の五パーセント超が死亡したことを意味する」[*5]

死亡報告で、このパンデミックの別のやっかいな問題が明らかになった。通常の季節性インフルエンザでは最も回復力の強い集団は若年成人だが、一九一八年から一九年にかけてのH1N1集団発生では、その若年成人で異常に死亡率が高かったのだ。バリーによると、アメリカで「死者数が最も多かったのは二五~二九歳の男女、二番目に多かったのは三〇~三四歳、三番目に多かったのは二〇~二四歳だった。どの集団の死者数も六〇歳以上全体の死者数よりも多かった」[*6]。この異常なパターンの原因のひとつは、ウイルスの広がりが窮屈な軍の兵舎と病院で起こったことにある。

また、高齢者層の大部分は、一九〇〇年に現われた類似したウイルスによって、スペイン風邪の変異株に対する免疫が残っていたのだとも考えられている。

一夜で一〇年縮まった平均寿命

スペイン風邪の影響を受けた人口統計は、その時期について最終的に計算された平均余命にははっきりと異常性を呈した。H1N1集団発生の期間、五〇歳未満すべての平均余命が急落したのに対し、七五歳の平均余命はパンデミックの影響を受けていない。しかし全体としては、想像を絶するような暗い話だ。アメリカでは、ほぼ一夜にして平均寿命（出生時平均余命）がまる一〇年縮小した。インドでは、歴史上の工業社会、農業社会、狩猟採集社会のどの人間社会よりも、平均寿命が短くなった可能性がある。イングランドとウェールズでは、半世紀にわたって平均寿命が延びていたが、戦争で拡大したウイルスがわずか三年で元にもどしてしまった。第一次世界大戦前夜、上流階級だけでなく人口全体の平均寿命は五五年まで延びていた。ところが世界大戦とパンデミックという二つの大惨事が終わるころには、イングランドとウェールズで生まれた子どもの平均余命はわずか四一年だった。エリザベス朝時代の赤ん坊と大差ない。

こうした数字が算出される前、H1N1ウイルスがまだ世界中の人間の肺で細胞を破壊している最中に、軍の科学者ヴィクター・ヴォーンは、ヨーロッパ前線から伝えられるおおよその犠牲者数を分析していた。そして手書きの書簡で次のように考察している。「ありえないような加速度で流行が広まり続ければ、二、三週間のうちに地球上から……文明があっさり消えるおそれがある」[*7]

想像してほしい。一九一八年末のキャンプ・デヴェンズにいて、仮設の遺体安置所に積み重なる遺体を見渡しているところを。または、二、三カ月で人口の五パーセント以上がインフルエンザで死亡したボンベイの通りを歩きまわっているところを。想像してほしい。ヨーロッパの軍病院を巡って、機関銃と戦車と爆撃機という新しい戦争技術とH1N1による免疫暴走で損なわれた、大勢の若者の遺体を目にしているところを。この大虐殺が世界の平均寿命に大打撃を与え、地球全体が一七世紀の健康状態に後退することを、あなたは知っているとしよう。戦争とパンデミックが終息したとき、積み重なる遺体に囲まれて、あなたはこれからの数百年について、どんな予測を立てるだろう？　過去半世紀の進歩はただの偶然であり、グローバル化の時代に軍事的暴力とパンデミックのリスク増によって、あっさり覆されてしまったのか？　それともスペイン風邪は、ヴィクター・ヴォーンが恐れたように、もっとひどい「ありえないような加速度」で広がる狂暴なウイルスが、文明そのものの世界的破滅を引き起こすという、さらに悲惨な結果の前触れだったのか？

大戦とH1N1というダブルの嵐から世界がゆっくり回復しつつあるとき、どちらの恐ろしいシナリオも十分に可能性があるように思えた。しかし意外にも、どちらも現実にならなかった。続いて生まれたのは、こうした暗い予測どおりの流れではなく、長寿化の世紀だったのである。

一九一六〜二〇年までの期間を最後に、世界の平均寿命が延びたのではなく縮んだと記録されることはなくなった（第二次世界大戦中、平均寿命はしばらく下がったが、「グレート・インフルエンザ」による暴落の深刻さには遠くおよばない）。一九二〇年生まれのイギリス人の赤ん坊は四一年しか生きられないと予想されていたが、その子孫の平均寿命は、現在、八〇年を超えている。そして一九二〇年から現在までの前半に、進歩をとげたのは大部分が欧米社会だったが、この二、三〇年、中国とインドを筆頭とする発展途上国は、歴史上のどの社会よりも急速な平均寿命の延びを経験している。わずか一〇〇年前、ボンベイやデリーの住民は、二〇代後半まで生き延びるだけで逆境に打ち勝ったことになっていた。今日、インド亜大陸の平均寿命は七〇年を上回る。将来的に異常な「ありえないような加速度」が生じるという点で、ヴォーンは正しかった。ただし結果的にプラスの加速度だった。失われる命ではなく救われる命がどんどん増えたのだ。

この進歩が止まる可能性がないわけではない。グレート・インフルエンザの終息からちょうど一〇〇年後に出現した、いわゆる新型コロナウイルス感染症、COVID-19のパンデミックにより、世界がグローバルにつながっていることが急速な感染に対してかつてないほどの弱さを生むことを、ゾッとするほど思い知らされている。これまでに、COVID-19パンデミックで縮小したアメリカ人の平均寿命は約一年、アフリカ系アメリカ人のコミュニティではその二倍である。恐怖と悲劇に満ちた二〇二〇年のパンデミックは、一方で一九一八年以降の一〇〇年間で私たちがとげた進歩も浮き彫りにしている。COVID-19による死者数は、いまのところ、一九一八年のパンデミックによる死者数の一パーセントに満たない。しかも地球上の人口は四倍になっている。二〇二〇年前半には多くの初動ミスがあったにもかかわらず、その期間での公的介入によって一〇〇万以上の命が救われたという推定もある。しかしCOVID-19の無症状者によるひそかな伝染とあいまって、別のウイルスが一九一八年のウイルスより高い死亡率を引き起こし、コロナウイルスが高齢者を死亡させるのと同じくらい無情に、子どもと若者の命を奪うおそれもある。こうした大規模な健康危機を避けようとするのなら、そしてさらに人間の寿命を大きく延ばし続けたいのなら、過去数百年にわたって、寿命に重大な変化をもたらした原動力を理解する必要がある――その成果がいかにすばらしいかを知るためだけでなく、それをこれからの足がかりとするためにも。

プラス二万日への無関心

グレート・インフルエンザ終息からの一世紀における人間の健康の巨視的分析は、三つのグラフで語ることができる。最も単純なものから始めよう。一七世紀半ばまでさかのぼって、イギリス人の平均寿命をたどったグラフだ[*8]（25ページの図表I-2）。

人類に――そして地球そのものに――何が起きているかをとらえた図表として、これより重要なものはないかもしれない。一六六〇年代初期、人びとが平均寿命を計算するという考えを初めて検討し始めたとき、平均的なイギリス人は三〇年ほどしか生きなかった。現在、イギリスで生まれる子どもは、それよりまる五〇年以上長く生きると期待できる。そしてその異例の平均寿命の増加は、世界各地で何度も繰り返された。科学的手法、医学の躍進、公衆衛生機関、生活水準の上昇など、この三、四世紀のあらゆる進歩のおかげで、人は平均で約二万日も長く生きることになった。大人になるまで、あるいは自分の子どもをもうけるまで、生きることが叶わなかったはずの数十億人が、このとても貴重な贈り物を与えられたのだ。

これより驚異的な人間の進歩をはかる尺度はほとんどない。長期的な観点から見れば、このプラス二万日は、本来、あらゆる新聞で毎日トップニュースとして伝えられるべきだ。しかしもちろん、寿命が延びたことについて新聞が一面で取り上げることはほぼない。なぜなら、この話にはニュースサイクルを刺激するようなドラマチックな要素がほとんどないからだ。平凡な進歩の話でしかない。世間の関心というスポットライトから遠く離れたところで、すばらしい発想と協力関係は展開し、ゆっくりと上向いていくが、実際に重要性が明らかになるには何十年もかかる。そして、ニュース報道は当然のことながら、短期的な変動に焦点を合わせるほうを選ぶ。来たる選挙や有名人のスキャンダルなどはすべて、深層のプレートの動きから私たちの気をそらす表面的な弱い地震となる。しかし長期的な視点を持たなければ、人は曾祖父母を恐怖におとしいれた脅威をすべて忘れてしまう。ありふれた何でもないこと、あるいは対処可能な状況だという認識にいつの間にか変わってしまい、ほとんどの人がまったく考えなくなる。その都合のいい記憶喪失は、進歩のしるし

図表I-2｜**平均寿命**

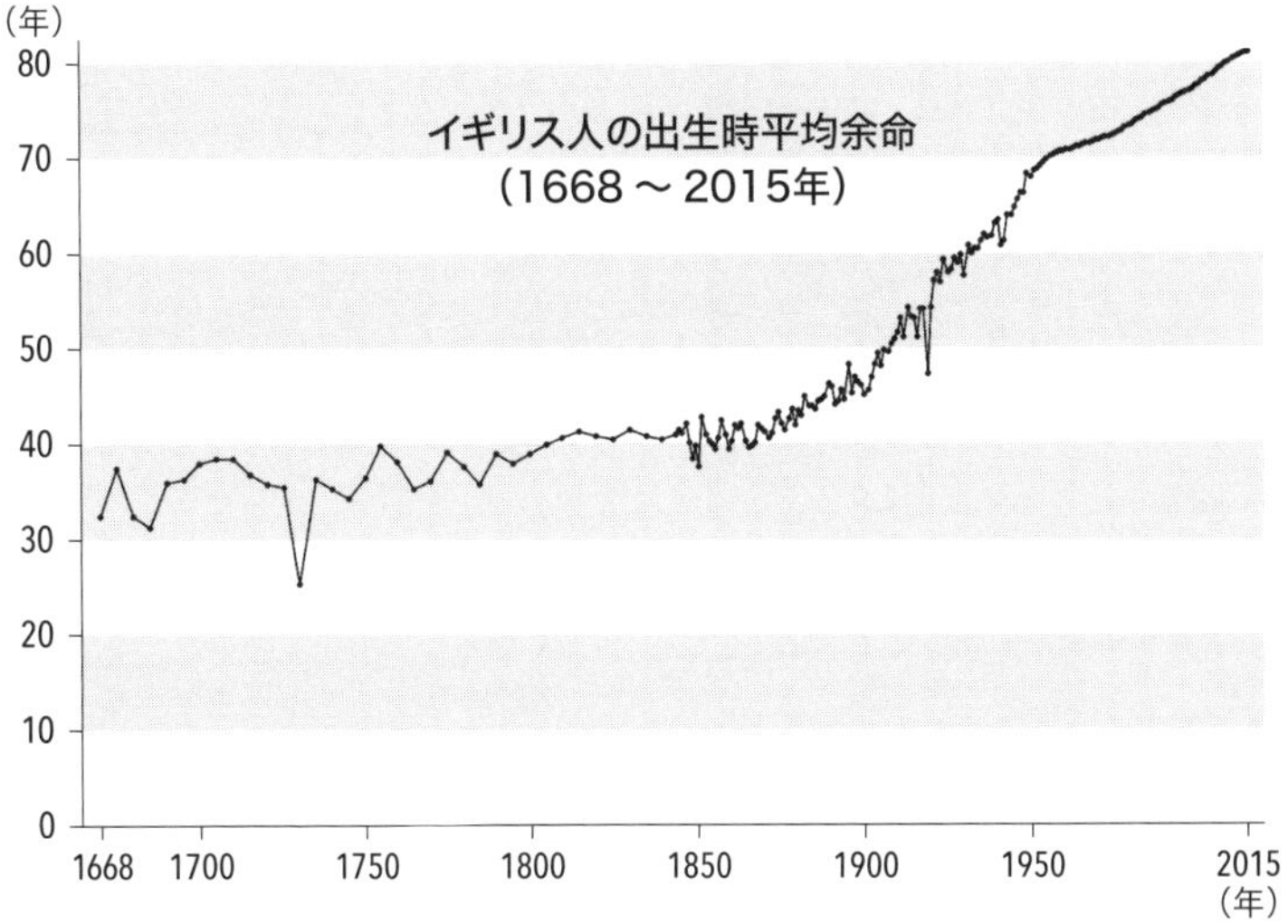

示されているのは出生時平均余命の長さで、所与の年の死亡率パターンが生涯同じであるとして、新生児が生きると期待される平均年数

出典：Our World in Data

としてはすばらしい。しかし、残念な副作用がある。克服した脅威そのものについて考えないと、私たちは過去数百年に健康と社会福祉の基本的水準の進歩がたどった、根本的な軌跡から目をそらしがちになる。そして過去について考えないと、そこから学ぶこともできない。いま人間の寿命を延ばそうとするのであれば、どんな進展を目指すべきか。それを、よりはっきりと考える材料として、歴史を利用できなくなってしまう。そうした進展につきものの予期せぬ結果に備えるために、歴史を利用できなくなってしまう。COVID-19パンデミックのような新

たな脅威と闘うのに、いまある資源や制度を信頼できなくなるおそれがある。ビル・ゲイツがワクチンの集団接種を通じてマイクロチップを埋め込んでいるというばかげた陰謀論や、マスク着用のような単純な行動にすらひどい反感が起こる理由のひとつは、過去数世代のあいだに、知的活動の成果として、科学と医学と公衆衛生が平均的な人生の質（と長さ）をどれだけ向上させてきたかを、人びとが忘れてしまったことにある。

私たちを生かしているものは何か

ある意味で、人間は目に見えない盾によってますます守られるようになってきている。その盾はこの数世紀のあいだに少しずつ構築されてきて、人びとを無事に死から遠ざけているのだ。人びとを守るための介入は大小さまざまで無数にある。たとえば飲料水に含まれる塩素、世界から天然痘を消し去ったワクチン接種、世界中の新たな集団発生をマッピングするデータセンター。こうしたイノベーションや制度は、シリコンバレーの億万長者やハリウッドスター、さらには軍司令官のように注目されることはまれだ。しかし私たちの周囲に築かれてきた公衆衛生の盾は、倍加した寿命にはっきり表われており、人類史上、最も偉大な業績のひとつである。そして、二〇二〇～二一年のパンデミックのような危機に見まわれると、そうした進歩すべてに対する見方は一新される。おもしろいことに、パンデミックによって、その目に見えない盾が突然、一時的にはっきり見えてくるのだ。そのときだけ、私たちは日常の生活がいかに医学、病院、公衆衛生当局、薬のサプライチェーンなどに依存しているかを思い知る。そしてコロナ禍のような出来事には、ほかにも効果がある。私たちはその盾の穴、つまり脆弱性に気づき、新たな脅威から身を守るための新しい科学の躍進、新しいシステム、新しい方法を必要としている部分を知ることができるのだ。

たいていの歴史本は人物、出来事、または場所、つまり偉大な指導者、軍事衝突、都市、国家などを中心に書かれる。それに対して本書が語るのは数字の話、すなわち、わずか一世紀で世界人口の平均寿命が延び、人びとにプラスの人生をもたらした話である。その進歩はどこから来たのか、そしてそれを可能にするためになくてはならなかったブレイクスルーと協力関係と制度を理解しようとする試みである。さらに、本書では次の疑問に徹底して答えようとしている――このプラス二万日のうち、どれだけがワクチンによるもので、どれだけが無作為化対照二重盲検法によるもので、どれだけが飢饉の減少によるものなのか？　人びとが平均寿命について考えられるようになったのは、一七世紀のイギリス国民の死因を理解するために考案された、初めての死亡報告のおかげである。本書はその逆を問いかける――現在私たちを生かし続けている力は何なのだろう？

見るべきは「平均」ではなく「分布」

全体的な平均寿命のグラフは重要だが、やや誤解を招く部分もある。往々にして、もうすぐ不死がかなうという幻想を促すのだ。人間の寿命延長を平均値で見ると、上昇の一途というイメージが伝わってくる。早送りボタンを押して、次の一〇〇年でその傾向がどう展開するかを想像しよう。同じ上昇傾向が続けば、「平均的な」人は一六〇歳まで生きることになる。

しかしこの物語を「分布」で見ると、イメージが変わる。死亡率が最も大きく低下しているのは、人が生まれてからの一〇年間だ。本書を執筆している二〇二一年現在、たしかに大人も産業革命全盛期より長く生きているし、地球上には一〇〇歳以上の人が一九九〇年の四倍存在するが、その差は、平均寿命のグラフを見て予想されるほどドラマチックではない。二世紀前にも六〇歳を超えて生きる人は大勢いた（アメリカ建国の父について考えてみよう。ジェファーソンは七三歳で亡くなったが、マディソン、アダムス、フランクリンはみな八〇代半ばまで生きた）。それに対して、乳幼児の死亡率は急激に減少した。全人口のうち、生後五カ月や五歳で死亡する割合が高ければ、その死亡が全体の平均寿命を大幅に引き下げる。しかし、そうした子どもの大半が大人になるまで生き延びれば、平均寿命は急上昇する。

図表I-3｜世界の小児死亡率

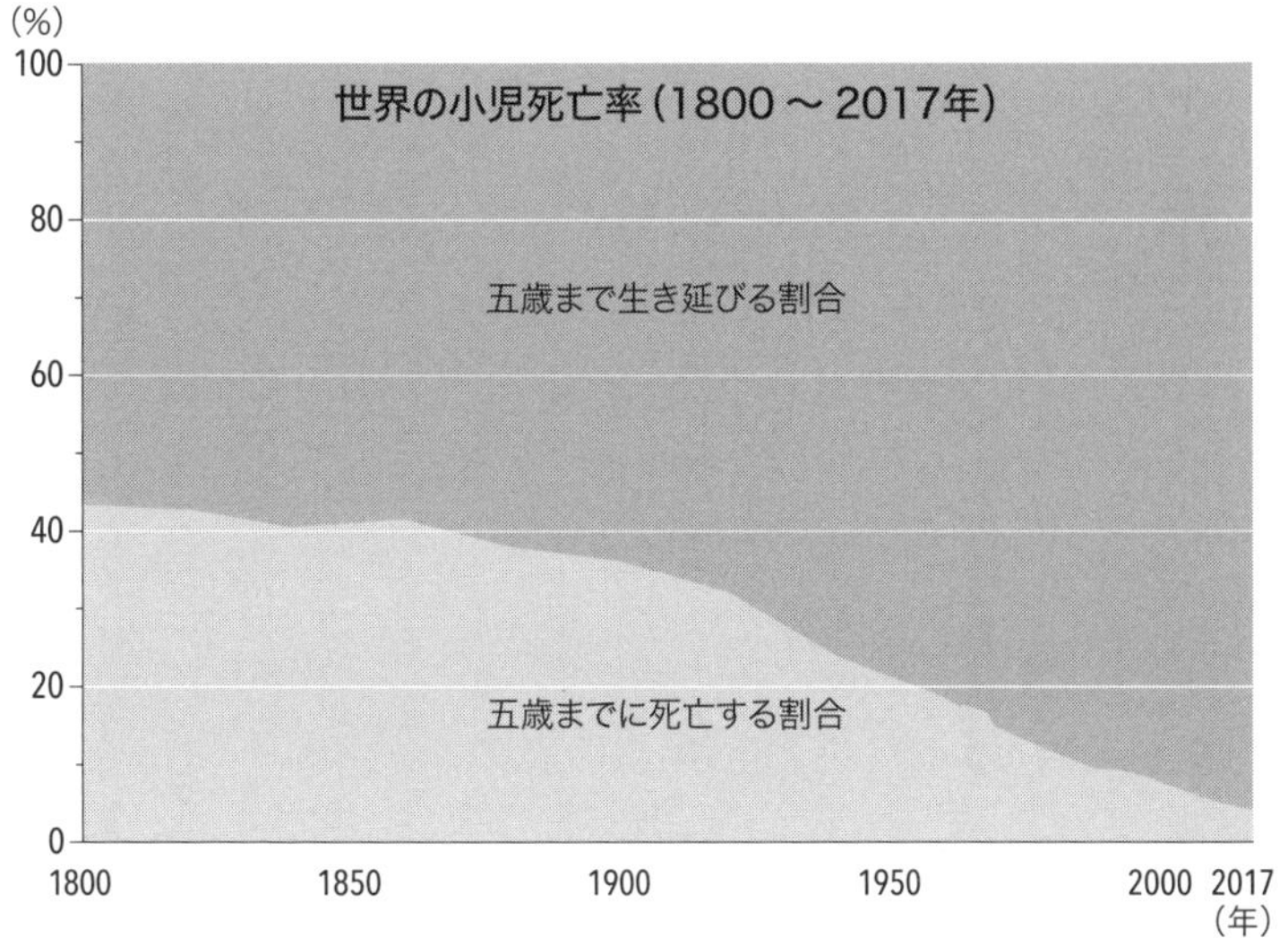

世界人口のうち生まれて五年で死亡する者と生き延びる者の割合

出典：Gapminderと世界銀行　ourworldindata.org/a-history-of-global-living-conditions-in-5-charts

人口がはるかに少なく、たった一〇人だと仮定すると、その効果がよくわかる。子どもの死亡率が三〇パーセントの社会で予想されるように、一〇人のうち三人が二歳で死亡するが、残りは七〇歳まで生きると、その集団の平均寿命は四九年になる。その三人の子どもが生き続け、ほかの人たちと同じように七〇歳まで生きると、全体の平均は二一年も急増して七〇年になる。しかしこのシナリオでは、大人は一日も長く生きていない。ただ子どもたちが死ななくなっただけである。

早すぎる死の影響はあまりに大きいため、人口統計学では「出生時」平均余命とほかの年齢の平均余命を区別する。乳幼児期の死亡リスクはきわめて深刻なので、出生時平均余命が一五歳や二〇歳の平均余命よりかなり短い社会も多くある。新生児は平均余命がたとえば三〇年しかないかもしれないが、若者は五〇年以上生きると合理的に期待できる。ほとんどの現代社会では子どもの死亡率は低い。そういう社会では子どもでも一年生き延びると、そのあと生存が期待できる年数が一年減る——一歳年をとると、人生の終焉に一年近づくのだ。しかし子どもの死亡率が高い社会ではパターンが逆転する。少なくとも成人初期までは、誕生日を迎えられれば来たるべき死は遠ざかる。

こうしたことから、平均寿命が上昇の一途をたどる象徴的なグラフには必ず、同じくらい奇跡的な子どもの死亡率の傾向をたどる第二のグラフを添付すべきだということになる[*9]（図表I-3）。

本書は単純だが驚くべき二つの事実から始める。人類はたった一世紀で平均寿命を二倍に延ばし、人間が経験する最も悲惨な出来事、つまり子どもの死亡の確率を一〇分の一未満に減らしたのである。

シートベルトが救った命はいくつ？

本書は突き詰めれば、社会の意味ある変化がどうして起こるのか、その研究である。一〇〇年前、スペイン風邪による死者数が集計されたとき、世界の平均寿命が七〇年台に到達するかもしれないという考えは、ほとんど非常識に思えた。しかし今日、それは現実となっている。当時と現在で何が変わったのだろう？　結局のところ、これは昔からある疑問だ。人口統計学者が平均寿命の延びに注目するようになったとたん、学者や公衆衛生専門家は、何がその変化を促しているのかを議論し始めた。彼らのさまざまな調査は、本書の中心要素のひとつである。なぜなら、プラスの変化の本質を理解することは、そもそもその変化を起こす具体的なブレイクスルーと同じくらい重要であることが多いからだ。なぜ重要かというと、ひとつには、そのおかげでまちがった仮説や見せかけの解決策を捨てられる。もうひとつは、真に成功する介入をさらに拡大し、その進歩をより広い範囲にもたらすことができるからである。

有名な指導者の人生や、伝説的な海戦ではなく、人口統計の動向を中心とする歴史本を書こうとすると、いくつか興味深い構成上の難題を突きつけられる。一〇〇〇人ものヒーローがいる物語をどうやって語る？　年代順に説明しようとしても、一本の直線的な時系列では収まりきらない。X線、抗生物質、ポリオワクチンなど、イノベーションが次々に出てくるのだ。そこで本書は別のアプローチをとっている。まずは最初のフィルターをかける。つまり、この一世紀で平均寿命が倍になったことを説明できる、最も重要な変革の「カテゴリー」をはっきりさせる。このカテゴリーのなかには明白なものもあって、その筆頭がコロナ時代の聖杯であるワクチンだ。しかし定義がそれほど明確にはいかないカテゴリーもある。どういう測定基準を使うのか？　あるアイデアによって延びた平均寿命の年数を、いつの日か計算できるようになるかもしれない。それはカテゴリー組み立ての中心となる完璧なデータだろう。しかしそんな計算を現実世界で実行するのは難しい。そもそも、その作業は本質的に反事実的条件をともなう。その計算で追いかけるのは救われた命であって、死亡ではない。死亡報告と公衆衛生記録が考え出されたおかげで、たとえば肺炎や自動車事故など、具体的な脅威で何人が命を落としたのかを計算するのは、とても簡単になった。そのデータは世界各地でほんの数回クリックすれば、エクセルファイルをダウンロードできる。しかし現実と異なる仮想の領域に入ると、つまり、特定の介入が実施されていなかったら、何人が命を落としていたかということになると、状況はあいまいになる。ひとつのアプローチは、介入が広く活用される前の死亡率から単純に推定することだ。たとえば、シートベルトが発明されて普及する前、アメリカでは走行距離一〇万マイル（約一六万キロ）あたり六人が死亡していた。死亡率がそのレベルにとどまっていたら、そのあとの半世紀でさらに一〇〇〇万人のアメリカ人が命を落としていただろう。しかしこれから見ていくように、シートベルトはその期間に自動車の安全性を高めたさまざまな要因のひとつにすぎない。たとえばエアバッグ、飲酒運転に反対する母の会、そして車の設計や道路の安全性に加えられたさまざまなマイナーチェンジも貢献した。

寿命を延ばしたイノベーション

人間の健康の歴史に関する避けられない事実は、進歩を促したイノベーションそのものが、ほとんどつねにほかのイノベーションとの共生関係に巻き込まれている、ということだ。たとえば、これまで発明が命を救う効果を正確に測定しようとした試みのなかには、一八六〇年代に大規模な導入が始まって以降、たんなるトイレが一〇億人以上の命を救ったと示唆するものもある。たしかに、この主張はもっともらしいだけでなく、知識として有益な部分もある。欧米の先進工業国でトイレが中流階級の家に導入されてすぐ、水を媒介とする病気の減少が見られ、それは平均寿命の最初の急上昇を促した主要な力のひとつだった。そしてトイレが命を救うメリットを取り上げることで、進歩はいわゆる破壊的イノベーションとよく結びつけられる消費者向け技術だけでなく、もっと基礎的な発明にもよく見られるのだと、あらためて思い知らされる。しかしトイレが実際に健康状態を改善するには、排泄物と飲料水を分ける機能的な下水道システムとつながらなくてはならない。そしてこうしたコストのかかる下水道システムを建設するには、当時主流だった病気のミアズマ説（病気を引き起こすのは腐敗物などから発せられる毒気《ミアズマ》だとする説）を、水が感染を媒介しているという理解に置き換える必要があった。そのためには、公衆衛生データと疫学が成熟した科学として成立する必要があった。たしかに、この複合的要素――トイレという装置、下水道という公共インフラ、水媒介説と疫学という概念的なブレイクスルー――がまとまって、一〇億以上の命を救った。その功績はトイレだけのものではない。

こうした現実的な難しさはあるが、近代の介入が寿命を延ばすのにどのような効果があったのかをおおよそでも評価することは、追求する価値のある仕事だ。なぜなら、過去に何がうまくいったのかがわかるうえ、将来的にどんな介入がうまくいくかについてのロードマップを示してくれるからだ。この仕事は漠然としているので、数字の桁を中心に整理するのが最善である。数百万の命を救ったイノベーション、数億の命を救ったイノベーション、そして寿命を伸ばした真の巨人、すなわち数十億を救ったブレイクスルーだ。このように整理すると、この二、三世紀にわたる人類の寿命延長にまつわるテーマは、次のようになる。

〈数百万の命を救ったイノベーション〉

エイズ・カクテル療法
麻酔
血管形成術
抗マラリア薬
CPR（心肺蘇生法）
インシュリン
腎臓人工透析
経口補水療法
ペースメーカー
放射線医学
冷蔵

シートベルト

〈数億の命を救ったイノベーション〉

抗生物質
二又針
輸血
塩素消毒
低温殺菌

〈数十億の命を救ったイノベーション〉

化学肥料
トイレ／下水道
ワクチン

トイレから二又針まで、どれが最も多くの命を救ったかというランキングは、たしかにやってみる分には、わかりやすくて興味を引く試みである。本書ではこのあと、こうした多くのたぐいまれなブレイクスルーの裏話を探っていく。しかしこの歴史を、新たな方法で人間の健康を改善するものの発達史として見ると、誤解を招きかねない部分もある。ほんとうに重要な変化の多くは、ひとつのものに集約することはできない。決定的な突破口がメタ・イノベーション、つまり新しいアイデアを思いついたり広めたりするのを容易にする新しいアイデアの場合もある。情報を操作する方式や、新しい形の協力関係を実現するプラットフォームが関与する場合もある。メタ・イノベーションが、それ以前には想像しえなかった方法で命を救うアイデアを展開できる、新しいタイプの制度の場合もある。無関係な分野の概念が進歩したことによって健康の実現性が間接的に広がり、ブレイクスルーになる場合もある。しかしこのような発展より、人間の進歩の経緯をでっち上げている典型的な「ピンときた」話のほうが記憶に残る。だからこそ、ペニシリンの思いがけない発見の物語のほうが、本物の薬と怪しげな治療法を区別するのを助けるアメリカ食品医薬品局設立の物語より、〝知名度〟が高くなりがちなのだ。しかしこれから見ていくように、後者は人間の健康に多大な影響をおよぼしている。そして、たいてい、ひかえめな英雄的行為と天才の物語がかかわっていて、はみ出し者の研究者や彼らがピンときた瞬間の伝説と同じだけの説得力がある。

結局、私はこのプラス二万日の物語を八つに大別して整理した。最初は平均寿命そのものの概念である。それが結果的に、測定科学において測定している対象を根本的に変えるイノベーションのひとつになった。ほかはワクチン、データと疫学、低温殺菌と塩素消毒、規制と試験、抗生物質、安全技術と規制、飢饉撲滅のための介入、である。カテゴリーごとに章を構成し、こうした新しいアイデアを世に送り出した張本人と、アイデアが確実に採用されるように奮闘した人びとの話が語られている。私としては、最も大きな影響をおよぼしたイノベーションを示す公衆衛生の実験データにもとづいて、各章をまとめようと試みたが、基本的なカテゴリーには必然的に多少主観が入っている。人間の健康の根本原理のなかで、あまりなじみのない話に偏りすぎている場合もある。つまり、一九世紀のゼンメルヴァイスと細菌論や近年のエイズとの闘いなど、一般的には多大な評価を受けているブレイクスルーなのに、本書では話のついでにしか出てこないものがいくつかある。しかし、全体的な傾向をきちんと表わす代表例を集める努力もしている。

総体的に見ると八つのカテゴリーは、寿命のプラス二万日という変化そのものの規模と、その変化を可能にした広範な能力、専門知識、そして協力の意味を伝えているはずだ。

平均寿命は延び続ける？

進歩とプラスの変化を強調してはいるものの、本書をウイニングラン、つまり現状に満足する口実とまちがわないでほしい。二〇世紀の平均寿命の延びは、必ずしも永遠に続くわけではない。これを書いている現在、COVID-19パンデミックの感染者数はまだ増えている。この大流行前にも、アメリカはオピオイドの過剰摂取と自殺――いわゆる絶望死――の蔓延を経験しており、そのせいでこの国の平均寿命は三年連続で縮小していた。スペイン風邪が終息して以降、最長期間の縮小である。[*10] 重大な健康格差はいまだに、世界中の異なる階級間や国家間に存在する。そして皮肉なことに、寿命の倍増という大きな勝利が、同じくらい大きな地球にとっての問題を生み出した。次ページに示した農耕革命以降の地球の人口のグラフをよく見てほしい[*11]（図表Ⅰ‐4）。

平均寿命の長期展望とよく似ているのは偶然ではない。たいした変化なく何世紀も過ぎたあと、この二世紀で突然、未曾有の急上昇が起きている。グラフがそっくりなのは、事実上、同じ現象をマッピングしているからだ。扇動家が発展途上国の無責任な出生率について大げさに騒ぐこともあるが、真相としては、世界人口の急増は世界的な出生率の急増によって引き起こされるのではない。それどころか、一人が産む赤ん坊の数はかつてないほど減っている。この二世紀のあいだに、まずは先進工業国で、そのあと世界中で起こった変化とは、人が――とくに幼い子どもが――死ななくなったことだ。そして死なないことにより、ほとんどが自分の子どもをもうけられるくらい長く生き、その子どもたちが自分の子孫をつくってサイクルを繰り返した。出産年齢まで生き残る人口の割合が増えれば、たとえ個々人が残す子孫の平均数が減っても、子どもは増える。世界中で六から七世代にわたってそのパターンを繰り返せば、たとえ出生率が下がっても、世界人口は一〇億から七〇億に増える可能性がある。

ある面では、これはすばらしいニュースだと考えていい。幼児期に死亡していた子どもがみな、自分の子をもうけたり、大人になって充実した人生を送ったりできるのだ。しかし、グラフの右端に見られるこの急上昇には、不吉なものを感じずにはいられない。それは通常、安定均衡の健全な自然の体系には見られない形だ。これは、がん細胞の指数関数的進行の形であり、呼吸器の内部でH1N1ウイルスが自己複製するときの形だ。H1N1のような驚異の成長を止めるために、私た

図表I-4｜**農耕革命以降の世界の人口増加**

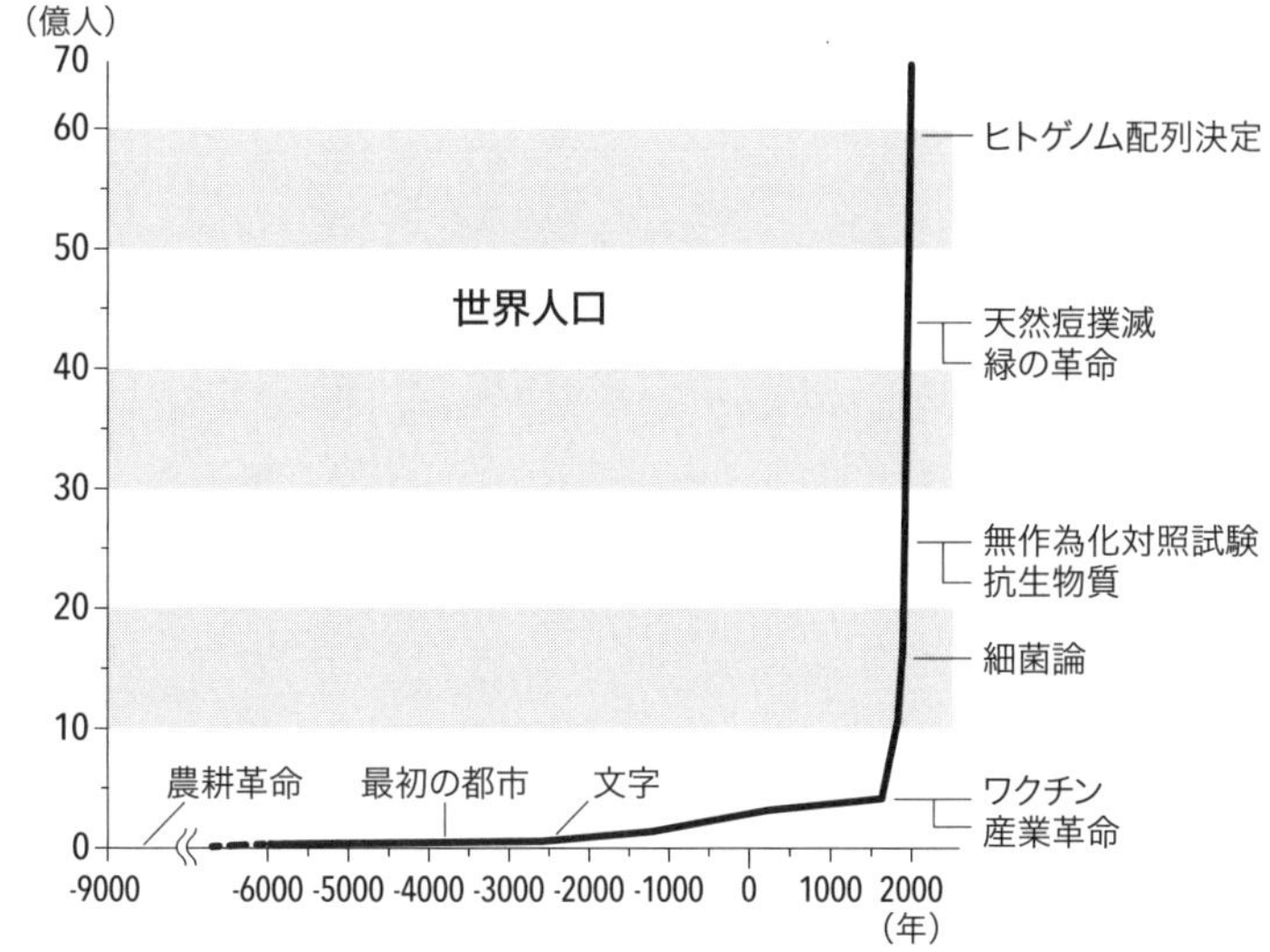

出典：Our World in Data; Fogel, 1999

ちが考え出したすばらしい解決策すべてが、新たなレベルの脅威を生み出した。それは、すなわち私たち自身である。人類がいま直面している主要な問題の多くは、死亡率減少の二次的影響だ。当然とも言える理由で、気候変動は一般に産業革命の二次的影響だと理解されているが、もし私たちが死亡率を下げることなく、どうにかして化石燃料による電力に頼るライフスタイルを採用していたら——つまり、蒸気機関と石炭火力発電と自動車を発明しながら、世界人口を一八〇〇年のレベルに維持していたら——気候変動はまったく問題になっていなかっただろう。

単純に、その数の人間では、大気中の炭素レベルに有意な影響をおよぼすことはなかった。

そういうわけで、平均寿命というこの単純な数字の物語を、まぎれもない勝利の物語ととらえてはならない。これほど重大な変化で、その影響がプラスばかりというものはない。とはいえ、平均寿命の倍増を、この数百年で人間社会における最も重要な発展として理解すべき理由は、ひとつには、その影響が非常に直接的であると同時に世界規模でもあることだ。たった二、三世紀で、私たちは人生を二万日も増やすことができた。生まれて二、三年後に命を落としていたであろう子どもが、何十億人も大人になるまで成長し、自分の子どもをもつことができるようになった。本書はどうしてそうなったかの物語である。

第1章

「私はあとどれくらい生きられるのか」を知る方法

平均寿命の測定

年齢が存在しない民族

一九六七年春、ナンシー・ハウエルというハーバード大学で社会学を学ぶ大学院生が、新婚の夫で人類学者のリチャード・リーと、ボストンからローマへ飛んだ。イタリアで数日過ごしたあとナイロビに飛び、そこでリーの研究者仲間と落ちあって、このあたりに住む先住民族であるハヅァ族を訪ねた。二人はそこからヨハネスブルクに飛んで、必需品を買い込み、現地の研究者数人と交流した。[*1] さらにトラックを購入し、独立したばかりのボツワナ共和国まで北上し、新しい首都で食料などを調達したあと、オカバンゴ・デルタに向かって北西に移動。オカバンゴは砂漠に出現する湿地で、雨季の川の氾濫で水が満ちたところだった。彼らはマウンの町で私書箱を借りた。マウンはコンビニやガソリンスタンドのような近代的で便利な施設がある最後の基地だ。そこから未舗装の道路を約二四〇キロ西に行き、カラハリ砂漠の西端にあるノカネンという小さな村に着いた。

旅のこの時点で六月だったが、オカバンゴ・デルタを水浸しにした南半球の冬の洪水は、カラハリ砂漠の端ではどこにも見当たらない。新婚夫婦はノカネンに拠点をつくり、今後の移動のために十分なガソリンを残して、ナミビア国境に向かって砂漠を真西へと出発。結局、乾燥地帯を一〇〇キロほど行くのに八時間かかった。[*2]

それは過酷な旅であり、ある意味、時間をさかのぼる旅でもあった。八時間の長旅の先にあったのは、カラハリ砂漠には希少な、人間の小さな集落を支えるのに十分な水のある土地だ。広さ二六万平方キロほどの不毛で平らな風景に点在する、九個の泉のおかげである。カラハリ砂漠にしてはわりと快適なこの土地は、その泉のひとつの名前にちなんで、ドベ地区と呼ばれることもある。ハウエルとリーが苦難の旅をしたのは、ドベ地区にクン人が住んでいるからである。クン人は、現代生活の慣習とテクノロジーすべてから奇跡的にほぼ切り離されてきた、狩猟採集社会である。そこはそれまでの血なまぐさい数世紀を、ほかのアフリカ社会やヨーロッパ人入植者とほとんど接触することなく、生き延びることができた。ハウエルがのちに述べているように、彼らは「南アフリカのもっと勢力の強い民族が、領地を取り上げることはおろか共有することさえ望まなかったという単純な事実によって[*3]」守られた。

世界中の現存する狩猟採集社会の多くがそうであるように、クン人も欧米の人類学者に、およそ一万年前に初めて起こった農耕革命より前、ホモサピエンス進化史の大半を決定づけた祖先の環境について、刺激的な手がかりを教えてくれる。リーは一九六七年より前にすでに数回クン社会を訪ねて、彼らの社会組織、食料生産技術、そしてコミュニティ内で資源を管理し共有する方法を研究していた。リーの研究は、狩猟採集社会についての新しい考え方を提案するのに役立っていた。それは、「自然状態」は「孤独で、貧しく、不快で、野蛮で、短い」という有名なトマス・ホッブズの表現に代表される、昔ながらの見方を揺るがす考え方だ。間近で観察したクン人は、ホッブズが憶測したように、飢餓寸前のつらい生活を何とか生き抜こうと奮闘しているようには見えなかった。周囲の天然資源はわずかなのに、彼らの生活水準は驚くほど高いようだ。必要な栄養を得るための労働時間は週二〇時間にもおよばない。人類学者のマーシャル・サーリンズは、太平洋上の狩猟採集文化に関する同様の研究にもとづいて、最近、この初期の人間社会組織について再考されたモデルを表わす用語を提案した。「原初の豊かな社会」である。クン人のような部族は、不幸にもあらゆる現代テクノロジーの進歩を享受できず、貧困にあえいでいた人類の過去の姿を象徴してはいない。そうではなく、サーリンズによれば「世界で最も『原始的な』人びとは、所有物はわずかでも貧しくはない」[*4]。西洋文明の一般的慣習からすると、クン人はたしかに原始的に見える。トランジスターラジオも洗濯機も多国籍企業もない。しかしもっと基本的な基準――食べ物、家族、人間関係、娯楽――で判断すると、当時の一般通念よりはるかに先進工業国と対等に思われた。

ナンシー・ハウエルが地球を半周してドベ地区までやって来たのは、生活水準とはちがう種類の測定をするためでもあった。それは人間の生活にとって最も基本的な測定かもしれない。クン人は、初期人類の生活がほんとうに「孤独で、貧しく、不快で、野蛮で、短い」かどうかを判断するのに役立つ有意義な証拠を、少なくともいくつか示していた。しかし人口統計学者としてのハウエルは、とくにホッブズが並べた形容詞のうち、最後のひとつに関心を抱いた。テクノロジーが進んだ社会で生きている人間とくらべて、彼らの人生は正確にどれくらい短いのだろう？　孫の顔を見られるほど長く生きられる可能性はどれくらいなのか？　子どもを失う苦しみを味わったり、出産中に死亡したりする確率はどれくらいなのか？　突き詰めれば、豊かさは余暇、摂取カロリー、個人の自由で測ることができる。しかし、豊かだとされる社会の最も重要な尺度のひとつは、その社会の一員がどれだけ多くの生を——そしてどれだけ少ない死を——経験するか、であることはまちがいない。

三年の滞在中、ハウエルとリーは果てしなくデータを集めた。親族関係、妊娠、消費カロリーを追いかけたのだ。しかしハウエルにとって最も興味をそそられる——そしてとらえにくい——数字は、科学としての人口統計学の存在を支えるもの、すなわち出生時平均余命だった。

この数字がとらえにくい理由はいくつかある。クン人は過去の人口について文書記録をつ

図表1-1

クン人の社会的ネットワークを調査するナンシー・ハウエルと同僚のガケクゴッシュ、1968年
（撮影：リチャード・リー）

けていなかった。ハウエルに見せられる人口調査データも生命表もない。ハウエルとリーがクン人と過ごしたのはわずか二、三年であり、長期的な人口調査を行って、数十年間の出生と死亡を観察できる時間にはほど遠い。しかし最もやっかいなハードルは、彼らの使う数は大きくても三まであり、それもあって、クン人自身が自分は何歳なのかを知らないという単純な事実だった。クン社会の誰かに何歳かと尋ねても、ぽかんとした顔をされるだけだ。数の概念としての年齢は彼らにとって存在しなかったのだ。

これはナンシー・ハウエルが夫とともに一九六七年七月末、ドベにキャンプを設営したときに直面した難題だった。わざわざ歳を数えることなどしない文化で、どうやって平均寿命を計算する?

世界で初めて平均余命を計算した男

特定の文化領域で全住民の年齢を記録する慣習は、文字そのものと同じくらい古い。はるか昔の紀元前四千年紀に、バビロニア人が定期的に国勢調査を——おそらく課税目的で——行い、全人口の規模と住民個人の年齢の両方を登録して、データを粘土板に記していたことは、考古学的に証明されている。しかし平均余命という概念は、比較的新しく考案されたものだ。国勢調査のデータは事実の問題である。「この男性は四〇歳」「この女性は五五歳」。それに対して平均余命はまったく別物だ。魔術や逸話や当てずっぽうではなく、しっかりした統計の基礎にもとづいた将来の出来事の予測である。

初めて平均余命の計算が行われたきっかけは、思いがけないところにあった。一六六〇年代初め、ジョン・グラントという名のイギリス人小間物商がまったくの趣味で、ロンドンの死亡報告を入念に調べて、その結果を『死亡表に関する自然的および政治的諸観察』（『統計学古典選集』所収、栗田書店）というタイトルの小冊子として、一六六二年に発表した。グラントが人口統計学の正式な教育を受けていなかったことは、けっして意外ではない。人口統計学も保険数理も、当時は正式な学問分野として存在しなかった。それどころかグラントの小冊子こそが両分野を創始する文書だと、広く考えられている。この時代、統計学と確率そのものが揺籃期にあった（事実、「statistics（統計学）」という言葉が考え出されたのは一世紀以上あとのことで、グラントの時代には「政治算術」と呼ばれていた）。しかし、なぜグラント自身が平均余命を計算するという問題に取り組むことにしたのかは、いまだにちょっとした謎である。ひとつの動機は世のため人のためだ。市の死亡報告を詳しく分析すれば、当局にペストの大流行を警告し、隔離所などの公衆衛生面での介入を、たとえ不完全であっても当局が確立できるかもしれない、とグラントは考えたのだ。そう考えたことから、グラントは疫学の父のひとりともいわれている。ただし、サミュエル・ピープスの日記やダニエル・デフォーの史実にもとづく小説『ペスト』での描写で有名な、三年後の一六六五年に起こった悲惨な大疫病を防ぐのに、彼のこの小冊子はほとんど役に立たなかった。

グラントは小間物商が本業だったが、素人なりに人口統計学に興味を抱いたころには、実業家として成功して人脈も広げ、ドレーパーズ・カンパニーという国際貿易会社の役員になっていた。いくつかの市の評議会のメンバーとなり、ピープスだけでなく、博識な外科医で音楽家でもあったウィリアム・ペティとも交流した。ペティは『政治算術』（岩波書店）を含め、数多くの政治経済および統計学に関する名著を上梓している（この時期の学者のごく一部は、『死亡表に関する自然的および政治的諸観察』を書いたのはグラントでなくペティだと信じている）。前書きによると、グラントがこのプロジェクトを最初に思いついたのは、ロンドン市民の「死亡表」の読み方を長年にわたって観察した結果だったという。死亡表は一六〇〇年代初め以降、教会書記組合によってきちんと集められ、週に一度発表されていた、市全域の死亡者に関する目録だ。グラントによると、読者は「『埋葬式』がどれだけ増えたか、または減ったか、そしてその週の『犠牲者』にはどんな珍しいことや異常なことが起こったかなど、最終結果を見る以外はほとんど利用していなかった。次の集まりで話のネタにする聖書の一節と同じ扱いなのだろう」[*5]。ロンドン市民は死亡表の大見出しを走り読みする（今週は何人死んだ？　興味深い新しい病気が広がっている？）。何か目にとまるような情報を見つけたならば、それを気軽にビールを飲みながら友人に伝えるかもしれない。しかしわざわざ死亡表を、各週の死亡者数のランダムな変動だけでなく、もっと広い真実を示唆できるデータとして、体系的に調べる人はいなかった。

グラントの作業は、このように死亡表が軽んじられてきた過去から根本的に脱却することを意図していた。彼はデータを浅はかなゴシップのネタとしてではなく、ロンドン住民全体の健康にまつわる仮説を検証する方法として、さらには、そのコミュニティにおける長期的な傾向を理解する方法として、利用していたのだ。彼の調査は、いくつかの死亡表を自分なりに熟読することから始まった。そうすることで市民の健康について、グラントがのちに「思いつき、私見、憶測」呼んだものがいくつか生まれた。最初に感じた一連の疑問に触発され、彼は何カ月ものあいだ、サザック橋の北のブロード・レーンにあった教会書記会館を訪れ、調査のためにできるかぎりたくさんの死亡表を手に入れた。表計算ソフトはおろか計算器さえ発明されていない時代に、骨の折れるデータ集計を行って、グラントは小冊子の核となる一〇あまりの表を作成している。手始めは現代医学の中心となる疑問のひとつ、母集団内の死因の分布はどうなっているのか？　この疑問に答えるために、彼は二つの表を作成した。ひとつは「悪名高い病気」、もうひとつは「犠牲者」。どちらの表も、ホルヘ・ルイス・ボルヘスの有名な「中国の百科事典」に似ていて、現代人にはこっけいに思われる多様な分類が混在している。「悪名高い病気」の表は次ページのとおり[*6]（図表1-2）。「犠牲者」の表には、現代の人口統計学者におなじみのさまざまな原因——たとえば八六人の殺人——も見られるが、驚くような死因もある。グラントの報告では、調査した二七九人が「悲嘆」でなくなり、二六人が「恐怖」で死亡したという。

とはいえ、最も重要な表に組み込まれているのは、グラントが「急性の伝染病」と呼ぶもの、すなわち天然痘、ペスト、はしか、結核である。一定期間の総死者数を計算し、その総数を病気ごと

図表1-2｜**悪名高い病気**

卒中	1306
石の一撃	38
てんかん	74
路上での死亡	243
痛風	134
頭痛	51
黄疸	998
昏睡	67
らい	6
発狂	158
添い寝の窒息と飢餓	529
麻痺	423
脱腸	201
結石と有痛排尿	863
座骨痛	5
突然	454

に分けることで、グラントは——初めて——特定の原因で死ぬ可能性がどれくらいなのか、という疑問への答えを提案することができた。死亡表は単純に死亡の目録であり、命が失われるという個人の悲劇以上の意味をもたない事実だった。グラントの表はその事実を取り上げ、それを確率に変えて、公衆衛生にとっての大きな脅威は何であるかについて、当局に実際に役立つ概要を示し、彼らがそうした脅威と闘い、より効果的に優先順位をつけることを可能にする見識を与えたのである。

しかしグラントが導入した最も画期的な統計学的手法は、「住民の数」というタイトルの章に見られる。グラントはその章でまず、「当市の優秀な先輩たち」と交わした多様な会話に言及している。彼らは市の全人口は数百万にちがいないと言った。グラントは自分の死亡報告の研究から、その数字はかなり誇張されているはずだと、正しく認識していた（人口二〇〇万人の都市なら、死亡表に記録されているよりはるかにたくさんの死者がいただろう）。あれこれ回りくどい計算をした結果、グラントが提示したのは、はるかに低い数字、三八万四〇〇〇人だった。グラント自身、その数字の出し方は「おそらくあまりに適当」だったと考えたが、彼が最初に発表して以降、その計算は説得力を失っていない。現代の歴史学者もこの時代のロンドンの人口を四〇万前後だったと推定している。[*7]

この総人口というきわめて重要な分母を武器に、グラントはそのあと、死亡表の別の主要素を新しい角度から検討することができた。それは死亡時の年齢である。彼は記録された死亡のデータ全体を、九つに区分した。六歳の誕生日の前に死亡した者、六歳から一六歳の誕生日のあいだに死亡した者、一六歳と二六歳の誕生日のあいだ、という具合で八六歳までの区分だ。このやり方で死亡者を区分することで、人口における年齢別の死亡者分布を計算できる。そしてグラントの報告によると、ロンドンで生まれた一〇〇人当たり三六人が六歳の誕生日の前に死亡している。現代の用語を使えば、子どもの死亡率は三六パーセントだったのだ。

グラントの「生命表」全体は厳しい現実を突きつけた。ロンドンの人口のうち生き延びて青年期を過ぎるのは半分以下、六〇歳台まで生き残るのは六パーセントに満たない。グラントは次の段階に進んで、生命表をひとつの数字にまとめることまではできなかった。その数字とは、私たちが現在、おそらく最も根本的な公衆衛生の評価基準として使っている数字、出生時平均余命だ。しかし、グラントが表に集めたデータにもとづいて計算することができる。グラントの報告をもとにすると、一六六〇年代半ばにロンドンで生まれた赤ん坊の平均寿命は、たった一七年半だった。

クン人の年齢を割り出す

ナンシー・ハウエルが一九六七年半ばにドベ地区に到着し、クン人の健康と寿命についての調査を始めたとき、そのような研究を試みるのに、ジョン・グラントとくらべていくつか決定的な強みがあった。三〇〇年にわたる統計学と人口学の進歩を意のままに利用できたのだ。グラントの時代以降、人口統計学者が出生時平均余命だけでなく、きわめて重要なほかの年齢の平均余命も計算するために、さまざまなツールが開発された。一方、ハウエルが利用できたのはたんなる概念的ツールだけではない。数字を高速処理するデータ入力システムと計算機があり、クン人を撮影するためのカメラもあった。これは記録のために彼らを識別し、一九六〇年代前半に完了していた研究と結びつけるのに役立った。クン人へのインタビューを記録するテープレコーダーもあった。最終的には、クン人の経時的な人口変動をシミュレーションするためのソフトウェアプログラム――AMBUSH――まで開発するつもりだった。

こうした強みはあっても、実際的な人口調査を行うにあたって、ハウエルは面倒な難題に直面していた。クン人には、年数で測定される数字カテゴリーとしての年齢の概念がないという、どうしようもない事実だ。見た目にもとづいて年齢のおおよその測定をすることさえ難しかった。結果的に六〇代だとわかったクン人の多くは、西洋人の目にははるかに若く見えた。活動的なライフスタイルと、狩猟採集社会に特有の食事のおかげだ。おまけに、頼りになる死亡表はなく、それどころか文書記録はいっさいない。ハウエルは、三より大きい数字を使う必要を見いだしていない文化で、どうにかして教会書記の仕事をやらなくてはならなかった。

一九六七年九月にハウエルがその課題を前もって検討したとき、見通しは悲観的だったうえに、その季節のカラハリ砂漠の気候のせいで、さらに状況は悪化した。雨は数カ月前にやみ、日中の気温はつねに四三度を超え、ほとんどの一時的水源は干上がっていた。

しかしハウエルは、そうしたカラハリ砂漠の乾期の厳しい条件を、逆手にとることができた。年末近くに再び雨が降り始めるまで一時的水源が使えないので、クン人たちは地区の特徴である重要な泉の周囲に集まる。ハウエルと夫は、それぞれの泉を中心とする小さな村を頻繁に訪れた。体重用の秤と身長用の物差しと一袋のタバコを携えて到着する。二人の学者はタバコを少しずつ配って、村人の体重と身長を記録する非公式の測定会を催したのだ。ハウエルはのちに、クン人はその訪問を心待ちにしていたと書いている。「タバコをもらえるし、日課を休んで、木陰に二、三時間すわり、冗談を言ったりほかの人が測定されるのを見物したりして過ごすことができるからだ。さらにその訪問は、集落についての何気ない情報やニュースをたくさん集める、いい機会にもなった」[*8]

測定会は体重と身長の計算には成功したが、ハウエルが最も興味を抱いていた測定の単位――年齢――は、それほどうまくつかめなかった。最終的にハウエルがクン人一人ひとりの年齢の、そこそこ正確な査定値を計算できたのは、数字ではなく文法を用いた作戦の成果だ。クン人は年齢を数えていなかったが、きめ細かな相対的年齢の観念はあった。どの村人が自分より年上で、どの村人が年下かを十分に認識していたのだ。[*9]その年齢差は、彼らの話し言葉に反映された。フランス語やスペイン語のようなインドヨーロッパ言語の多くが、直接呼びかける言葉でフォーマルとインフォーマルな関係を区別する（フランス語では「vous」と「tu」の差異）のと同じように、クン人の言語にもそれに相当する、年長者と若年者を区別する文法的な差がある。実際、クン人が「食事の準備を手伝ってくれませんか？」というふうに言うとき、若年者に対する文法では、その疑問文の実際の意味は「若い人、食事の準備を手伝ってくれ」になる。

結局、その小さな構文の区別が、クン人の平均余命事件を解決する十分な手がかりになった。リーは一九六三年にその地区を訪問しており、その記録にもとづいて、すでにドベの人口についておよその調査をしていた。以前の訪問期間中に誕生を自分で観察したことから、彼は幼い子どもたちの年齢をかなり正確に確定できた。たとえば、一九六三年によちよち歩きの幼児だとリーが把握していた子どもは、一九六七年には六歳か七歳と確実に判定できる。そのおかげでハウエルにとって調査を構築するための土台ができた。彼女はその六歳児が友だちと何気なく会話をするのを聞いて、その友だちのうち、どの子が年下として呼びかけられ、どの子が年上として呼びかけられるのかを認識できる。彼女はクン人の出産適齢期以上の女性一六五人に直接インタビューすることによって、そのデータを補完した。インタビューでは妊娠についての細かい経歴を記録した。妊娠、流産、中絶、死産、無事な出産、という具合だ。たいてい一年か二年間隔で起こる出来事なので、年表にすることもできる。ある母親が二年前に流産し、その二年前に娘が生まれたと報告するなら、娘は四歳ということになる。この家族と社会の入り組んだつながりを追いかけることによって、ハウエルは一種のヒエラルキーを構築することができた。年齢で整理された全住民のランク一覧だ。年齢が極端に高くなると人数が少なくなるので、正確な年齢ははっきりしなくなる。七〇代が二人しかいなければ、一方が他方より年上だとわかるだけで、どちらかが何歳かを正確に知ることは難しい。しかし、クン人の平均余命の全体像にだいぶ近づいた。

分析するうちに、クン人の出生時平均余命は、この数百年で向上したことがはっきりわかった。狩猟採集文化に浸透しつつある近代的な医療制度の影響だろう。ハウエルは最終的に、もっと上の世代の平均寿命は三〇年だったが、一九六〇年代末にクン社会に生まれる子どもは平均で三五年生きると期待できる、と主張するにいたった。現代の基準では短く思えるが、実際にはクン人の多くが、一九六〇年代末の先進国でも長いと考えられる寿命を享受していた。著書の一冊でハウエルは、カセ・ツィソイという年長者について記述している。一九六八年にハウエルがインタビューして写真を撮影したとき、八二歳だった。[*10] いまだにとてもたくましく、自分の食べるものを採集したり、長い距離を徒歩で移動したりすることができる。ハウエルが初めて彼と出会ったとき、彼は新しい開拓地に自分の小屋を建てているところだった。

クン人の平均寿命を引き下げている最大の要因は、赤ん坊と子どもの死亡率が相対的に高いことだった。三〇〇年前にグラントがロンドンで観察した死亡率と、それほど変わらない。一〇人に二人の子どもが、生まれてから数カ月を生き延びることができず、さらに一〇パーセントが一〇歳の誕生日を迎える前に死亡する。それでも、平均寿命が三五年の社会にしては予想外に、大勢の祖父母や曾祖父母がいる。クン文化では、青年期を乗り切れば六〇年以上生きるチャンスは十分にある。問題は、六〇代まで生き延びるということは、そのあいだに複数の子どもや孫の死を経験する可能性が高いということだ。クン人にとって、子ども時代の試練を乗り切れば、年をとるのはそれほど難しくなかった。

兄の寿命を予測した理由

死亡表を分析したジョン・グラントの小冊子は大成功だった。小間物商が名誉ある王立協会に加わるよう誘われ、彼の小論のコピーは、数学志向のヨーロッパ人や設立まもない公衆衛生当局に広く配布された(グラントの統計分析に触発されて、パリは一六九七年に独自の死亡表を導入している)。確率論は一七世紀半ばには始まったばかりで、特定の出来事が起こる可能性を確かめるのに数学を使うという考えは、グラントが初めて教会書記のデータセットを調査し始めたときには、まさに斬新な概念だった。皮肉なことに、グラントは生と死という存在にかかわる疑問に取り組んでいたが、その時点まで確率について行われた重要な研究の目的はほぼすべて、はるかに軽薄な疑問の解決に向けられていた。さいころやトランプのようなゲームでの勝ち方である。グラントの表は、この新たな数学的ツールの新しい使い道を提案したわけだ。さいころゲームのリスクとチャンスを正確に評価できれば、こうしたツールを使って、人生というゲームについても同じことができるのでは?

正真正銘の平均寿命の算定値が初めて登場したのは、一六六九年、オランダ人博学者のクリスティアーン・ホイヘンスと弟のローデウェイクが交わした一連の書簡だった。クリスティアーンは当時最も有力で聡明な科学者のひとりだった。天文学者として土星の輪を研究し、土星の衛星タイタンを初めて観測。光の波動説を提唱し、振り子時計も発明し、さらには確率論について一六ページにわたる画期的な論文を発表した。「運で決まるゲームの計算について」というタイトルで、きわめて重要な「期待利得」の概念をこの分野に導入した。いまや世界中のあらゆるカジノビジネスの礎となっている原理だ。この研究を知って、王立協会の会長は発表されたばかりのグラントの論文をクリスティアーンに送ったが、平均余命計算を最初に提案したのは、この優れた科学者の弟、ローデウェイクだった。

この問題にローデウェイクが関心をもった理由は金融学にあった。数学を用いて平均余命を確実に算定できれば、黎明期にある保険業が、終身年金保険の保険料をもっと効果的にはじき出せると気づいていた。恩給とよく似た終身年金は、典型的な生命保険と逆である。年金はあなたが生きているかぎり、定期分割払いで支払われる。保険会社の純粋に欲得ずくの観点からすると、若くして亡くなる顧客のほうが、予想より長く生きる顧客より利益になる（ふつうの生命保険では誘因が逆である）。しかし、どちらの保険の保険料設定も、予想寿命を測定できるかどうかにかかっていた。平均的な人が六〇歳まで生きる社会では、三五歳や一七歳までしか生きられない社会にくらべて、終身年金の保険料をかなり高く設定する必要があるだろう。そして、全体の出生時平均余命を計算するだけでなく、個々人の年齢からその人の予想余命をはじき出すことが、とくに有益である。保険会社は終身年金保険に入ろうとしている人が二〇歳の場合は、四〇歳の場合より、いくら多く請求するべきなのか？

一六六九年八月二二日付けの手紙で、ローデウェイクは数週間前から始めた妙な趣味について、兄にこう書いている。「年齢といえば、最近、あらゆる年齢の人があとどれくらい生きるかを表にした」。彼の表の基礎は、グラントが小冊子でまとめた元のデータセットだった。この成果に対するローデウェイクの自負が、手紙にはっきり表われている。「それによって生じる価値はとても喜ばしく……終身年金保険の組み立てに役立つだろう」。そして兄の注意を確実に引く発見にも触れている。「私の計算によると、兄さんはだいたい五六歳まで生きる。私は五五歳までだ」[*11]

クリスティアーンは返事で弟の計算に対する修正を提案し、グラントのデータを示す独創的なグラフまでスケッチした。現在、生存関数と呼ばれているもので算出されたデータの、知られているかぎり最初の例である。いま読むと、そのやり取りに兄弟間の対抗意識を感じずにはいられない。ローデウェイクはまちがいなく、自分より成功している兄を感心させようとがんばっているし、クリスティアーンは自分が訂正することで、それとなく弟の成果をけなしている（この種の活動をホイヘンス兄弟が余暇で楽しんでいるように見えることにも、驚きを禁じえない）。一六六九年の晩夏に兄弟間で交わされた手紙は、当初、王立協会のような権威ある組織から絶賛されることはなかった。しかし現在その手紙は、大昔から問われてきた疑問が解明されようとする転機として高く評価されている。その疑問とは「私はあとどれくらい生きられるのか？」ということだ。

三五年という天井

ローデウェイク・ホイヘンスの予測は悲観的すぎたことが判明している。クリスティアーンはローデウェイクの計算が予測したより一〇年長く生き、ローデウェイク自身は六八歳まで生きた。しかしそれは確率であって、予言ではない。ローデウェイクの計算――そしてそこから出現した平均余命の概念――は、大勢の個人の命がひしめく無秩序な集合を、安定した平均値にまとめ上げたのだ。その分析から、あなたが実際にどれくらい長く生きるかはわからないが、あなたを取り囲むコミュニティの出生と死亡のパターンを考慮すると、あなたがどれくらい長く生きると合理的に期待できるかはわかる。二つの社会の健康記録全体をくらべたり、一つのコミュニティの経時的変化を追いかけたりすることが、初めて可能になったのだ。

ジョン・グラントの表もまた、それなりに悲観的すぎた。一九七〇年代、アンソニー・リグリーという歴史人口学者が、一六世紀半ばまでさかのぼって、イギリスの教会記録の膨大なデータベースを整理した。その古文書からリグリーと共同研究者は、ルネッサンス期の末から産業革命半ばまでのイギリス人の平均余命を計算し、一七世紀のロンドンの出生時平均余命が三五年弱だったことを明らかにした[*12]（とりわけ死亡率の高かった一六六五～六六年の「大疫病」のようなペストの大流行中、平均寿命はグラントの表が示唆した一七年という数字近くまで一時的に落ちたかもしれない）。その一方、ナンシー・ハウエルによる狩猟採集民の寿命の分析は、おおむね後続調査によって裏づけられている。大勢の学者が、農耕以前の人間の集落から出た化石を分析し、一五歳前に死亡した人間の骨格にある歯の抜けた跡と永久歯から年齢を推定し、骨の衰えなどの手がかりを分析して、村の年長者の死亡年齢を算定した。ハウエルのように現存する狩猟採集民族を調べた研究や、古代の人間の化石を調べる考古学的科学調査から、狩猟採集民だった祖先はだいたい平均寿命が三〇年から三五年のどこかで、子どもの死亡率は三〇パーセントを超えていたと考えられている。

グラントとホイヘンスは当時知るよしもなかったが、彼らの最初の平均余命推定値は、啓蒙運動が始まりかけたヨーロッパ文化における重大事を明らかにしただけではない。一万年にわたる人間の文明全体にかかわる重要なことも明らかにしている。ただしそれは、ナンシー・ハウエルのような研究者が二〇世紀後半に狩猟採集社会の平均寿命を計算するようになってようやく、きちんと理解されるようになった。旧石器時代の祖先は、ジョン・グラントが生まれた時代の文明の成果に、とまどったり、うっとりしたりするだろう。四〇万人が住む都市は、印刷機によってニュースと情報を共有し、死亡率と金融取引を英数字コードで計算し、宮殿や橋や大聖堂を設計している——すべて農耕以降の人間による華々しい勝利だ。しかしこうした勝利とは対照的に、存在にかかわる疑問——「私はあとどれくらい生きられるのか?」——に対する答えは、グラントの時代のロンドンに瞬間移動させられた狩猟採集民にとって、驚くほどなじみ深いだろう。平均すると人が生存できるのは三〇代初めまでだったが、人口のかなりの割合がそれよりはるかに長く生きた(グラント自身は五三歳で死亡している)。そして人口の約三分の一は、狩猟採集社会でも一七世紀のロンドンでも、大人になる前に死亡していた。

トマス・ホッブズが自然状態を「不快で、野蛮で、短い」と切り捨てたのは、グラントが死亡表を調べ始めるほんの二、三年前だった。しかしグラントが誘発した人口学と統計学の革命——最終的に一九六〇年代後半にナンシー・ハウエルをクン人との数年間の生活に導いたもの——によって、やがて、ホッブズによるこの有名な三つの形容詞のうち少なくとも一つは誤りであることがわかった。農耕以前の人間の生活が不快で野蛮だったかどうかはさておき、彼らの人生がホッブズの時代の基準でも、けっして短くないことはたしかなのだ。

ときとともにホモサピエンスの健康に対する視野が広がったおかげで、厳しい現実が突きつけられた。ホモサピエンスはさまざまな功績をなしとげたにもかかわらず、子どもの三分の一が大人にならずに死亡しており、平均寿命三五年という長く続く「天井」の下に閉じ込められたままだったのだ。人間は一万年のあいだに農業、火薬、複式簿記、絵画の遠近法を発明した——が、こうした人間の集合知のまぎれもない進歩をもってしても、ある重要な分野では目立った変化を起こせなかった。これほどの発明をやってのけたにもかかわらず、死を避けることについてはいっこうに進歩がなかったのだ。

英国貴族の驚くべき平均寿命

グラントの小冊子発行から一世紀のあいだ、ヨーロッパ人口の健康状態は、数千年紀にわたって続いていたパターンをたどり続け、平均寿命は異例の豊作によって押し上げられたり、天然痘の大流行や厳しい冬によって引き下げられたりしながらも、三五年あたりをうろうろしていた。地球規模で見ると、奴隷貿易の増大と、ヨーロッパで発生してアメリカ大陸に持ち込まれた病気による悲惨な影響のせいで、平均寿命はほぼ確実に縮小した。しかし当のヨーロッパでは、データに一定の傾向はなく、ただ旧石器時代から定位置にある「天井」あたりを、見たところ不規則に変動するだけだった。

イギリスでこの天井が崩れるかもしれない最初のきざしが現われたのは、一八世紀半ば、啓蒙運動と産業化という双子のエンジンがパワーを増し始めたのと同じ時期だった。変化は当初微妙で、同時代の観察者だけでなく、変化そのものを経験している人でさえも、気づくことはほぼ不可能だった。それどころか、この変化が正しく記録されたのは一九六〇年代に入ってからのことだ。人口動態史学者のT・H・ホリングスワースが、紋章院【訳注：紋章と系譜を管理するイギリスの機関】および出版社のバーク社とデブレット社に保管されていた、出生と死亡の正確な記録を分析し始めたのだ。この記録は人口の測定としてはグラントのものよりはるかに範囲が狭く、イギリスの人口のうち、とりわけ興味深いがきわめて小さな集団だけを追いかけている。すなわち、イギリスの貴族階級だ。ホリングスワースは、公爵、侯爵、伯爵、子爵、男爵——とその子どもたち——について、一五〇〇年代末から一九三〇年代までのデータを明らかにした。そしてそのデータすべてを平均寿命の動向のグラフにまとめると、驚きのパターンが浮かび上がった[*13]（次ページの図表1-3）。横ばい状態が二世紀続いたあと、一七五〇年ごろ、イギリス貴族の平均寿命は毎年安定した割合で延び始め、上流階級とその他の人びとのあいだに大きな差が生まれたのだ。一七七〇年代には、イギリスの貴族は平均で四〇代まで生きていた。さらに一九世紀の幕開けには五五年の境を越え、ビクト

図表1-3 | イギリス人の出生時平均余命

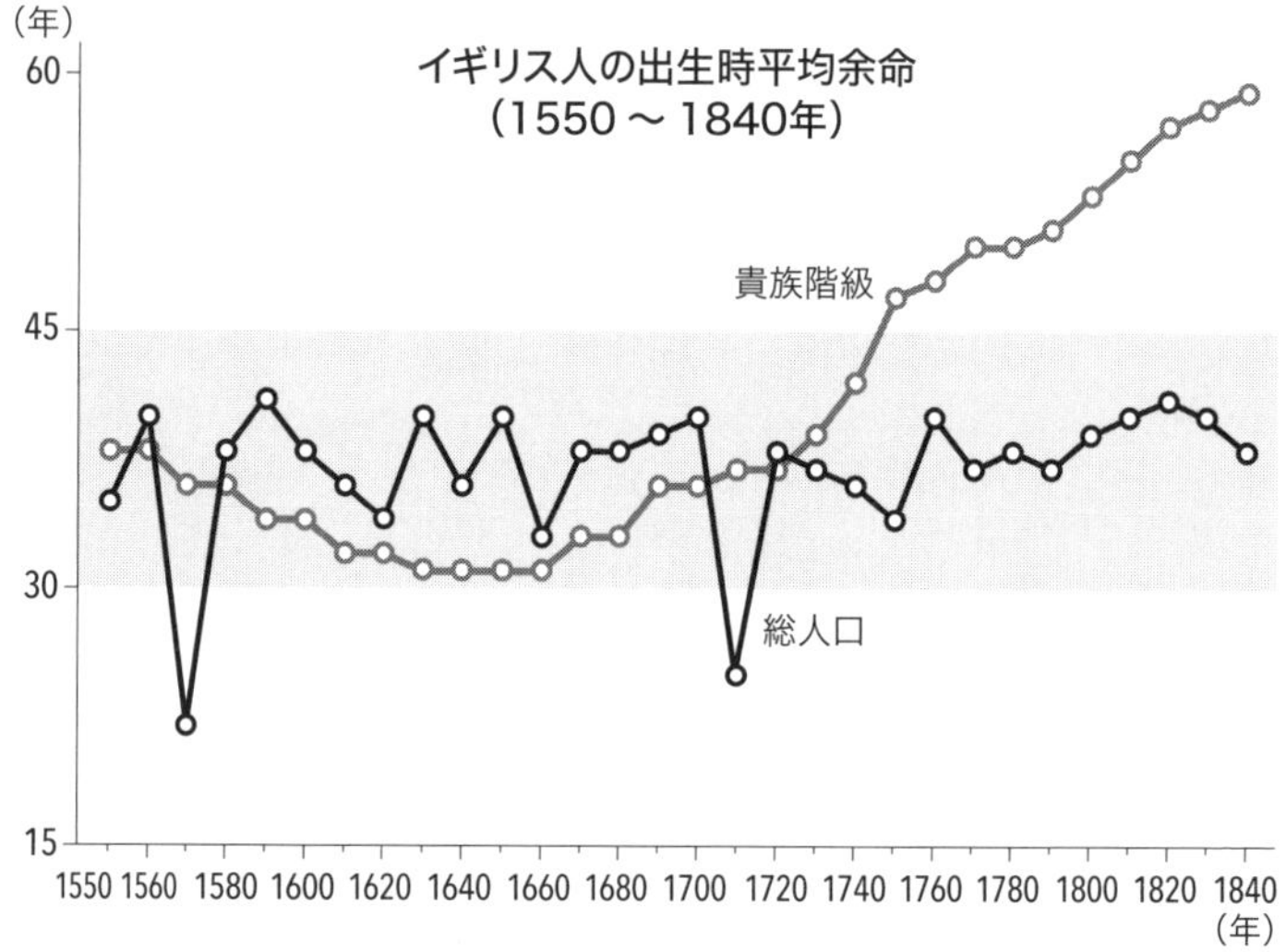

リア朝時代半ばまでに平均寿命は六〇年に近づいていたのだ。

世界人口が数億人を数えていた時代に、イギリス貴族が人類に占める割合は無視できるほど小さかった。しかし彼らが経験した人口動態の変化は、結果的には将来起こりうることの片鱗だったのである。このとき私たちの知るかぎり史上初めて、人間の有意な母集団で、平均寿命が着実かつ持続的に延び始めた。それまで一万年間続いていた果てしない小刻みな上下の波線が、新しい形に、すなわち右肩上がりの直線になったのだ。[*14]

イギリス貴族の平均寿命が上昇していった現象は、別の理由でも注目に値した。そのあと数世紀で、世界の大半にとって避けられない現実となったパターンの始まりだったのだ。それは、異なる社会間、あるいは同じ社会内の異なる社会経済集団間の、重大な健康格差である。ジョン・グラントの時代には、男爵、小間物商、狩猟採集民のどれに生まれるかは問題ではなかった。いずれにせよ出生時平均余命は三五年程度だ。主要大都市の中心で上流家庭に生まれれば、芸術品や快適な住まいや豊富な食べ物といった、文明の象徴をたくさん楽しむチャンスに恵まれるだろう。しかしそうした富のすべてをもってしても、自身と家族の寿命を延ばすという初歩的課題においては、同時代に生きるそれほど裕福でない人びとより優位に立つことはできなかった（妙なことだが、実際には少し不利だったかもしれない――この矛盾についてはあとで探る）。健康状態は人によって大きな差があった。大勢が生後八日で死亡するが、八歳まで生きる者もいる。しかし大枠の社会集団間で、寿命の格差――勾配と呼ばれることもある――が生じることはなかった。それが一八世紀後半までに変化することになる。健康の格差が富の格差と並行して現われ始めたのだ。イギリス貴族で初めて目立つようになった傾向である。貴族の出生時平均余命は一世紀で三〇年も延びたが、労働者階級は一六六二年に書かれたグラントの表にあるような状況のままだった。

一九世紀後半までに、どちらのパターンも、イギリス諸島のその小さな前衛部隊から広がり、世界中に進んでいった。右肩上がりの直線は、貴族階級だけでなく、一般のヨーロッパ人と北アメリカ人の平均寿命も表わすようになった。一九一〇年までに、イギリスとアメリカの全体的な平均寿命は五〇年を超えた。先進工業国の何千万という人びとの健康の動向が、これまでなかった好循環に入り、ホモサピエンスの寿命を抑えてきた天井をとうとう打ち破ったのだ。しかし同時に、歴史学者でノーベル賞経済学者のアンガス・ディートンが「大脱出」と呼ぶその出来事は、先進工業国とその他の国々のあいだに、悲劇的な勾配を生み出すことになった。発展途上世界の社会は、西洋の帝国主義に食いものにされ、ヨーロッパの病気によって壊滅させられ、ヨーロッパと北アメリカで形になりつつあった初期の公衆衛生制度に助けられることもなく、先進国の右肩上がりに加わることができなかっただけではない——ほとんどが後退したのだ。アフリカ、インド、南アメリカ各地の平均寿命は三〇年を下回った。「世紀半ばごろに生まれたインド人の幼少期の死は、歴史上、新石器革命やその前の狩猟採集民までさかのぼって、どんな集団にも負けない深刻さだった」とディートンは書いている。[*15] どこで生まれたか、どの社会経済集団に生まれたかという人生の巡り合わせが、幼児期の危険な数年を生き延びるかどうか、孫に会えるくらいまで長く生きられるかどうかに、大きく影響するようになった。二〇世紀初め、世界の富裕国では健康状態のまぎれもない向上が実現していた。しかしその向上は持続可能だったのか？　そしてその向上という実りを世界のほかの地域と共有できたのか？

こうした疑問に答えるには、天井を破った大脱出において、平均余命の最初の上昇を促したものが何かを理解する必要があった。なぜ西洋人は長生きしていたのか？　なぜ彼らの子どもたちはそれほど悲惨な割合で死ななくなったのだろう？　この疑問には、歴史的意味と実際的な意味の両方があった。ヨーロッパとアメリカの健康状態を改善させていたものを突き止められれば、おそらく、そうした介入を世界のほかの地域に広められるだろう。しかし、平均寿命が初めて持続的に延びたことは、結局、予想されるほど明快に説明できることではないとわかった。社会全体の健康改善を医師、病院、薬といった当時の医療のおかげだとするのは一見、論理的だ。しかしその想定は、自明のようで、実は誤りだった。薬がこの時期に何らかの働きをしていたとしたら、命を延ばすことではなく、縮めることだったのだ。

『英国万歳!』の真相

一七八八年の晩夏、イギリス国王ジョージ三世とお供の者たちが、ロンドン郊外のキュー地区にある王室領地にもどった。それまで二カ月間、チェルテナムで「鉱泉につかって」過ごしていた。国王にとって三〇年ぶりの純粋な休暇だ。ジョージ三世は痛みをともなうけいれんが八時間も続いていると訴え、そのあとのこの田園生活は治療と考えられていた。田舎暮らしはたしかに王の体調に好影響を与えたようだが、ロンドンにもどってすぐ、彼はさらなる痛みに襲われ始めた。医師のジョージ・ベイカー卿は、日誌にこう書いている。「王がベッドのなかで起き上がり、前かがみになっているのを見つけた。彼はみぞおちに激しい痛みがあって、それが背中と脇腹にまで走り、呼吸が苦しいと訴えた[*16]」。ベイカーは二種類の一般的な通じ薬、ヒマシ油とセンナを処方したが、その後、その服用は極端すぎだったかと心配になり、アヘンを混ぜたチンキを少し注入して、効力を弱めようとした。だが投薬はほとんど効果がなかった。数日のうちに、計画されていたウインザー城への帰還は延期され、国王の通常のお出ましスケジュールはキャンセルされた。

一七八八年一〇月に起きたジョージ三世のけいれんは、歴史上とくに有名な病気の第一波だと判明することになる。身体的症状より精神的症状がよく知られている病気だ。現代のすばらしい法医学的調査のおかげで、「狂王」ジョージの物語は、大脱出の胎動期の医療がいかに無能だったかをはっきり立証している。数カ月にわたって、国王は全面的な錯乱状態におちいった。口から泡を吹き、発作的に激怒し、論理も一貫性もない言葉を際限なくまくし立てる。この出来事は憲政の危機を引き起こし、のちに戯曲化されて舞台や長編映画の『英国万歳!』になった。興味深いことに、ジョージ三世が最初に示した真の精神障害の症状は、ベイカーに向けられた処方薬についての不満の爆発として顕れた。日誌にベイカーは国王の振る舞いに対するショックを綴っている。「彼の目つき、声音、あらゆる仕草、立ち居振る舞いすべてが、怒りの絶頂にいる人そのものだ。王いわく、ひとつの薬は強すぎたし、別の薬は気分が悪くなるだけで効果はなかった。センナの輸入は禁じられるべきで、将来的に王族にはけっして服用させてはならないという命令を発することになるだろう」。非難の演説は三時間続いた。それがついに終わったとき、ベイカーは首相のウィリアム・ピットに手紙を書き、国王は「譫妄《せんもう》にきわめて近い精神的興奮」の状態にあると報告した。[*17]

医学史学者は、ジョージ王の病気の原因についてずっと議論してきた。一九六〇年代末以降、ジョージ三世は異型ポルフィリン症と呼ばれる遺伝性疾患をわずらっていたということで、ほぼ意見が一致していた。不安と幻覚だけでなく腹痛も引き起こす可能性のある病気だ（この遺伝病は実際ヨーロッパの王族に広まっていることで知られており、これもまた、近親者との結婚を忌避する論拠である）。一七八八年冬の国王の異常な行動は、双極性障害の結果だと主張する学者もいる。しかし最近の法医学的研究は、医師の治療に対するジョージ三世の怒りには、ある程度正当な理由があったことを示唆している。二〇〇〇年代初め、ティモシー・コックスというケンブリッジ大学の代謝内科医が率いる研究チームが、一世紀近くウェルカム・トラストの保管所に保管されていたジョージ三世の一房の髪を分析した。以前、ＰＰＯＸと呼ばれる遺伝子の存在を検証するために、髪のサンプルからＤＮＡを抽出しようとした試みが失敗したことを、コックスらは知っていた（ポルフィリン症はＰＰＯＸ遺伝子の機能不全によって引き起こされる）。そこで彼らは、王の病気を悪化させた可能性のある重金属の存在を探して、ＤＮＡらせん構造を分析した。その結果は驚きだ。髪のヒ素濃度がヒ素中毒の標準的な閾値《いきち》の一七倍だったのだ。コックスらは、問題の期間に書かれた侍医の公的記録を分析して、ジョージ三世に投与された主要な合成物は、吐酒石《としゅせき》と呼ばれる当時一般的な治療薬で、二から五パーセントのヒ素が含まれていたことを明らかにした。侍医の報告に記録されている用量が正しいとしたら、ジョージ三世の譫妄と腹痛に対する「治療」は、慢性のヒ素中毒を起こさせることだったようだ。[*18]

一族に伝わるポルフィリン症の遺伝的問題を考えると、ジョージ三世が統治時代に心の健康上の問題を経験したことは意外ではないはずだ。それよりはるかに意外なのは、彼がこの治療の試みを乗り越えて生き続けたことだ。

やぶ医者の「英雄的医療」

一九六〇年代初め、人口動態史学者のT・H・ホリングスワースがイギリス貴族の平均寿命の分析を公表したとき、彼は芽生えたばかりの大脱出の片鱗を初めて示していた。乳幼児期を生き延び、六〇歳以上まで生きている公爵や男爵は、二世紀後に全世界を巻き込むことになる健康動向の前触れだった。しかしホリングスワースの研究には妙な補足説明がある。初の大脱出を表わす元のグラフを見てほしい（図表1-4）。これにはその前の二世紀も含まれている。[*19]

上流階級が庶民より長生きし始める前の一世紀は、平均的な貴族の寿命は平均的な庶民よりもわずかに短いのだ。その差は、一七〇〇年代後半に急速に開いた差ほど目立たず、二つの集団の差はほんの二、三年だが、一貫していて統計的に有意である。これは不可解な発見だった。豊かさ、社会的地位、教育のメリットすべてが、平均寿命に関するかぎりは、最終的な不利益をもたらしたのだ。イギリスの貴族を庶民より高い率で死なせる何かがあった。しかしそれは何だったのだろう？

この不可解な格差の原因として最も説得力のある説明は、にわかには信じがたい。それはイギリ

図表1-4｜イギリス人の出生時平均余命

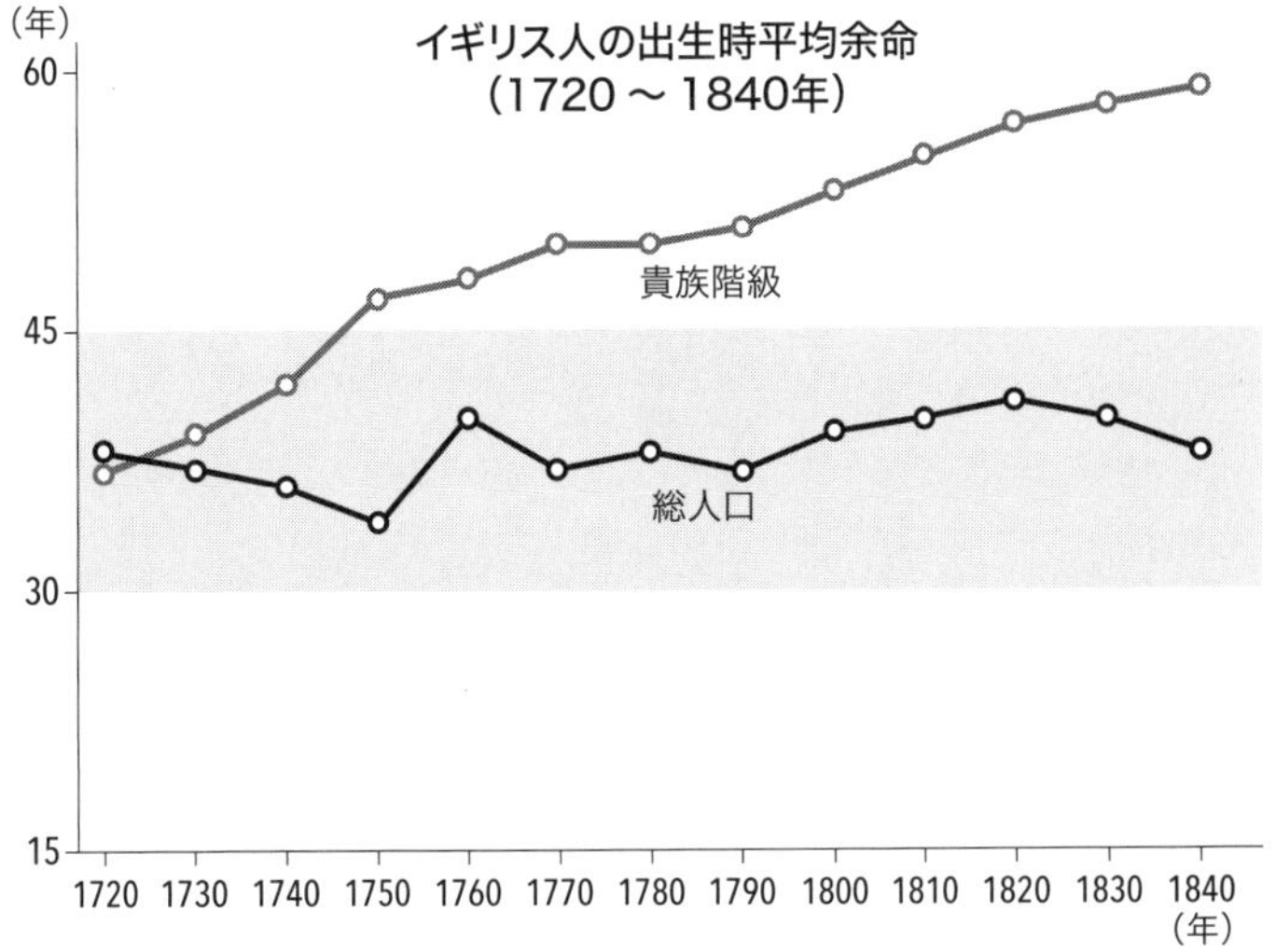

スの貴族が庶民よりも医療を利用しやすかったことなのだ。彼らは好きなだけ内科医や外科医や薬剤師に相談する余裕があった。ところが医術があまりにひどいありさまだったので、そうした介入は実際には効果より害のほうが大きかった。もし不運にも風邪を引くとか、ポルフィリン症を引き起こす遺伝病をもって生まれたのなら、医者にはまったくかからないほうがいい。ヒ素やヒルによるいんちき治療を求めるよりも、体の免疫系を機能させるほうがいいのだ。

こうしたやぶ医者の治療はイギリス貴族にかぎられたことではない。ジョージ三世の宿敵、ジョージ・ワシントンの最期を考えてほしい。抗生物質の発明にまつわるウィリアム・ローゼンの歴史本に語られているのは、拷問のマニュアルとまちがえそうな説明である。

日が昇るころまでに、ワシントンの世話係のジョージ・ローリンズは……ワシントンの腕の静脈を切開し、そこから主人の血液を三五五ミリリットルほど排出させた。そのあと一〇時間にわたって、ほかの二人の医師――ジェームズ・クレイク医師とエリシャ・ディック医師――が四回もワシントンを瀉血《しゃけつ》し、さらに三〇〇〇ミリリットルを抜き取った。しかし、ワシントンの医師によって用いられた治療法は、患者の総血液供給量の六〇パーセント以上を抜き取ることだけではない。元大統領の首は、蜜蠟と牛脂に昆虫の分泌物からつくられた刺激薬を混ぜた軟膏剤で覆われている。非常に強力なので水ぶくれができ、その水ぶくれを切開して排液する。どうやら、それで病気を引き起こす毒を取り除けると信じていたようだ。彼は糖蜜と酢とバターの混合物でうがいをし、脚と足にふすまを湿布され、浣腸をされた。さらには大事を取って、医師はワシントンに下剤として甘汞《かんこう》――塩化第一水銀――を与えた。当然のことながら、こうした治療の試みはどれもうまくいかなかった。[*20]

現在、学者はこの時期を「英雄的医療」の時代と呼んでいる――大がかりな計画と大胆な介入があふれていたが、それらは明らかに百害あって一利なしだ。たとえば死に際のワシントンに用いられた軟膏剤や湿布のように、たんなる愚行とわかった介入もある。しかし多くは医療ミスで訴えられて当然の施術だ。病人の血を抜き取ることは、死を早めるも同然である。水銀とヒ素は人を殺すか、気を狂わせて精神病に追い込むおそれがある。これから見ていくように、英雄的医療の時代は現代人が思うよりはるかに長く続いた。第一次世界大戦が始まったときでさえ、ジョンズ・ホプキンス大学の創立者ウィリアム・オスラーは、インフルエンザなどの病気にかかった軍人に、一次介入として瀉血を提唱していた。「かなり激しくて高熱をともなう病気にかかった頑強で健康な人に、最初に瀉血をすることは、よい処置だと私は考えている」[*21]

感染症を減らした医療以外の何か

工業化時代の医科学と平均寿命のつながりに初めて挑んだ学者は、イギリス系カナダ人の博学者トーマス・マキューンである。一九三〇年代末、ヨーロッパ全土で戦争が勃発していたころ、マキューンはローズ奨学制度でオックスフォード大学に通ったあと、医学部に入るためにロンドンに移った。数年後、その経験は自分の知的成長の転機だったと述べることになる。マキューンは医師たちが病院で回診しているのを観察するうちに、彼らと患者の交流や同僚との話し合いに、なぜか欠けているものがあることに気づいた。医者は血圧や心拍などのバイタルサインを確かめ、症状の説明に熱心に耳を傾け、治療のための助言を与える。しかしマキューンによると、「指示された手当が患者にとって有用かどうか」という疑問に医師が取り組むことはめったにない。マキューンは一九四二年に外科学の学位を得て卒業する予定だったが、病院で施されている介入についての疑念は、医学部に通うあいだにどんどん強まった。彼はのちにその時期のことをこう書いている。「私たちの助言で患者は賢明な判断をするようになっているのか、私たちの手当で患者の状況はよくなっているのかと、ベッド脇で自問することを習慣にした。するとすぐに、ほとんどの場合そうはなっていないという結論に達した」[*22]

戦争が終わると、マキューンはバーミンガム大学のとても興味深いポストを提案された。新たに設けられた「社会医学」の教授だ。彼はそれから引退するまでずっと、その職にあった。一九五〇年代初め、医学生時代の回診から得た直観的洞察にもとづいて、研究プロジェクトを始める。そのプロジェクトの集大成が、二〇年以上たってから『現代の人口増加（The Modern Rise of Population）』という本の形になった。これまで発表された人口統計上の変化に関する研究のなかでも、とりわけ論議を呼び、大きな影響を与えたものである。最初に世に出てから四〇年以上たってなお、この本の主張は――マキューン説とは呼ばれていないが――論争を引き起こしている。

『現代の人口増加』は、過去二世紀に関する二つの重要な疑問への答えを提案している。第一に、この期間の全体的な人口増加は、出生率増加の結果か、それとも死亡率減少の結果か？　この疑問に対してマキューンは、第一の原因は生まれる赤ん坊が増えたことではなく、むしろ、生まれた赤ん坊がそれ以前よりはるかに長く生き続けていることだと、論理的にはっきりと主張している。一九世紀後半のイギリスでは総人口が倍になっているのに、出生率は約三〇パーセント下がっている。その事実は、やっかいな疑問を浮かび上がらせた。その赤ん坊を生かし続けているのは、具体的に何なのだろう？　一九世紀後半に始まった、平均寿命の大脱出を促したのは何だろう？

マキューンが研究結果を発表するまで、その疑問に対する答えは、医学の進歩がきわめて重要な役割を果たしたことだとされていた。その推測は当然だ。人びとが長く生きているのなら、病気に負ける率が祖先と同じでないのなら、医療従事者の腕が上がっている証拠にちがいない。マキューンは医学部時代の経験から、当然、この世間一般の通念を疑ったが、歴史上のデータを調べると、ひとつの事実が目にとまった。医者が有効な治療法を手にする前に、人びとが病気で死ななくなってきているのだ。本の冒頭で、マキューンはそのパターンを自分の主張のまさに中心に据えた。

死因が初めて記録されて以降、感染症による死の大半は、次に挙げる病気が原因であり、これらは死亡率減少とも関連している。すなわち結核、猩紅熱《しょうこうねつ》、はしか、ジフテリア等の腸管感染症である。これらの病気すべてに対して、率直に言って、二〇世紀より前には有効な予防接種や治療法がなかった。[*23]

データは明白だった。結核のような病気による死者数は、一九世紀末から二〇世紀初めにかけて、明らかに減少している。ところが、その期間に最先端の医学によって展開された結核に対抗する武器は、狂王ジョージに施された英雄的治療と同じく、効果はなかった（ただし、患者に実質的なダメージを与えることは少なかったかもしれない）。イギリスの人口の結核罹患率を下げる何かが起きたのだ。それは医者ではなかった。では何だったのか？

マキューンは最終的に別の説明を提案した。人が長く生きている理由は、医学的介入ではなく、生活水準の全般的な向上だった、と。そしてそのおもな原因は、食卓に並べられる食べ物を増やした農業革命だった。これから見ていくように、マキューンの説のこの部分は、のちに新しい学識によって批判されているが、医療のおそまつさに関する彼の分析は、時の試練に耐えている。大半の歴史学者は現在、第二次世界大戦が終わるまで、医学的介入全体の平均寿命に対する効果は限定的だったと考えている。それより前に医者たちが蓄積していた、ほんとうに役立つ知識や医術によるプラス効果は、ヒルやヒ素など英雄的医療のばかげた介入で治療できるという根強い思いちがいによって、帳消しになっていたのだ。一九世紀末まで、ほとんどの病院などの医療環境は衝撃的に不衛生な状態であり、それも、この帳消しに加担した。そのような怪しげな慣習が打ち倒されるまで、なぜそれほど長くかかったのかという疑問は、非常に興味深い。あとでこの疑問にもどるつもりだ。しかし、英雄的医療とその愚行すべてが驚くほど長く続いたことを確認すると、「西洋」医学が――最近でこそ成果を上げてはいるが――誕生してから現在までの期間の大半で、悲惨な実績しか残せなかったことを、あらためて思い知らされる。それどころか、平均寿命に有意なプラスの影響を与えた最初の介入は、西洋で生まれたものではない。

第2章

ひらめきを世界に普及させる方法

人痘接種とワクチン

子どもが突然死する日常

人痘接種が正確にいつどこで最初に実施されたのか、誰にもわからない。数千年前にインド亜大陸で始まったかもしれないとする報告もある。科学史学者のジョゼフ・ニーダムは、一一世紀、中国の召使いの息子が天然痘で死亡したあと、その手法を宮廷にもち込んだ四川省出身の「道教の隠者」について記述している。[*1] 一六世紀の中国人の小児科医で医術文筆家のワン・チェンが、天然痘(痘瘡)のうち症状がはるかに軽い小痘瘡に、健康な子どもを意図的にさらす手法について言及している。起源がどこにせよ、一六〇〇年代までにこの慣行が中国、インド、ペルシアに広がっていたことは、歴史記録から明らかだ。歴史書に綴られる多くのすばらしいアイデアと同様、世界のあちらこちらで無関係に何度も考案された可能性がある。

この手法にはさまざまな方式があった。中国の施術者は、回復しつつある天然痘患者からかさぶたをはがし、それをすりつぶして細かい粉にしてから、鼻の穴に吹き込んだ。この粉が鼻の中の粘膜から吸収される。トルコでは、針かメスで腕に切り込みを入れ、小痘瘡の膿から抽出物を少量挿入する方式が好まれた。当時、人痘接種が機能する生物学的メカニズムを理解している人はいなかったが、一般原則ははっきりしていた。天然痘にほんの少し接触させると、ほとんどの人が将来的に病気に対する抵抗力をもつことになるのだ。もちろんいまでは、人痘接種の魔法を免疫学の言葉で説明できる。人痘接種は少量の抗原――感染性病原体――を取り込むことによって、免疫系の抗体が脅威を認識し、より効果的に撃退するように訓練する。このアプローチは、英雄的医療の手法をはじめ、何世紀にもわたって治療師たちがでっち上げていたものすべてとの、根本的な決別をもくろむものだ。この治療の役割は、患者の病気を治すなんらかの魔法の成分を供給することではなく、患者自身のなかに隠れている力を解き放つだけだった。

人痘接種の発見を二一世紀の医療の視点から考察すると、おもしろい共通点が見つかる。がんやアルツハイマー病のような慢性病に対して、体の自然防御能を利用する免疫療法は、医学における最新の刺激的なブレイクスルーだが、その土台は、寿命延長の歴史における最初の大きなブレイクスルーを可能にした基本メカニズムと同じである。

この最初のブレイクスルーが天然痘を防ぐために考えられたことは、意外ではないはずだ。この病気は少なくとも三大ピラミッドの時代からずっと苦しみの種だった（ラムセス五世のミイラは、顔に天然痘の膿疱が見られる）。一六五〇年から一七五〇年にかけてのマンチェスターとダブリンでは、記録されている全死者の一五パーセントの死因が天然痘だった。幼い子どもはとくにこの病気に弱い。一八世紀のスウェーデンでは、天然痘による死亡の九〇パーセントは一〇歳未満の子どもだった。[*2] こうした幼い子どもたちの死は、この時期の平均寿命に大打撃を与えたが、精神的な痛手のほうがまちがいなくひどかった。子どもの突然死という人間にとって最も衝撃的な経験が、誰にとっても日常的な現実だったのだ。子どもが熱を出して、そのあとはっきり発疹が現われたら、数日以内に息子や娘は死んでしまう――そしてたいてい、すぐにきょうだいもあとに続く――と知りながら、親たちは生きていた。当時の子どものイメージは現代人が抱くそれとはまったく逆だった。昨今、子どもは元気と回復力の象徴とされる。若さの活力だ。ケンブリッジ大学の統計学者デイヴィッド・シュピーゲルハルターが述べているように、「人類史上、現代の小学生は最も危険と無縁である」。しかし天然痘の時代、子どもは突然の悲惨な病気と密接に結びついていた。子どもであることはつねに死と隣り合わせで、親であることはつねに差し迫った脅威につきまとわれることだった。

天然痘と貴族女性の運命的な出会い

天然痘による社会全体の損害も、同じくらい深刻だった。大疱瘡ほど劇的に世界史の様相を決定したウイルスはない。天然痘はヨーロッパの帝国主義物語で重要な役を演じた。とくに悪名高いのは、コルテスと部下たちがこの疫病をアステカ族にもたらしたことであり、最終的に古代文明を滅ぼしてしまった。コルテスに同行していたスペイン人聖職者が、被害の規模を伝えている。「彼らはトコジラミのように山をなして死んだ。……あちらこちらで家中の全員が死亡し、あまりに大勢の死者を埋葬できなかったので、家が墓所になるように、死者をそのままにして家を壊した」[*3]。西洋の歴史もまた大痘瘡で変わった。一六〇〇年から一八〇〇年のあいだに天然痘に倒れたヨーロッパの指導者のリストには圧倒される。一七一一年の流行中だけでも、神聖ローマ皇帝ヨーゼフ一世、のちの神聖ローマ皇帝フランツ一世の三人のきょうだい、そしてフランス王位継承者ルイ王太子が、天然痘に命を奪われた。その後の七〇年で、スペイン王ルイス一世、ロシア皇帝ピョートル二世、モナコ女公ルイーズ＝イポリット、フランス王ルイ一五世、バイエルン選帝侯マクシミリアン三世ヨーゼフが、天然痘のせいで命を落とした。過去二〇〇年に世界中で暗殺された主要な政治家をすべて合わせても、この恐怖の二世紀に天然痘ウイルスで死亡したヨーロッパの政治指導者にくらべればわずかである。考えてほしい。もし天然痘がこれほど徹底的にヨーロッパの上流階級に入り込んでいなかったら、どれだけの政治的再編と反乱、そしてお世継ぎ問題が起こらなかったことか。

　天然痘猛襲の受益者――これが適切な言葉かどうかはさておき――のひとりは、ジョージ三世その人だった。女王メアリー二世が子どものいないまま一六九四年に天然痘で亡くなったあと、王座は妹のアンが継承することになったが、アン自身もお世継ぎを身ごもるために多大な努力をしている最中だった。一六八四年から一七〇〇年まで、アンはどうにか一八回も妊娠することができたが、そのほとんどが流産と死産に終わった。二人の娘が無事生まれたが、二歳になる前に死亡しており、おそらく天然痘に感染したことが原因と思われる。たったひとり、グロスター公ウィリアムだけが幼児期を生き延びた。しかし彼が一一歳のときに天然痘で死亡すると、スチュアート朝には事実上後継者がいなくなった。王位継承の真の危機に直面して、議会は王位を英仏海峡の向こうのハノーヴァー家に継がせることを選び、その結果、最終的にジョージ一世が即位することになった。狂王ジョージの祖父である。ハノーヴァーの家系には有利な資質がたくさんあった。まずはプロテスタントであり、ジェームズ一世の子孫だったが、もうひとつの強みは、若いジョージがすでに天然痘にかかって治癒していたことだ。この病気が当時、政治的打算にとっていかに重要だったかがわかる。その情勢から天然痘が消えれば、ジョージ一世がウインザー城にたどり着くことはもちろん、彼が英仏海峡を渡ることもなかった可能性が高い。

しかし長い目で見ると、最も重要な天然痘と貴族の遭遇は、一七一五年、育ちが良くて博識なひとりの若い女性が罹患したことだ。レディ・メアリー・ウォートリー・モンタギューは、キングストン・アポン・ハル公爵と、その妻でサンドウィッチ伯爵の孫娘とのあいだに生まれた。彼女は聡明で、ウィットに富み、美しかった。一〇代のころに短編小説を書き、二〇代前半で詩人のアレクサンダー・ポープと書簡を交わしている。二五歳で病気になったとき、王室お抱えのミード医師とガース医師にかかり、二人は彼女の病気を最先端の療法で治療した。二日ごとに瀉血し、下剤と便通薬を投与し、火薬の主原料である硝石と動物の腸から抽出された石灰化した塊をすりつぶしたものを混ぜ合わせた薬を、定期的に与えたのだ。さらに彼女の基本の飲み物としてビールとワインを処方した。[*4]

レディ・モンタギューは天然痘——そして彼女を治そうとする試み——との勝負に奇跡的に打ち勝った。ただし病気から回復したとき、その伝説的な美貌には、天然痘生存者であることの紛れもない痕が残った。当時、レディ・モンタギューが大痘瘡を克服したというニュースは、身近な家族や彼女がつき合っていた貴族階級にとってのみ、意味があるように思われた。物事の大枠でとらえれば、死亡報告に載る死者がひとり減っただけである。しかし結果的に、レディ・モンタギューの生存は天然痘との闘いにおける大きな転機となった。彼女は病気そのものだけでなく、それを予防する医学的に実行可能な方法についても伝える、きわめて重要な存在になったのだ。

トルコと人痘接種

メアリー・モンタギューは、人痘接種の歴史に二つの役割、すなわちつなぎ役と伝道者の役割を果たした。天然痘との遭遇は彼女に身体的な傷痕だけでなく、精神的な傷痕も残していた。彼女は幼い子どもの親として、「斑点モンスター」とも呼ばれていた大痘瘡を防ぐ可能性が少しでもある方法が発見されることを切望した。天然痘の恐怖が最高潮だった一七〇〇年代初期、ヨーロッパに住むあらゆる親について同じことが言えたが、メアリー・モンタギューがほかの親たちとちがったのは、その鋭い観察力と、ロンドン上流階級への影響力を持っていたこと、さらには歴史上の重大な偶然が味方したことだ。彼女が天然痘から回復してまもなく、夫のエドワード・ウォートリー・モンタギューがオスマン帝国の大使に任命されたのである。一七一六年、ロンドンとイギリスの田舎でしか暮らしたことのなかったメアリー・モンタギューは、幼い子どもたちとコンスタンティノープルに引っ越し、そこで二年間を過ごした。

モンタギューはその都市の文化にどっぷりはまり、有名な浴場を訪ねたり、トルコの詩人の作品を原語で読むためにトルコ語を習ったりした。彼女はトルコ料理も勉強し、コンスタンティノープルの裕福な女性が着用している豪華なカフタン【訳注：丈の長い長袖のゆったりした衣】を身につけて、天然痘の痕をベールで隠すようになった。彼女が生活で経験したことを綴った一連の手紙は、彼女の死後に出版されている。この書簡では、トルコの首都の街中で観察した「東洋」の習慣に対する モンタギューの鑑識眼だけでなく、紀行作家としての彼女の文才も注目に値する（トルコの奴隷は イギリスの使用人よりも優遇されている場合が多いと主張し、トルコの奴隷制度を擁護する驚愕の文章も目を引く）。しかしこの手紙の真の歴史的重要性は、彼女が直接目の当たりにした、トルコのきわめて珍しい習慣についての記述にある。

これを知ったらきっとあなたはこちらに来たいと思うにちがいないことを、お話ししようと思います。天然痘はわが国では命にかかわり、広く流行していますが、こちらでは移植と呼ばれるものの発明によって、まったく無害なのです。その処置を行うことを仕事にしている

図表**2-1**

レディ・メアリー・ウォートリー・モンタギューの肖像画、ジョナサン・リチャードソン・ジュニア作、1725年

女性のグループがあります。毎年九月、酷暑が弱まると、天然痘の膿を植えつけたい人が家族にいるかどうか知るために、人びとは連絡を取り合います。

そしてその「移殖」を目的とした会を催し、人が（だいたい一五、六人）集まると、年長の女性がよく効く天然痘の膿でいっぱいの小さな容器をもってきて、どこの静脈を切開したいか尋ねます。彼女はすぐに言われた場所を太い針で裂き開き（痛みはふつうのひっかき傷と同じくらい）、毒液を針の先に載るだけ静脈のなかに入れて、小さな傷をくぼんだ貝殻のかけらで包みます。このようにして、四、五カ所の静脈を切開します。[*5]

モンタギューはロンドンの家族や友人への手紙に、人痘接種についてのこの説明を、少しずつ変えて何度も書いている。なかには、彼女がその処置にとても感心したので、息子に接種させるつもりだと話しているものもあった。トルコの人痘接種については科学的な報告書がいくつか王立協会に提出されていたが、結果的にメアリー・モンタギューの説明が最も強い影響をおよぼした理由のひとつは、彼女がただ治療法について記しただけでなく、実際に肉親に取り入れたことである。一七一八年三月二三日、彼女は夫に急ぎのメモを送っている。「坊やは先週火曜日に移植を受けて、いまは歌ったり遊んだりしていて、夕飯をせがんでいます。彼をほめてあげてくださいと神に祈っています」。彼女は乳児の娘について、こうつけ加えている。「姫には移植できません。乳母が天然痘にかかったことがないのです[*6]」

モンタギューは「何年もこの方法を実践してきた年配のギリシア人女性」に処置を依頼していたが、大使館の医師チャールズ・メイトランドによると、「彼女の先が丸くてさびた針は……子どもにひどい苦痛を与えた」。そのためメイトランドが割り込んで、子どものもう一方の腕にメスでつけた切り込みに、天然痘の膿を接種し直した。熱と両腕の発疹が数日続いたあと、モンタギューの息子は完全に回復した。彼は六〇代まで生きており、接種後ずっと天然痘に対する免疫がついていたようだ。彼は予防接種を受けた最初のイギリス市民と考えられている。モンタギューと家族がロンドンにもどったあと、一七二一年に無事接種を受けた妹は、イギリスの地で処置を受けた最初の人物だった。

二パーセントのリスク

モンタギューは子どもたちに移植をすることで、命にかかわるリスクをおかしていることを承知していた。ただしそのリスクの大きさを正確に計算する方法はなかった。現在、世界中のほとんどの人痘接種は死亡率が約二パーセントだったと考えられている。そして接種を受けた人には、生涯、容姿を損なわれるほど重い天然痘を発症した人がかなりの割合でいた。想像してほしい。あなたが親として行った人痘接種という選択のせいで、あなたの子どもが夜通し、重い天然痘の症状に苦しむのを見守り、もうすぐ死ぬのだろうかと考えているところを。しかしモンタギューはいやというほど大痘瘡を目にしてきたので、人痘接種をせずに、天然痘が野放しの状況に子どもを放っておくことのほうが、よほどリスクが大きいと理解することができた。子どもの四人に一人が一〇歳になる前に死亡し、しかもその多くが天然痘で死亡する世界では、接種による死亡の確率二パーセントは、実際に負うに値するリスクだった。

モンタギューの子どもたちの接種が成功したことに心を動かされて、やはりロンドンにもどっていたチャールズ・メイトランド医師は、ニューゲート刑務所の囚人六人に試験的な接種を行ったところ、これもまた好ましい結果が出た（囚人は実験に参加することに同意すれば、完全赦免を約束された）。うわさはあっというまに、イギリス貴族の応接間や宮殿に広がった。メアリー・モンタギューが東洋からもち帰った奇跡の治療法は、ついに、その時代の最も恐ろしい脅威を効果的に防ぐ盾となることを約束したのだ。一七二二年末、ウェールズ皇太子妃がメイトランドに、イギリス王位継承者であるフレデリックを含めて、彼女の子ども三人に接種を行うよう指示した。フレデリックは天然痘にかかることなく子ども時代を生き延び、王位に就く前に死亡したものの、跡継ぎをもうけられるほど長く生きた。ジョージ・ウィリアム・フレデリックはやがて国王ジョージ三世になる。

王室の接種が結果的に転機となった。メアリー・モンタギューが最初に擁護したおかげで、人痘接種はそれから数十年で、イギリス社会の上流階級に広がった。ただし、裕福な家に生まれた子どもが、親に強いられた医療行為によって死亡するという悲劇で終わる接種も少なくなかった。一八世紀中は相変わらず論争を引き起こす処置であり、施術者の多くは、当時の公式の医療機関で働く者ではなかった。しかしイギリスの上流階級が人痘接種を採用したことは、人間の平均寿命の歴史に消えることのない痕跡を残している。一七〇〇年代半ばに現われ始めた最初の急上昇は、大痘瘡に対する免疫力上昇のおかげで、その世代のイギリス貴族が子ども時代を生き延びたからだったのだ。

「免疫学の父」は本当の〝父〟だったのか

メアリー・モンタギューと彼女が医学史に果たした意外な役割の物語は、もっと大きな疑問について考えるのに役立つ枠組みになる。社会の真の進歩を促すのは何か？　子どもの死亡率――子どもを失う苦悩を経験する親の数――の減少と、全体的な長寿化の両方からわかる進歩を促したのは何か？　モンタギューによる接種の「発見」の物語について特筆すべき点は、従来の進歩の物語といかにかけ離れているかにある。従来の物語では、私たちの生活が向上しているのは、たいていはヨーロッパ人男性の英雄的科学者による発見のおかげであり、それを導いたのは啓蒙運動で開発された実証的方法論で、そういう科学者は純粋な知性の力によって世界を変えるアイデアにたどり着いたというのだ。危険なウイルスと人類の闘いの長い歴史において、その役割を演じる主役は、イギリス人医師で科学者のエドワード・ジェンナーであり、現在、天然痘ワクチンを開発した「免疫学の父」とされている。

ジェンナーの「ピンときた瞬間」の話は、ニュートンのリンゴやフランクリンの凧の実験と同様、科学史の年代記でおなじみの物語のひとつだ。田舎医者だったジェンナーは、地元の天然痘症例の分布に奇妙なパターンを認めていた。酪農婦は平均的な住民より天然痘にかかる確率が低いように思われたのだ。ジェンナーは次のような仮説を立てた。その女性たちは毎日の仕事のせいで、天然痘に似ているが毒性が弱い牛痘と呼ばれる病気に以前にかかったことがあり、そのおかげで、どういうわけかもっと危険な病気への免疫がついたのだ。一七九六年五月一四日、ジェンナーはいまや伝説となっている実験を行った。牛痘で酪農婦にできた水ぶくれから膿をかき集め、それを八歳の少年の腕に注入する。少年は軽い発熱を起こしたが、すぐに天然痘への免疫があると証明された。通説によると、ジェンナーの実験が最初の本物の予防接種であり、それから数世紀にわたって何十億という命を救うことになった医学革命の始まりとなった。

従来、ジェンナーによる酪農婦についての突然のひらめきが注目されてきたことは、ある面ではいかにも当然である。一七九六年五月一四日、医学史の転換点となり、人間と微生物との古来の相互作用の流れを変える、重大な瞬間が訪れた。しかしジェンナーにスポットライトが当たることで、その行動のきわめて重要な部分が闇に包まれたままになって、こうした革新的な医療にまつわるブレイクスルーが、実際にどうやって起こるかの認識をゆがめてしまう。ジェンナー自身は幼少期の一七五七年に人痘接種を受けており、地方の医者という立場で定期的に患者に接種していた。科学者であり医者だったジェンナーは、天然痘に感染した物質を皮下に注入することで免疫ができる可能性があるという、古くからの原理を継承していた。生まれたときから人痘接種をよく知っていなければ、関連はあるが毒性の弱い病気による膿を注入するというアイデアを思いついた可能性は低い。のちにジェンナーが実証したように、牛痘（ワクチン）接種はこの処置の死亡率を大幅に改善した。患者が人痘接種で死亡する確率は、ワクチン接種で死亡する確率の一〇倍以上だったのだ。とはいえ、この処置の決定的な要素は、患者を少量の感染物質に触れさせることによって、免疫反応を起こすというアイデアにあることは否定できない。そのアイデアはほかの場所で生まれていた。酪農婦の奇妙な免疫について考えた田舎医者の想像力に富む頭脳ではなく、何百年も前、啓蒙運動前の中国とインドの治療師たちの頭脳だ。ジェンナーが天然痘ではなく牛痘を利用するように接種の慣行を変えることができたのは、そもそも、イギリスの医療機関による人痘接種が普及していたからこそである。歴史を巻き戻して、ある変数を変えると――メアリー・モンタギューがコンスタンティノープルに引っ越さずにロンドンで暮らし続けていたら――人痘接種がイギリスの医療行為として根づくには、はるかに長い時間が必要だったと考えられる。

もちろん、「たられば」の歴史は純粋な憶測だが、その思索にふけると、社会における変化の原動力と、世界に大変革を起こす伝達力の重要性について考えさせられる。アイデアはウイルスに似ている。アイデアが社会を変えるには、そのアイデアを生み出した最初の頭脳と同じくらい、そのアイデアを伝える機関や代弁者がいろんな意味で重要である。メアリー・モンタギューがそのままロンドンにいたとしたら、たしかな事実がひとつある。人痘接種がイギリス医学の主流になるには別の道をたどらざるをえなかっただろう。モンタギューがコンスタンティノープルに行っていなくても、おそらく人痘接種が東洋から西洋に広がるのは必然であり、そのアイデアは同じ時期にイギリス人医師の心に「感染していた」かもしれない。しかしその慣行は何世紀も前から、英仏海峡を渡ることなく、世界のあちこちで盛んに行われていたのだ。モンタギューがいなければ、あと五〇年はそのままだった可能性があり、その五〇年でイギリス医学史は根本的に変わり、一七〇〇年代前半に起こった平均寿命の最初の急上昇が遅れたかもしれない。

「天才」か「ネットワーク」か

聡明なエドワード・ジェンナーが一七九六年のある日、ワクチン接種を発明したという納得のいく物語がある一方で、もっとはるかに複雑な話もある。アイデアの一部が地球の反対側で生まれ、文化から文化へと口コミで広がり、やがて聡明で影響力のある若い女性がそれに気づき、故国にもち込んだところ、そこでゆっくり根を張り始め、田舎医者が自分の患者に長年用いたあと、最終的にその技術を大幅に改善することができた。

この二通りの物語を、「天才」の物語と「ネットワーク」の物語と考えることもできる。天才の物語では、因果の連鎖は一人か二人の重要な先駆者の頭脳を中心に展開する。先駆者が単独でブレイクスルーとなる考えを発見するのだ。天才の物語は歴史の教科書の要約に必ず出てくるが、その要約は、ほんとうはネットワークの物語だったものを天才の話に縮めてしまう。トーマス・エジソンが電球を発明し、アレクサンダー・フレミングがペニシリンを発見した、という具合だ。ネットワークの物語はもっと複雑である。その理由のひとつは、問題のアイデアやテクノロジーが同時にあちこちで生まれることにある。白熱電球はさまざまな種類が一八七〇年代に一〇回以上発明されている。ジェンナーのワクチンでさえ、一七七四年に別のイギリスの田舎医者ベンジャミン・ジェスティーが、同じような牛痘ベースの接種をすでに行っていたようだ。しかしネットワークの物語が複雑なのは、最初の発見者の役割より、新しいアイデアを世間一般に役立つものにする役割が強調されるからでもある。アイデア自体には社会を変えるほどの力はない。ネットワークにほかの主要人物がいないせいで、広い範囲に影響を与える前に消えてしまう優れたアイデアも多い。最初のブレイクスルーを説明したり、擁護したり、流布したり、資金供給したりする人物が必要なのだ。周知のとおり、グレゴール・メンデルは一九世紀にとりわけ偉大なアイデアを思いつき、モラビアの修道院でエンドウ豆の品種改良を行った。しかし彼は広いネットワークにつながっていなかったので、遺伝の理論はそれから四〇年にわたって、世界にあまり影響をおよぼさなかった。

「研究者が大きな問題を単独で解決する、孤高の天才現象の実例は非常にまれである」とケリー・グロスとケント・セプコウィッツが、天然痘ワクチンの陰にあったイノベーション・ネットワークを分析する論文に書いている。「もっとはるかに一般的なのは、進展が数世紀ではないにしても数十年の努力の積み重ねを示している例である。そうした進展には数百人がかかわり、出だしの失敗や的はずれの主張、そして激しいライバル心がつきものだ。実際には、ブレイクスルーは一連の小さな進歩が積み上げられた最後に起こるものであり、最終的に臨床上の妥当性に到達したものかもしれない。それでもいったんブレイクスルーが公になり、その英雄が特定されれば、その他大勢の努力は遠い暗がりへと落ちて、世間の熱視線から遠ざかる」[*7]。突然のブレイクスルーが強調されることは、単純な歴史上の誤りの問題ではない。優先されるべきことや、次世代のイノベーションを促そうとする投資戦略をゆがめてしまう。「特定の疾患をあつかう利益団体は、世論と研究資金を自分たちに有利に動かすことに大成功している」とグロスとセプコウィッツは主張する。「世間は『ブレイクスルー』という考えに魅了される。ネクサス・データベースでこの単語を検索した結果、メディア引用はこの二年間で一〇九六件におよぶ。そして患者と世間一般による非現実的な期待の風潮ができ上がった。そのため、あからさまに『ホームラン』を目指さない研究は妨げられ、存続さえ危ぶまれるおそれがある」[*8]

ネットワークを強調することは、舞台上にもっとたくさんの登場人物がいるというだけの問題ではない。質的なちがいもある。倍に延びた平均寿命の歴史を追うと、ネットワークに特定の役割が何度も登場するのがわかってくる。メアリー・モンタギューは、最終的にワクチン接種を誕生させた協力ネットワークで、二つの役割を果たした。新しいアイデアが社会に根づくとき、ほぼ必ず、なんらかの形で果たされる役割だ。第一に、彼女は「つなぎ役」だった。彼女が異国からアイデアを取り入れたおかげで、そのアイデアは知識と地理どちらの境界も越えることができた。そして同時に彼女は「広め役」だった。手紙と、イギリス貴族や王室に対する影響力を用いて、その処置についてのうわさを広めたのだ。

奴隷がつないだアイデア

おもしろいことに、同様のつながりのパターンは、アメリカ植民地での人痘接種でも起こった。時期はまさに同じころで、地理的な要素がちがうだけだ。接種はまず、アフリカの故国でずっと前からその処置を行っていた奴隷を経由して、ニューイングランドにたどり着いた。モンタギューが運命的にトルコを訪れてから二、三年とたたないころ、スーダン系とされるオネシモという名の奴隷が、自分は天然痘にかからないのだと主人に話したのだ。「天然痘の膿を取り出し、皮膚を切って、そこに一滴垂らすのです」[*9]。その主人とはコットン・メイザーという有力な清教徒の牧師だった。セイラムの魔女裁判【訳注：マサチューセッツ州セイラム村で大勢の村人が禍をもたらす悪魔の代理人として告発され、メイザーは裁判の正当性を主張した】ではっきりわかったとおり、メイザーは魔女や悪魔を信じていたが、科学的研究にもかなり興味を抱いていた。オネシモがスーダンにいたときに受けた接種の話から、やがてメイザーは人痘接種の力を確信するようになる。宗教界の同僚にはその慣行に反対する者もいた（死亡率二パーセントは、第六の戒め「汝殺すなかれ」を破っていると見なされた）が、メイザーは増えつつあったニューイングランドの植民者に、人痘接種を唱道する主要な役割を果たし続けた。説教とパンフレットを書き、ボストンの医業界にこの慣習を説いて回る。このアメリカ版のネットワーク物語では、オネシモがつなぎ役を果たした。奴隷貿易による過酷な移動により、ひとつの文化から別の文化に新しいアイデアをもち込んだのだ。コットン・メイザーはそのアイデアを取り上げ、説教壇と印刷機の力を利用して、それを広めた。

相違点はいろいろあったが、メアリー・モンタギューとオネシモとコットン・メイザーには、共通するひとつの顕著な特徴があった――医療の専門家ではなかったのだ。それでも、つなぎ役と広め役という役割のおかげで、それぞれが人痘接種導入に重大な影響力をもっていた。これもまた、寿命延長の歴史における共通のテーマだとわかっている。科学者と医師は重大な変化を促すネットワークの一部にすぎない。活動家と改革者と伝道者がいなければ、多くの命を救うアイデアは研究所でしおれるか、世間一般に抵抗されていただろう。病苦からの「大脱出」はもっぱら啓蒙主義科学の勝利のおかげだとされる傾向がある。西洋文化の偉人たちが病気と死亡率の問題に科学的手法を応用し始めたからには、寿命の延長は必然の結果だったと思われている。しかしワクチン接種の歴史は、この物語が不完全であることを思い知らせる。その理由は、人痘接種そのものが西洋以外で始まったことだけではない。ワクチン接種の勝因は、経験を重視する手法だったが、説得も重要だった。健康における重要なブレイクスルーは、発見されるだけではだめなのだ。賛成を得て、支持され、擁護される必要もある。

トーマス・ジェファーソンの〝副業〟

人痘接種とワクチン接種はとくに、本来は健康な人を危険なウイルスにさらす医療行為だったので、メアリー・モンタギューのような早期に導入した有力者の支持が頼りだった。しかし天然痘ワクチンの最も注目すべき擁護者は、またもや医学的背景のないアメリカ人だった。ジェンナーが酪農婦で実験した四年後、一八〇〇年の初め、ハーバード大学医学部のベンジャミン・ウォーターハウスという教授が、イギリスのバスに住む医者から大西洋を渡って送られた、天然痘ワクチンのサンプルを受け取った。ウォーターハウスはすでにその新しい技術について小論を発表しており、その効果を確信していたので、自分の家族に接種してから、そのうちの数人を天然痘患者と接触させ、実験が成功だったことを証明していた。それでもウォーターハウスは、この医学的ブレイクスルーにもっと大きな舞台を求めていた。そのため、バージニア州にいる人脈の広いあるアマチュア科学者に手紙を送り、自分の小論「天然痘根絶の展望」を同封した。

そのバージニア人は熱心な返事を書き、二人は遠距離で共同研究を始めた。そのことが、ワクチン接種をアメリカ医学の主流に押し上げるのに、きわめて重要な役割を果たすことになる。ウォーターハウスは三回にわたって「ワクチンの材料」を郵便で送ったが、バージニア人の報告によると、そのたびに、ワクチンは輸送中にだめになったことがテストで明らかになったという。おそらく、暑さが生きたウイルスを殺してしまったせいだろう。彼はウォーターハウスに、ワクチンを保存するための独創的な梱包のデザインを提案した。「材料を最小サイズの小瓶に入れ、しっかりコルク栓をして、さらに水を満たした大きめの瓶にこれを浸して、そこにもしっかりコルク栓をする」と彼は書いている。「これなら効果的に空気から守ることができるが、中の小瓶が外気に触れているときより、水で断熱になるかどうかはよくわからない。毎日夜には涼しくなって、日中は馬車の幌の陰になるので、おそらく成功するのではないだろうか」[*10]。そのデザインはうまく機能し、一八〇一年一一月までに、バージニア人は手紙で、「私自身の親族七、八〇人に接種し、義理の息子が同じくらいの人数の親族に接種し、このチャンスを利用したいと希望した近所の人たちにも接種した。被験者は全部で約二〇〇人にまで広がった」[*11]と報告することができた。彼はワクチンに対する身体反応を注意深く医療メモにつけて、律儀にウォーターハウスに送り返した。

私が観察したかぎり、最も早いケースでは、六日目に透明な液体が出てきて、その状態が六日目、七日目、八日目まで続き、八日目には濃くなり始め、黄色っぽくなって、周囲が赤く腫れる。最も遅いケースでは、八日目に膿が出て、八日目、九日目、一〇日目と、薄くて透明な状態が続いた。[*12]

それから数カ月後、彼はワクチン接種を受けたグループを天然痘ウイルスにさらし、全員に免疫がついたことを確認した。この実験には現代の治験に見られる統計学的緻密さはなかったが、それでも、ワクチン導入における重要な躍進だった。ジェンナーによるブレイクスルーのわずか五年後、大西洋の向こうで数百人が無事にワクチン接種を受け、試験の成功を記録する経験的証拠も示された。この時期のほとんどの医科学が一般的にいんちき療法だったことを考えると、ワクチンの試験は正規の医者にとっても驚くべき成果だっただろうが、そのバージニア人にとっては健康問題の仕事は副業にすぎなかった。彼の日中の仕事はたまたまアメリカ大統領であり、その名はもちろんトーマス・ジェファーソンである。

現職大統領が空き時間に薬の治験を行うとはびっくり仰天だが、アメリカにおけるワクチン接種の導入に、法律家としての訓練を受けた政治家が、そのような重要な役割を果たすことには適切な面もある。ジェファーソンのような先駆者が先頭に立ってから、大量導入へとワクチン接種が普及した物語は、いろいろな意味で、医学ではなく法律の勝利の物語である。ワクチン接種を命じる法律は、国が初めて個人の健康に関する決定に権力を行使したという点で、統治の歴史における画期的出来事だった。ジェファーソンの先駆的実験から一〇年ほどたった一八一三年、議会は「純正のワクチン成分をアメリカ合衆国の全市民に……提供する」ことを目的として、ワクチン法を成立させた。[*13] イギリスでは一八五三年のワクチン法が、三歳未満のすべての子どもに天然痘ワクチンの接種を受けさせることを要請した（それから数十年間の一連の決議で、法律はさらに厳しくなった）。ドイツは一八七四年にワクチン接種を義務づけている。

熱心なワクチン義務化擁護者だったディケンズ

ワクチン接種の法律は選ばれた議員によってつくられたが、それに対する一般の支持をとりつけたのは、政治家でも公衆衛生当局者でもない擁護者であることが多かった。いろいろな意味で、ワクチン接種にまつわるメアリー・モンタギューとコットン・メイザーの役割を一九世紀に果たしたのは、チャールズ・ディケンズにほかならない。彼の名作『荒涼館』（岩波文庫）の重要な展開には、明らかに天然痘だが名前を示されていない病気がかかわっている。ディケンズは自分が編集長を務める大衆向け週刊誌「ハウスホールド・ワーズ」で、ワクチン接種に賛成するエッセイをいくつも発表したが、その多くは本人が書いたものだった。彼はワクチン接種義務化の熱心な擁護者で、しばしばエドワード・ジェンナーを、現代生活の偉大な英雄のひとりと称賛した。一八五七年にこう書いている。「偶然ではなく意図的に注入することで、天然痘の苦しみを免れる効果が広がるかもしれないという、ジェンナー医師の頭に浮かんだ考えほど、人類に実質的な利益を与えた考えはないと言っていい」[*14]

ワクチン接種義務化を支持するディケンズの熱意に、じつはビクトリア朝時代のワクチン反対運動の台頭が拍車をかけた。反対運動は現代の反対派と価値観が共通している。一八〇〇年半ばから、ワクチン接種義務化が人権侵害だと認識されると、パンフレット、本、風刺マンガ、法廷闘争、緩い同盟関係、そして正式な組織の波が起こり、全米ワクチン接種反対協会、ニューイングランド強制ワクチン接種反対同盟、ニューヨーク市ワクチン接種反対同盟が誕生した。イギリスでは、一八六七年にワクチン接種義務化反対同盟が結成され、「議会は国民の自由を守る代わりに、健康を維持することを罰金または懲役を科すべき犯罪にすることによって、この自由を侵害しているのであり、苦しむのは責任感ある親である」[*15]と主張した。運動の指導者には、ハーバート・スペンサーやアルフレッド・ラッセル・ウォーレスのような手強い知識人もいた。ウォーレスは一八五〇年代に、ダーウィンとは別に自然選択説を考案したことで知られている。彼は晩年、ワクチン接種の科学を攻撃する著作を、『ワクチン接種の無用と危険の証明』や、『ワクチン接種の妄想――刑法強制は犯罪』などというタイトルで書いている。考えると妙なことだが、進化論の共同発見者だったウォーレスは、その時代のジェニー・マッカーシー【訳注：モデル兼女優であり、子どもが自閉症であることもあって、乳幼児に有害なワクチン接種に反対する運動をしている】だったとも言えるが、彼のパンフレットは実際に公衆衛生データにもとづいて、ワクチン接種に反対する実証的主張を展開しようとしている。長い目で見ると、彼の努力が二〇世紀初めに良質なデータの収集を促したのであり、それが最終的に、この処置の効果を支持する説得力ある主張をもたらした。

ワクチン接種反対運動は、三つの異なる流れの合流点で起こった。第一に、ビクトリア朝時代末の社会では、さまざまな心霊主義、ホメオパシー、「自然治癒」が存在感を強めるようになった（ウォーレスは一八六〇年代に心霊主義に転向している）。これとは別の集団は、自分たちが病気蔓延の主要因と見なしていたもの、つまり不衛生な生活環境に対して保健当局の関心がそれてしまうとして、ワクチン接種に反対した（彼らはたいてい、一八五〇年代のコレラ水媒介説に抵抗したミアズマ説論者の門下生だった）。そして、スペンサーのような政治的反対者もいた。ワクチン接種義務化は究極の国による個人の自由の侵害だと考えたのだ。これに関してユニバーシティ・カレッジのF・W・ニューマン教授の主張はよく引用される。「公衆衛生の名のもとに、健康な人間の体を傷つける権利は議会にはない。健康な乳児の体に対してはなおさらだ。完璧な健康を禁じることは暴君的な邪悪であり、貞操や禁酒を禁じるのと同じことだ。立法者にその権利はない。その法律は我慢らない侵害であり、抵抗する権利を生み出す[*16]」

ワクチンへのイデオロギー的抵抗は、この処置ならではの特徴に原因がある。ワクチンは、まだ病気になっていない人への薬として、積極的に勧められる。それを投与することは純粋に予防的措置であり、それまで科学的裏づけがあるものはなかった。完璧に健康な小さい子どもに投与するなど、ふつうに考えれば、ぎょっとするほどのやり過ぎで、「暴君的に邪悪」な行為に思われた。しかしその処置に統計が味方していた。幼少期にワクチンを受ければ、自分自身が子どもをもうけられるくらい長く生きられる可能性がはるかに高くなる。結局、この確率がワクチン反対派の抵抗に勝利したのである。

イギリスの反対派は一八九八年の法律に、ワクチン接種が自分たちの信条に反すると主張した場合、親は「免除証明書」を受けられる条項を加えることに成功している。この法律で初めて、「良心的拒否」の概念がイギリスの法律に取り入れられたのだが、これは二〇世紀の戦争で重要な役割を果たすことになる概念と表現である。しかし同様の拒否条項が、最近のワクチン反対運動論争の火種になった。アメリカでは根絶されて久しいと考えられていたはしかの新たな流行が、ワクチン反対の家族の割合が高いコミュニティで起こるようになると、多くの地方政府が拒否を無効にしたのだ。もちろん、一九世紀の反対派と二一世紀の後継者たちには隔たりがある。そのあいだの一世紀で、ワクチン接種は全世界でたぐいまれな成功を収めてきたのだ。ビクトリア朝時代の反対派が考えるべきだったのは天然痘のワクチンだけで、その効果を判断するために利用できる統計学的ツールは限られていた。いまでは、ジフテリア、腸チフス、ポリオなど、ワクチンが闘っている病気の範囲の広さだけでなく、接種という処置が命を救う効力の実証的証拠の観点からも、ワクチン反対派にとっては意地でも無視したい、非常にすばらしい業績が示されている。正確とされる推定値では、ジェンナーの最初の実験から二世紀で、ワクチン接種とその集団導入のおかげで約一〇億の命が救われている。その異例の成功はたしかに医科学の成果だったが、活動家や有名な知識人や法律改革派のおかげでもある。いろいろな意味で集団ワクチン接種は、現代の労働組合や国民参政権のようなブレイクスルーに近かった。根づくためには社会運動と説得行動と、それまでにない公的機関が必要なアイデアだったのだ。

天然痘根絶がもっと注目されるべき理由

そうした機関のひとつは、一八五一年にパリで催された会議に端を発している。昨今のたいていの業界集会の規模にくらべると、その集まりは、ヨーロッパ一二カ国からの医師と外交官で構成される、地味な催しだった。この会合は国際衛生会議と呼ばれるようになり、史上初めて、公衆衛生に関して協力する方法を議論するために、広範な国々から専門家集団が集まる機会だった。一八五一年の会議は、コレラの流行を阻止するための標準的な隔離処置が中心テーマだったが、その後の会議では、新たな治療法、疫学的データ、病気についての科学的研究を共有することなど、テーマは広がっていった。そして最終的に一九〇七年、パリでの国際公衆衛生事務所（IOPH）の設立につながった。初の真に国際的な組織である。一九四五年の国際連合の設立後、IOPHは国連傘下に創設された新しい組織、世界保健機関（WHO）になった。

技術系スタートアップ企業の創造的破壊に取りつかれている文化では、こうした機関はイノベーションの敵だと決めてかかる残念な傾向がある。新しいアイデアと進歩とブレイクスルー技術がほしいなら、必要なのはすばやく動いて物事を壊す機敏で自由な行為者であって、大きくて重い官僚的な機関ではない、というわけだ。しかし世界規模で見ると、この七〇年間、ホモサピエンスの寿命を延ばすことに、世界保健機関ほど貢献した存在を見つけるのは難しい。そしてその期間にWHOが上げたあらゆる成果のうち、ずば抜けているものがひとつある。天然痘の根絶だ。数千年にわたる人類との闘いと共生ののち、自然発生の大痘瘡ウイルスが最後にヒトに感染したのは、一九七五年一〇月だった。隠しようのない膿疱が三歳のラヒマ・バヌ・ベーグムというバングラデシュ人の少女の皮膚にできた。ベーグムはバングラデシュの南海岸、メグナ川河口近くのボーラ島に住んでいた。この症例を知らされたWHOの職員が送ったチームは、幼い少女を治療し、彼女と接触していた島民全員にワクチン接種を行った。彼女は病気に打ち勝ち、ボーラ島でのワクチン接種のおかげで、ウイルスが別の宿主内で増殖することはなかった。四年後の一九七九年一二月九日、ほかでの発生を地球規模で徹底して調査したあと、科学者で構成される委員会が、天然痘は根絶されたと宣言する文書に署名した。翌年五月、世界保健総会は正式にWHOの調査結果を承認。その声明文は「世界および全人類は天然痘からの自由を勝ち取った」と宣言し、「人類をこの古来の苦しみの種から解放したあらゆる国家の共同行動」に敬意を表した。[*17] それは真にすばらしい業績であり、将来を見通す思考と数多くの国々におよぶ地道な実地調査が連携する必要があった。この古来の苦しみの種を根絶することは、宇宙競争などよりはるかに有意義な影響を人間の命に与えたが、それでも、天然痘根絶に対する民間の意識は、月面着陸のような業績と並ぶとかすんでしまう。考えてみてほしい。どれだけ多くの映画やテレビドラマが、宇宙飛行士の人類にとって大きな一歩となった英雄的な勇気をたたえてきたのにくらべて、同じくらい向こう見ずだが、緊急性がはるかに高い、命にかかわる微生物との闘いを記録したものはいかに少ないか。

図表**2-2**

母親に抱かれるラヒマ・バヌ・ベーグム、1975年。
(スミス・コレクション、ガド/アラミー・ストックフォト)

天然痘根絶と宇宙競争の比較は、別の理由でもとても興味深い。大痘瘡との闘いは、冷戦中に起きたにもかかわらず、世界規模の競争ではなく協力の勝利だったのだ。早い段階でこのプロジェクトの種を蒔いたのは、一九五八年、ミネアポリスでのWHOの会合で、ソビエト連邦の保健次官ヴィクトール・ジダーノフ博士によって行われた演説だった。天然痘根絶という当時は大胆だった目標に同意してほしいと、加盟各国に呼びかけたのだ。ジダーノフは冒頭で、トーマス・ジェファーソンが一八〇六年にエドワード・ジェンナーにあてて書いた手紙を引用した。ジェンナーの天然痘ワクチンは必ずや「未来の国々が忌まわしい天然痘が存在したことを歴史でしか知ることがなくなる」ようにすると予言していたのだ。それからの二〇年、フランシス・ゲーリー・パワーズの偵察機撃墜やキューバ危機、さらにはベトナム戦争があったが、アメリカとソ連はなんとか、ともに天然痘根絶に建設的に取り組む方法を見つけた。激しい政治的対立の時代でも、人間の健康にとってきわめて重要な問題については世界規模での協力が可能であることを、あらためて思い知らされる。

天然痘ワクチンの初期試験中に書かれた別の手紙で、ジェファーソンはベンジャミン・ウォーターハウスに次のように書いている。「災禍のリストから天然痘のようなひどいものを抹消することは、人類にとってすばらしい貢献である。これほど貴重な医学上の発見を私は知らない」[*18]。ジェファーソンはいつもどおり長期的に考えていた。ジェファーソンがこの手紙を書いたころ、大痘瘡との闘いは、患者を一人ずつ減らすペースで前進しているにすぎなかった。世界中でワクチン接種を受けた人の総数は、数千かもっと少なかったかもしれない。天然痘を人類の「災禍のリスト」から世界規模で抹消することなど、一八〇一年にはほとんど想像できなかった。とにかく技術的に不可能だった。天然痘に対する免疫を、個々人に最小限のリスクで誘発できるところまでは、科学は進歩していた、しかし全世界に蔓延している天然痘という病気を根絶する？　それを実現するためのツールなどなかった。

幻想を現実にした三つのイノベーション

ジェファーソンが早い時期に抱いた天然痘を「災禍のリスト」から抹消するという夢と、根絶の現実との隔たりについて考えると、世界の重大な変化を促す力がはっきり理解できる。一九七〇年代には自由に使えたのに、一八〇一年にジェファーソンとウォーターハウスとジェンナーにはなかったものは何だろう？　天然痘根絶を根拠のない幻想から可能な域に動かしたのは何だったのか？

ひとつの主要因は、WHOという機関そのものだった。根絶プロジェクトが本格的に始まったきっかけは、当時アトランタの疾病管理センターの調査部門トップだったD・A・ヘンダーソンが作成した、西アフリカの天然痘撲滅の提案書である。提案書はホワイトハウスの目にとまり、一九六五年、WHOのさらに野心的な世界規模の根絶計画を監督するため、ヘンダーソンはジュネーブに移るよう依頼された。目標の壮大さを考えると、ヘンダーソン自身でさえ計画は失敗に終わりそうだと思った。しかし彼は最終的にその任務を引き受け、一九七九年に根絶認定書が署名されるまで、計画を監督した。積極的調査とワクチン接種が行われた一〇年間、WHOは七三カ国と連携して取り組み、依然として大痘瘡の流行に苦しむおよそ三〇の国々でワクチン接種を指揮する、何十万という医療従事者を雇った。それほど多くの異なる法域にまたがるそれほど広大な地域で、それほどたくさんの人びとが関与する活動を組織できる国際機関のアイデアは、一九世紀初めには想像もつかなかっただろう。世界規模の根絶は、ワクチンそのものの発明と同じくらい、WHOのような機関の発明にも依存していたのだ。

根絶計画は、微生物学の分野の比較的新しい見識にも支えられていた。微生物学はジェファーソンの時代には本格的な意味では存在しなかった科学である（大痘瘡ウイルスが顕微鏡で特定されるのは、およそ一世紀後のことである）。D・A・ヘンダーソンが初めて根絶計画を立て始めるころには、ウイルス学者は、天然痘はヒトの体内でしか生き延びて複製できないと考えるようになっていた。専門用語で言うと、ほかの種に天然痘ウイルスの自然宿主は残存していなかったのだ。ヒトで病気を引き起こす多くのウイルスは、動物にも感染しうる――たとえばジェンナーの牛痘だ。しかし天然痘はヒトの体の外で生き延びる能力を失っていた。近縁の霊長類でさえ免疫がある。この知識のおかげで、根絶活動家はウイルスに対して決定的に優位になった。集団ワクチン接種の取り組みで攻撃される従来の感染性病原体は、宿主となる別の種――たとえば齧歯類《げっしるい》や鳥類――に避難できた。それをWHOのフィールドワーカーが調べて、感染していた場合に排除することは不可能だろう。しかし、ヒトに感染させた元の宿主が何であれ、天然痘はそれを放棄していたので、ウイルスはヘンダーソンのキャンペーンに非常に弱かった。大痘瘡を人類から追い出すことができたら、ほんとうに災禍のリストから永遠に抹消できる。

技術的イノベーションもまた、根絶計画にきわめて重大な役割を果たした。二叉針の発明のおかげで、WHOのフィールドワーカーはいわゆる複数穿刺接種法を利用できた。従来の方法よりはるかにやりやすいうえ、必要なワクチンの量は四分の一だ。世界中の何十万という人びとにワクチン接種しようとしている組織にとって、とても重要な要因だった。もうひとつ、ジェファーソンとウォーターハウスには利用できなかった重要なツールは、一九五〇年代に開発された耐熱ワクチンである。冷蔵せずに三〇日間保存できることは、冷蔵庫や電気がないことの多い小さな村にワクチンを分配するのに、とても大きなメリットだ。

そして最後のイノベーションは、集団接種そのものの手法にまつわるものだった。D・A・ヘンダーソンがWHOでの天然痘根絶計画の先頭に立ってからまもない一九六六年一二月、アフリカの疾病予防管理センター（CDC）の仕事をしていたウィリアム・フェイギという疫学者が、リベリアのオヴィルプア村で起きた集団発生と闘っていた。そのような集団発生に対する典型的な対応は、（近隣の村も含めて）村人全員にワクチンを接種することだろう。しかしCDCの計画は始まったばかりで、十分なワクチンがまだ供給されていなかった。限られた資源を考えて、フェイギは少ないもので多くのことができる解決法を、即席で考え出すしかなかった。のちに回想録に綴ったように、フェイギらは自問する。「もし自分が不滅を目指して躍起になっている天然痘ウイルスなら、家系図を拡張するために何をするだろう？　答えは当然、いちばん近くの感染しやすい人を見つけて、その体内で繁殖を続けることだ。それなら私たちのやるべきことは、一定範囲内の全員にワクチン接種をすることではなく、いちばん近い感染しやすい人を、ウイルスの手が伸びる前に見つけて守ることだった」[*19]。そこでフェイギは、地域全体に大量のワクチンを放出する代わりに、感染した村人を包囲する「ワクチン接種のリング」をつくることにした。これは標的を絞った攻撃であり、集団発生の周囲に免疫の壁をつくることを目的としている。フェイギも驚いたことに、作戦はうまくいった。数日のうちに集団発生は終わったのだ。結局、フェイギの「ワクチン包囲接種」の手法が、WHOによる世界規模の根絶計画の基本になった。ラヒマ・バヌ・ベーグムが一九七五年にボーラ島で天然痘にかかったとき、その苦しみの種を永遠に終わらせたのは、彼女の周囲につくられたワクチン接種の壁だった。

停滞を断ち切る視点の転換

フェイギの包囲接種というアプローチが、一八〇〇年代初期のジェンナーとウォーターハウスに利用できなかった理由のひとつは、このアプローチが病気についての特殊な考え方に支えられていたことにある。ちがいは文字どおり視点の問題だった。ジェンナーの時代、病気と闘おうとする試みの大半は、血管、肺、筋肉、その他もろもろの不可解な機構を備えた、人間の体そのものに集中していた。しかし包囲モデルは、問題を異なる視点から見ている。病気が人から人へ、コミュニティからコミュニティへと広がるとき、その地理的分布を調べることによって、攻撃することができる。ジェンナーの時代には疫学という科学が理路整然とした形で存在しなかったので、彼にはそのような考え方ができなかった。病気が法則性のあるパターンで塊になることは理解され、そうした集団発生をおおざっぱに地図にしようという試みはあった。しかしそうした地図はまだ、感染病原体そのものに対抗するのに使える武器にはなっていなかった。ある意味で、フェイギの包囲接種という画期的アイデアは、必要が発明の母になる典型例である。ワクチンの供給量が限られていたので、彼は別の解決策を探し求めざるをえなかった。しかしそのアイデアが思い浮かんだのは、一〇〇年以上前から経験にもとづく実際的な思考がなされてきた分野で、彼が研鑽を積んでいたからだ。彼の心に鳥瞰図が浮かんだのは、熟練した疫学者だったからなのだ。その科学こそが、ジェンナーと根絶活動家を分ける最後の主要因である。結果的に、進歩の歴史の多くがそうであるように、問題のとらえ方の転換が一種の解決策を示したのである。

天然痘根絶のためだけではない。人痘接種は一七〇〇年代末にイギリス貴族の寿命を延ばしたかもしれないが、大衆にとって重要だった平均寿命の持続的な延びを初めてもたらしたのは、ワクチン接種ではなく疫学のデータ革命だった。

第3章

生死を分ける数字を探す方法

データと疫学

二刀流学者

イギリスのリー川はロンドン北部の郊外から流れ出て、曲がりくねりながら南下し、イーストエンド地区に達して、グリニッジとアイル・オブ・ドッグズ付近でテームズ川に注ぐ。一七〇〇年代初め、この地域に増えつつあった造船所と工場を支える運河網につながっていた。そして一九世紀には、ロンドンの悪臭産業と呼ばれていたものを洗い流す役割を負わされ、グレートブリテン島で最も汚染のひどい河川になっていた。

一八六六年六月、名をヘッジズという労働者が、リー川べりのブロムリー・バイ・ボウと呼ばれる地区で妻と暮らしていた。現在、ヘッジズと妻については、死亡したという悲しい事実のほかはほとんど知られていない。その年の六月二七日、二人ともコレラで亡くなった。

亡くなったことそのものは目立つ出来事ではなかった。コレラは一八三二年に出現してからロンドンを悩ませ、数週間で数千人の命を奪うような流行の波を何度も起こしていた。ここ数年は減少していたものの、この数週で少数ながらコレラによる死者が報告されていたが、同じ家に住む二人が同じ日にこの病気で亡くなるのは前例がなかった。

しかし結果的に、ヘッジズ夫妻の死はもっとはるかに大きな集団発生の始まりだった。二、三週のうちに、リー川周辺の労働者が暮らす地域は、ロンドン史上とくにひどいコレラの流行に襲われていた。コロナウイルスの時代に私たちみんながやたらと気にしているのと同じような、病気に関する数字を新聞が伝えた。上昇の一途をたどる恐ろしい軌跡である。六月一四日までの一週間、イーストエンドで報告されたコレラによる死者数は二〇人だった。それが翌週は三〇八人。八月までに毎週の死者数は一〇〇〇人近くに達していた。[*1] ロンドンでコレラの大規模な集団発生が起こるのは一二年ぶりだ。しかし八月の第二週には決定的になっていた――ロンドンは危機にひんしていたのだ。

COVID-19の時代と同じで、集団発生に対する防御の最前線はデータだった。ロンドン市民がイーストエンド全体に広がるコレラをほぼリアルタイムに追跡することができたのは、ある男性の努力のおかげだった。医師であり統計学者でもあったウィリアム・ファーである。ビクトリア朝時代の大半、ファーはイングランドとウェールズの公衆衛生に関する統計データの収集を監督していた。コロナパンデミックの最中に現われた報道環境は、ウィリアム・ファーが考案したものだと言っても過言ではない。今日は何人が重症化したか、入院患者の増加率はどうか、といったウイルスの広がりを追いかける最新の数字が、最重要の有効なデータストリームになり、月並みな株式情報や政治世論調査の指標はただの結果論になっている。

ファーは、どうすれば集団発生とその空間的・時間的分布についてのデータを使って、進行中に集団発生を抑制できるか、そして将来的に発生を最小限にとどめられるか、体系的に考えた先駆者のひとりだった。彼が開発を助けた分野は疫学と呼ばれるようになったが、揺籃期には別の名前で知られていた――「生命統計」だ。この分野のイノベーションは、従来の医学的ブレイクスルーのモデルとは似ていない。特効薬や新しい画像テクノロジーの方式にはまらない。基本的に、新しい集計方法、新しいパターン識別方法なのだ。

平均寿命を縮めた二つの疑問

イーストエンドのコレラ集団発生が最初に衛生当局に――そして当の地区のおびえる住民に――明らかになったとき、一九世紀の大半にわたって工業都市とその近隣を苦しめてきた、もっと広範な死亡傾向が続いているように思われた。イギリスの上流階級は一七五〇年以降、おもに人痘接種とワクチン接種に支えられて、前代未聞の平均寿命の延びを経験していたが、それほど恵まれない社会階級では、健康状態の向上がまったく見られないということが、この変化と同じぐらいきわだっていた。その時期、人痘接種とワクチン接種は、地方の貧困層や工業労働者階級にも広まっていた。それでもそうした集団の死亡率は変わらず、場所によってはじわじわ悪化していた。裕福であれば三〇年近くも平均寿命が延びたが、貧しければジョン・グラントの時代とたいして変わらなかったのだ。

一九世紀前半のアメリカの死亡傾向は、さらに容赦なかった。ワクチン接種が広く導入されたにもかかわらず、アメリカ全体の平均寿命は、一八〇〇年から一八五〇年のあいだに一三年も縮小した。啓蒙主義科学と産業化という双子の革命が、イギリスと大西洋をはさんだその元植民地を変革し、新しい政治経済体制をつくり、工場、鉄道、電信など、テクノロジーの大きな変化を促した。それでも平均寿命に関するかぎり、世界で最も技術的に進歩している社会が、逆行しているように思われた。ようやく全体の死亡率に有意な改善が見られたのは、一九世紀末のことであり、続いて翌世紀に世界規模の劇的な長寿化がスタートした。

このパターンは二つの興味深い疑問を投げかける。なぜ、そんな先進社会――啓蒙主義の理性の恩恵を享受しているはずの社会――の死亡率が、半世紀にわたって後退したのだろう？　そしてようやく「大脱出」が本格的に始まり、最後の数十年で全体の平均寿命を引き延ばしたとき、その変化を促したのはどんな発展だったのか？　両方の疑問に対する答えは、一八六六年のイーストエンドでの集団発生中に出ていたことがわかった。

最初の疑問――なぜ貧しい工業労働者は死んでいたのか？――は当時、積極的に考察され、調査されていた。ある意味で、現代の科学的疫学は、この謎を解くための試みとして始まったと言える。おそらく、この件を調べていた最も有力な探偵がウィリアム・ファーだった。一八〇七年に貧しい田舎の家庭に生まれたファーは早熟な生徒だったので、一〇代で数人の裕福な後援者と指導者の後ろ盾を得て、地元の外科医見習いになったあと、パリとロンドンのユニバーシティ・カレッジで医学を勉強した。二〇代半ばにはロンドンで、医業で身を立てていた。しかし彼が真に情熱を注いでいたのは生命統計学、つまり大規模な集団の出生と死亡の分析だ。いろいろな意味で、ファーの長く輝かしいキャリアは、ジョン・グラントが初めて『死亡表に関する自然的および政治的諸観察』で下書きした考えの集大成である。その考えとは、死亡率の巨視的パターンを認識することが、従来の医療行為と同じくらい効果的な、命を救うツールそのものになりうる、ということだ。

統計学と社会改革への情熱という点で、ファーはいかにも当時らしい人物だった。一八三〇年代、イギリスの各都市でたくさんの「統計協会」が結成され、ファー自身、ロンドン統計協会の初期メンバーである。出生と死亡のパターンを理解するためのデータ利用は、一八世紀にはほぼ例外なく商業的関心によるものであり、おもに保険会社の利益目的で開発された科学だった。しかしファーと仲間たちは社会改革のツール、つまり社会の病弊を診断し、その不平等に光を当てる手段として、生命統計学の可能性を考えたのだ。

ファーは医学的データを分析する論文をいくつかランセット誌に発表したあと、一八三七年、戸籍本署の「概要編集者」として採用された。戸籍本署はイングランドとウェールズの出生と死亡を記録する任を負う、新たに設立された政府機関だったが、ファーの勧めで、死亡報告に死因や職業や年齢など、かなり広範なデータを記録するようになった。最初の戸籍本署報告に添付された文書で、ファーは署に対する熱意を明らかにしている。「病気は治すより防ぐほうが容易であり、予防の第一歩は誘因の発見である。登記は数値的事実によってそうした原因の作用を示し、……文化、職業、地域、季節、その他の物理的作用が、病気を引き起こして死を誘発するか、公衆衛生を改善するか、どちらにしてもおよぼす影響を評価する」[*2]。ファーは死因の体系的分類方法の構築を手助けした。グラントが使った一貫性のない構成——「石の一撃、発狂、突然死」——からは大きな改善だ。ファーは初の厳密な意味でのイギリス国勢調査の確立も促した。一八四一年に行われたこの調査で、戸籍本署は国の総合的状況を把握するのに使える重要なデータセットを手に入れている。

概要編集者としてのファーには、戸籍本署によって記録された生データを意味のあるものにする責任があった。数字に興味深い傾向を発見し、健康状態を人口内の異なるサブグループどうしで比較し、新しい形式の視覚化を考え出すのである。データの収集と発表は、単なる事実報告の問題ではなく、もっと繊細な探究術である。仮説を検証して誤りを調べ、説明のモデルを構築するのだ。ファーが戸籍本署に入った年に発表した小論に書いているとおり、「事実がどんなにたくさんあっても、それだけで科学は成立しない。海岸の数え切れない砂粒のように、個々の事実は切り離され、役に立たず、まとまりがないように見える。比較されてはじめて、自然な関係に配列されてはじめて、知性によって具体化されてはじめて、科学の永遠の真理を構成する」[*3]。

二百年前の「生命表」

ファーが何よりも信頼した具体的な事実の整理法は、ジョン・グラントが一六六二年のパンフレットで作成した最初の「生命表」に端を発していた。所与の母集団の死亡率を年齢別に分けた表だ。異なるコミュニティの生命表を比較すると、両者の健康状態のちがいがはっきりわかる。当時の公衆衛生改革の先駆者だったエドウィン・チャドウィックは、地域の健康のもっと単純な比較尺度を提案していた。死亡者の平均年齢だ。しかしファーが何度も指摘したように、地域内の死亡パターンをたったひとつの数字にまとめることは誤解を招きかねない。そのデータポイントを別の地域の平均死亡年齢と比較するときはなおさらだ。ある時期の乳幼児と子どもの死亡率が高い場合、たまたま出生率が高くて多くの子どもが生まれている町のほうが、逆説的に、成人の割合が高い町よりも平均死亡年齢が低くなる——たとえ前者のほうが全体として健康でも（地域が健康でも、かなりの数の子どもがやはり成人に達する前に死亡するので、死亡者の平均年齢を引き下げる）。生命表があれば、所与の人口内でほんとうは何が起きているか、全体像も年齢別にもひと目でわかる。

シュロップシャー州の農業地帯で育ち、地球最大の都市に住むようになった個人的経歴のためかもしれないが、ファーは最初に行う研究テーマに、田舎と都市の健康状態の差を選んだ。一八三七年に発行された戸籍本署の『第一回年次報告書』で、ファーは「町と広々した田舎の病気」という節を執筆し、そのなかで、ロンドンとイギリス南西部の農村地域について集めたおおざっぱなデータセットを活用した。のちの年次報告書でもその分析に手を加え続け、その集大成が一八四三年の『第五回年次報告書』で特集された画期的研究である。ファーの研究は、新生の疫学という科学の節目になった。ファー自身が戸籍本署と国勢調査での仕事によって実現した、信頼あるデータを蓄積した研究は、ファーのデータ視覚化手法の独創的な使い方も紹介している。

一八四三年の研究は、三つの地域を分析している――大都市のロンドン、工業地域のリヴァプール、そして田園地帯のサリー州だ。実質的には、二つの都会と一つの田舎である。三枚ひと組みの絵として見ると、グラフは明確なメッセージを伝えている。密度が運命の分かれ目なのだ。

サリーでは、出生後の死亡率増加は緩やかな上り坂で、海岸線から隆起する砂丘のようだ。それにくらべてリヴァプールは急増しており、ドーヴァー海峡の崖に似ている。その険しい上り坂は、何千という個々人の悲劇をひとつの鮮明なひどいイメージに凝縮している。工業都市リヴァプールでは、生まれた子どもの半分以上が一五歳の誕生日前に死亡していたのだ。

平均死亡年齢は――データポイントとしてのその限界を心にとめながらも――同じくらい衝撃的だ。地方の人びとの平均寿命は五〇年近くある。長く続いた三〇年台半ばの天井を大きく破っている。全国平均は四一年だった。ロンドンは壮麗で裕福であるにもかかわらず、まさにグラントが最初に測定しようとしたときと同じ、安定の三五年に後退していた。しかし真の衝撃は、工業化のおかげで人口密度が爆発的に増えた都市リヴァプールだ。平均的なリヴァプール市民は二五歳で死亡しており、ここまでの大規模な人口でこれほど短い平均寿命が記録されたことはほとんどない。

『第五回年次報告書』の情報グラフは、うわさ話を聞いた多くの人びとが想像していた考えを、初めて裏づける経験的論拠となった。その考えとは、都市はただならぬ率で人の命を奪っていて、しかもその率は上昇している、ということだ。そしてこの現象はとくに幼い子どもたちに対して無情であった。「神をなだめるために火をくぐり抜ける偶像崇拝部族の子どもたちでも、現在この国の大都市の一部地域で生まれる子どもほど、多くの危険にさらされることはなかった」とファーは警告している。ジェファーソンの災禍のリストと

図表**3-1**

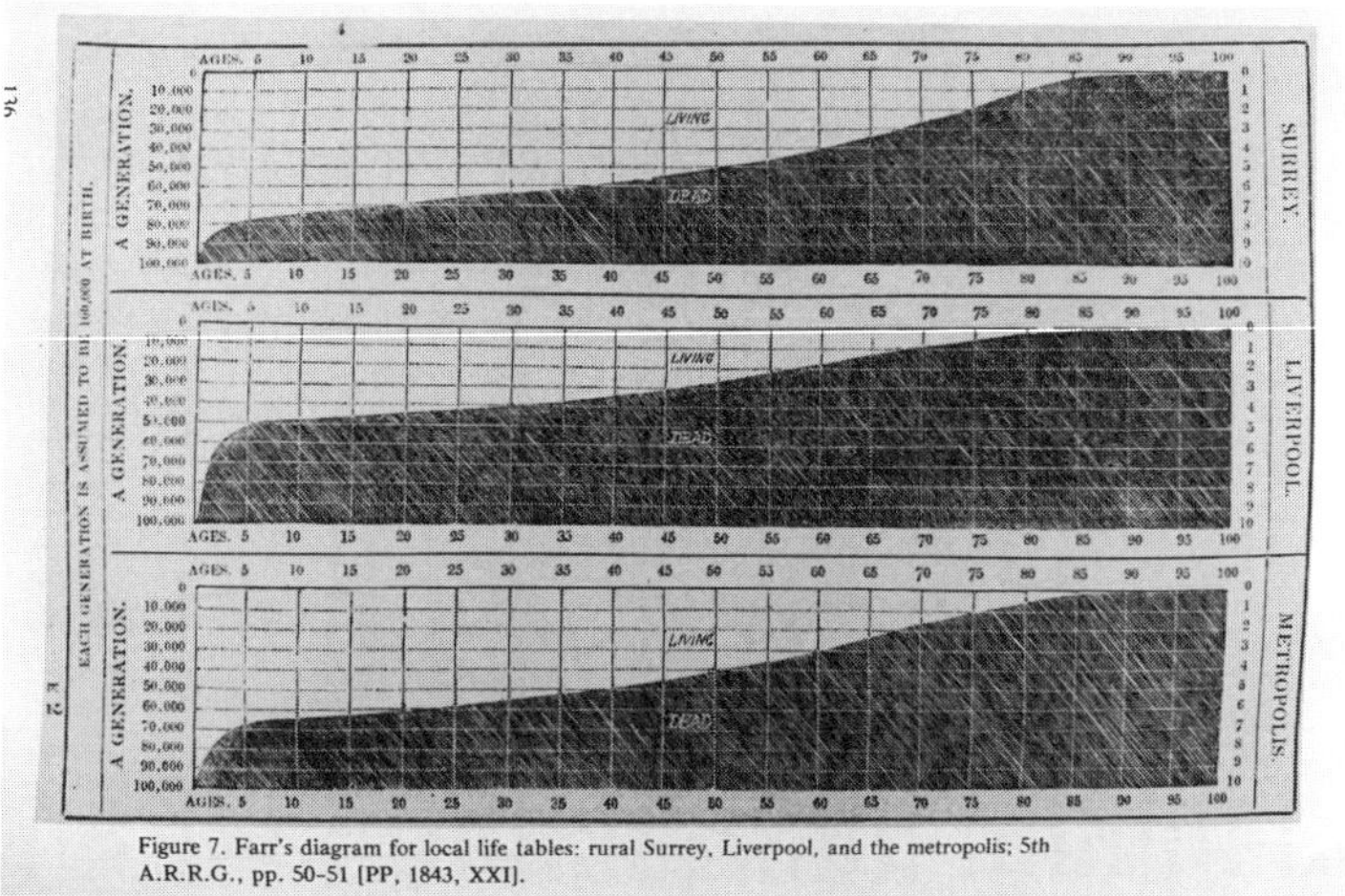

Figure 7. Farr's diagram for local life tables: rural Surrey, Liverpool, and the metropolis; 5th A.R.R.G., pp. 50–51 [PP, 1843, XXI].

ウィリアム・ファーの生命表

いう言葉にならって、彼はこう書いている。「子どもたちの生活環境すべてを厳密に調査すれば、重要な発見につながり、災禍からの救済策が示されるかもしれない。その重要性はいくら強調してもかまわない[*4]」

これは最初の疑問への答えだった。なぜ、世界で最も先進的な国の平均寿命が縮んでいたのか？　地球上のどこよりもたくさんの富を生み出している経済が、どうしてそんな壊滅的な健康状態を生み出しうるのか？　ファーが疫学データによって提示した答えは、同時期にマルクスとエンゲルスが政治科学を用いて構築していたものに似ている。死亡率が急増していたのは、そのときの「先進的」の決定的な特徴が工業化だったからであり、工業化はどこで起こるにせよ、最初の数十年は異例の高い死者数をともなったようだ。二〇世紀には世界各地で、人びとが農業を中心とした生活様式を捨て、工場や都会のスラム街に群がるたびに、同じ傾向が現われることになる。共産主義の政策立案者が計画的に工業経済への転換を促していた経済圏も、例外ではなかった。ファーらはそのパターンが初めて現われたのを、たまたま目にしていたのだ。

大量殺人者となった工業都市

長期的視野に立つと、ファーがサリーとロンドンとリヴァプールの生命表で明らかにしたパターンには、二つの対照的なメッセージが含まれていた。ひとつは希望に満ち、もうひとつはひどく気がかりだ。平均寿命が五〇年台まで延びていた田園地帯のサリーの人口は、人間社会にも三五年という長い天井を破ることができると証明した。しかし同時に、リヴァプールの子どもの死亡率に見られる険しい崖が明らかにしたのは、種類の異なる社会では過去の床が抜け落ちて、イギリス史上最悪のペスト流行中にしか見られなかったような数字に落ち込む可能性があることだ。データは疑う余地のないことを語っている。工業都市は前代未聞のペースで人びとの命を奪っていた。その時代の大きな疑問はこうだ。その死者数とその原因ともなったあらゆる苦境は、工業都市や大都市に人が密集した結果として避けられなかったことなのか、それとも、平均寿命の急落を逆転させる方法はあったのか?

いまの私たちの目には、答えは明白に思える。工業都市が大量殺人者になる運命は避けられなかったわけではない。現在、何千万という人口を抱える多くの都市が、世界屈指の長い平均寿命と低い乳児死亡率を誇っている。しかしその答えはじつは、一九世紀末にはすでに見えていた。一八六〇年代から、イギリスの工業都市では死亡率が大きく下がり始めた。田園地帯や貴族階級だけではなく、初めて人口全体に共通する減少だった。その減少は、次の世紀に人口統計の変化として全世界に広がった、大脱出の真の原点である。振り返って考えると、一八六六年のイーストエンドにおけるコレラ流行は、大量に人が死亡した数十年におよぶ陰鬱な工業化時代の続きではなかった。その終わりの始まりだったのだ。その最初の持続的な長寿化を促した最も重要な進歩は、医学や医療から生まれたのではない。最初に大脱出を呼び起こしたのは、ほかの何でもなくデータの勝利だった。

一八四三年の報告書で、ファーは自分が集めたデータに見られる別の不可解なパターンにも目を向けた。彼が流行作用の法則と呼んだもの、いまでは疫学者たちに「ファーの法則」として知られるものだ。リヴァプールでの天然痘集団発生を分析して、ファーは死者数を一〇期に分けた。「死者は第四期まで増えた。第一期の死者は二五一三、第二期は三二八九、第三期は四二四二、この数字はほぼ三〇パーセントの割合で増えていることがひと目でわかる」。しかし増加率は「その次はわずか六パーセントである。発射体が曲線軌道の頂点に達したときのようだ。それが説明になる」[*5]。ファーの法則は伝染病の増減を数学的に説明する初めての試みだった。コロナウイルスのパンデミック中に個人の不安をあおり、市民が厳しく目を光らせる原因となった予測モデル、たとえばボリス・ジョンソン英国首相を当初の集団免疫戦略から方向転換させたインペリアル・カレッジ・ロンドンのモデルや、トランプ政権に大きな影響を与えたワシントン大学のCOVID-19予測などはすべて、元をたどれば、一八四三年にファーが最初に略述した作用の法則に行き着く。私たちが曲線の平坦化について話すとき、問題の曲線を最初に描いたのはウィリアム・ファーだったのだ。

「汚れた空気」ではなく「汚れた水」

ロンドンとコレラの関係——そしてより広く都市の死亡率との闘い——にとってきわめて重要な転機をピンポイントで示すように言われて、一八六六年六月末を指摘する医学史学者はほとんどいないだろう。もっとはるかに有名な出来事は、一八五四年九月八日、ロンドンのソーホー地区の行政区委員会が、ロンドン史上最も壊滅的なコレラの集団発生を止めようと、ブロードストリート四〇番地にあった井戸のポンプのハンドルを取りはずしたことである。ハンドルをはずすよう要請したジョン・スノウは、コレラは汚染された飲料水によって引き起こされるのであり、当時広まっていた「ミアズマ」説が主張するように、汚れた空気によって運ばれるわけではないと、四年以上前から主張していた。八月最終週に自宅の近所でコレラが爆発的に発生したとき、スノウはすぐに、集団発生が狭いところに集中していることは、人びとを病気にする「点源」があることを示しており、死亡者の所在地——およびその飲料習慣——を特定する調査研究を迅速に行えば、汚染された水の具体的な源を明らかにできるかもしれないと気づいた。その源を特定することで集団発生を終わらせ、最終的に自分の水媒介説が正しいと当局を説得できるかもしれない。調査の一環として、スノウがブロードストリートの集団発生の地図を作成したことは知られている。地図はその地域で起きた死亡それぞれを、死者と関係のある住居に小さな黒い棒を引いて表わす。史上最も影響力のあった地図と呼ばれるに値し、コロンブスの時代に世界中の航海士を導いた地図と同じくらいの重要性がある。ソーホーの格子状の街路のあちこちに並ぶ黒い棒で、スノウが視覚化しようとしていたのは、一四九二年より前のヨーロッパ人にとってのアメリカ大陸海岸線と同じくらい、人間には知覚できないものだった。すなわち、コレラを引き起こす微小な媒介の伝染パターンだ。

スノウはずっと前から、コレラ犠牲者の命を奪うひどい下痢を引き起こすのは、ロンドンの飲料水に含まれているなんらかの微生物ではないかと考えていて、何時間も自宅の実験室にこもり、さまざまな水源から採取した水のサンプルを顕微鏡で調べていた。しかし当時のレンズ製造技術はまだ進歩が不十分で、いまでは病気の原因だとわかっている細菌——コレラ菌——を見ることはできなかった（三〇年後にようやく、ドイツ人微生物学者のロベルト・コッホがこの細菌を特定した）。しかしスノウは、その病原体を見る方法がほかにあると気づいた。顕微鏡による拡大ではなく鳥瞰図を採用し、死者の空間的分布から間接的に病原体を認識したのだ。ファーによるサリーとリヴァプールの生命表と同様、スノウはデータ視覚化のツールを利用して経験的に立証した。しかしファーの生命表は解決すべき一般的問題を示しただけだった。人口密度の高い都会生活の何かが、憂慮すべきペースで人の命を奪っている、ということだ。それに対して、スノウの地図は具体的な原因を、そして具体的な改善法を示した。人びとが死亡していた理由は、汚染された水を飲んでいたからであって、有毒ガスを吸っていたからではないのだ。人びとが死ぬのを止めたければ、給水を浄化する必要がある。

ブロードストリートのポンプのハンドルが取りはずされたこと、そしてスノウが先駆的な地図を作成したことが、ビクトリア朝時代末期に起こった公衆衛生革命にとって、価値ある原点となった理由は二つある。その革命には多くのさまざまな介入がかかわったが、断トツで最も重要なのは、公共の飲料水源の浄化に関するものである。ポンプのハンドルの話は、流行を引き起こす生物学的メカニズムを実際に理解できなくても、というか見ることさえできなくても、有益な保健介入を行えることを実証している。

しかしこの話が画期的な出来事として評価されるのは、その物語としてのインパクトのおかげでもある。はぐれ者の医者探偵が、誰もが戦々恐々としているなかで当局に挑み、その調査と経験的手法が最終的に病気に対する理解を一変させ、その後の数十年で無数の命を救った。私にはスノウの物語と個人的なつながりがある。何年も前、一八五四年の集団発生をテーマに本を書いたのだ。[*6] もともとこの歴史に引きつけられたのは、純粋に、それが古典的な「孤高の天才」物語であり、スノウが主役だと思われたからだった。ひとりのアウトサイダーが権力と闘うわけだ。その時点まで、たいがいの一般的な説明ではそう語られていた。

しかし腰を落ちつけて本のために十分なリサーチをするとすぐに、ポンプのハンドルを取りはずし、ミアズマ説を広く覆すことになった原動力は、孤高の天才モデルで説明しようとすると、大きくゆがめられてしまうことに気づいた。ネットワークをたったひとりの個人に縮めてしまうことになるのだ。そのネットワークにはまちがいなくウィリアム・ファーも入っていた。ファーがそれまで二〇年間で開拓したデータ収集手法を、スノウはおおいに頼り、コレラの調査中ずっと、統計学者と知的対話を盛んに行なった。ネットワークのもうひとりのメンバーは、ヘンリー・ホワイトヘッドという教区牧師だ。生涯、人痘接種を唱道したコットン・メイザーにならってこの件に関与し、スノウの調査と似たような素人調査を行った。じつは当初、彼は井戸汚染説を反証しようとしたのだが、しだいにデータに納得するようになった。最終的にスノウのパートナーになり、実際、「患者第一号」を発見したのはホワイトヘッドである。ベビー・ルイスという呼び名だけがわかっている生後六カ月の女の子で、ブロードストリート四〇番地でコレラにかかり、井戸水を排泄物で汚染していたのだ（井戸の崩れかけたレンガの壁が、ブロードストリート四〇番地の地下にあった汚水槽とつながっていた）。ホワイトヘッドはコミュニティに深く根を張っていたおかげで、地域の死者に関する追加データを集め、さらには、ソーホーから逃れて田舎で死亡した地元民を追いかけることもできた。ホワイトヘッドの貢献がなければ、スノウのブロードストリートでの集団発生調査は、彼の水媒介説が正しいと当局を説得できず、支配的だったミアズマ正統説が実際より何十年も長くそのままだったかもしれない。意味のある社会変化にはよくあることだが、水と病気の関係に対する理解の革命には、さまざまなスキルをもつ複数の役者が必要だった。ファーのオープンソースのデータプラットフォーム、スノウの免疫学的調査と地図作成スキル、ホワイトヘッドの社会的知性である。

ウィリアム・ファーの高度説

コレラが汚染された給水源によって引き起こされるとわかったことは、解決策の一部にすぎなかった。実際に病気に対処するには、飲料水からコレラ菌を取り除かなくてはならず、そのために市の下水システムを給水源と分けなくてはならない。その目的で建設されたのが、一九世紀最大の土木事業の業績となった――ロンドンの下水道システムだ。

聡明で根気強いジョゼフ・バザルジェットの監督のもとで行われた事業は、何世紀にもわたってロンドンの街路の下でまったく無計画につぎはぎされてきた排水管網を撤去し、延べ一三二キロにおよぶ体系的な下水道システムに入れ換えた。使われたレンガは三億個、テームズ川両岸沿いには下水が丘から川に流れ込むのを防ぐ、しっかりした遮集管が設けられた（ビクトリア堤防やチェルシー堤防を散歩して、ロンドンの街並みと空を眺めている観光客は、気づかないうちに、市の飲料水をコレラ菌に近づけないようにするために建設された構造物を楽しんでいるのだ）。驚いたことに、この事業による主要な配管はわずか六年の工事で機能するようになった。

この話には興味深い余談がある。ウィリアム・ファーは、彼自身が集めたデータや、自分の仮説を検証して誤りを調べたいという意欲から予想されるよりはるかに長いあいだ、ミアズマ説を信じていた。ファーは生涯、人間が低地定住することに対しての妙な反感にとらわれていた。その偏見はテームズ川の土手近くは死亡率が高いことを示す自分が集めたデータから生まれたのだ。じめじめした陸と水の境界には空気を汚染する有毒ガスがあると信じ、それを証明するために、死亡率と地形図を結びつける独創的な図表をたくさん作成している（最終的に、高度と病気の因果関係は、またもや飲料水にあることが示された。住む場所がテームズ川から遠いほど、汚染が少ない水源からの水を飲むことになる確率が高かったのだ）。高地を好むファーの先入観は最終的に、奇妙な地理的差別主義に転移する。文明の最高の成果は、高地に住む文化からしか生まれないというのだ。「疫病を発生させるじめじめした沿岸や低い川べりで育った人は、暮らしぶりが汚く、自由も詩才も美徳も科学もない」などと、衝撃的な文章を書いている。「彼らは芸術を考案することも実践することもない。病院も、城も、住むのに適した居住地もない。……次々にやって来る強い人種に制圧され虐げられ、自分たちが奴隷になる社会以外、どんな形の社会も構築できないようだ」[*7]

ファーによる病気の高度説は、医学的にも歴史的にもほとんど意味をなさなかった。ベネチアやナイル・デルタの偉大な文明を考えれば、彼がいかにまちがっていたかがわかる。しかし、彼の解釈モデルは妙な地形学にしばられていたとはいえ、ファーは最終的にコレラ水媒介説を信じるようになった。スノウの説への転向は、一八六六年夏、バザルジェットのチームがロンドンの下水道建設を終えようとしていたころ、とりわけ劇的な経緯で真価を問われることになる。

殺人者を追う新たな〝探偵〟

六〇代半ばになったファーは、相変わらず戸籍本署の年次報告書と、スノウがブロードストリートの調査で頼りにした「出生と死亡の週報」の作成監督を手伝っていた。一八六六年六月の「週報」に目を通しているとき、イーストエンドのコレラ死者数が妙に急上昇していることに気づいた。この病気は一八五四年の流行以降はほとんど表に出ていなかったうえ、バザルジェットの下水道がおおむね使用可能になっていたので、集団発生はさらに謎だった。若いころのファーなら、すぐに地形図に目を向けて、死者が出た場所と海抜の関係を計算していたかもしれない。しかし六〇代半ばのファーは人が変わり、ミアズマ説から転向していた。彼はスノウが水媒介説を主張するのを直接見ていた。そのため、週を追うごとに死亡率が増えているのに気づくと、わざわざ高度データなど試算せず、すぐにその地域の飲料水源を調べ始めるようになった。

一八六〇年代半ばには、労働者階級の住む地域でも大部分の世帯が、特定の住所まで水道管を引く民間会社から水の供給を受けていた。現代のケーブルテレビ会社とよく似ている。ファーは最近の集団発生で死亡した集団を、居住地ではなく飲料水を供給する会社で分類することにした。最初のおおざっぱなデータ収集で、明確なパターンが明らかになった。圧倒的多数の症例が、イーストロンドン水道会社の管から出た水を飲んでいたのだ。ファーは数日のうちにイーストエンド地区全体にビラを配って、住民に「あらかじめ沸騰させていない水」は飲まないように警告した。

そのあと、イーストロンドン社に調査が入った。自分たちの水は新しい屋根つき貯水池できちんと濾過されていた、と会社は主張する。この件の主任調査員のひとりが、一八五四年のブロードストリートでの集団発生に関する回想録を読んだことがあった。地区の調査でジョン・スノウを手伝った牧師が書いたものだ。スノウは亡くなっていたので、調査員は彼の元パートナーがイーストエンドの集団発生の原因を追究するのに協力してくれるかもしれないと考えた。そういうわけでヘンリー・ホワイトヘッド牧師が再び、ロンドンの街で靴をすり減らす探偵仕事をすることになった。隠れた殺人者を追い詰める仕事だ。八月には汚染された配管が明らかになった。イーストロンドン社の貯水池のひとつが、近くのリー川ときちんと分離されていなかったのだ。夏の早い時期の週報を詳細に調べて、調査員たちは貯水池の近くに住んでいたヘッジズ夫妻の死亡を見つけた。彼らの住居を調べたところ、そのトイレから排泄物が直接リー川に吐き出されていることがわかった。

スノウとポンプの物語は、現代の疫学と公衆衛生が創始された瞬間だと正しく認識されている。人間が新しい種類のスイッチを入れた歴史的瞬間のひとつだ。しかしブロードストリートの流行中には、主要なピースのうちの一部しかそろっていなかった。いろいろな意味で、一八六六年の集団発生も同じくらい重要な節目と考えるべきだ。一八五四年時点では、国の当事者はあまり重要でなかった。スノウは部外者であり、公共機関のほとんどは相変わらずミアズマに取りつかれていた。たしかにファーは死亡報告を作成していたが、それ以上に、公的部門の人たちが何よりも邪魔者だったのだ。しかし、一八六六年までには全体の体制が整っていた。バザルジェットが遮集管を建設し、ファーがデータを集め、水媒介説がほとんどの公衆衛生政策決定者に受け入れられていた。その統合された体制によって、新たな集団発生をすばやく見つけ、うまく食い止め、将来的に集団発生が起こらないように、既存の水道システムの変更を実施することができるようになったのだ。

その成功はその先も揺るぐことはなかった。イーストロンドン危機はロンドンで記録されている最後のコレラ集団発生となる。コレラ菌は時間をかけてヨーロッパ大陸を横断したあと、一八三二年に上陸した。それから一〇年ないし二〇年のあいだ、天然痘か結核並みの殺人者になる脅威があった。そしてそのあと消えた。少なくともロンドンにとって、コレラは災禍のリストから永遠に抹消されたのである。

黒人差別と社会疫学の誕生

ファーとスノウはやり方こそちがったが、生命統計学をうまく利用すれば、人口における病気と健康の関係を新たな視点で見られるようになることをはっきり示した。ファーの生命表は、都心を悩ます平均寿命の不平等を明らかにした。スノウの地図は、細菌そのものはまだ科学では見えなかったとしても、コレラを引き起こしている水に媒介される敵を明らかにした。それに匹敵するブレイクスルーを、一九世紀末に起こしたデータ先駆者がもうひとりいる。地道な実地調査をする疫学と地図を利用して、人間の健康に対する人びとの認識を変えたのは、博学のアフリカ系アメリカ人の有識者、W・E・B・デュボイスである。

今日、デュボイスは公民権運動家、NAACP（全米黒人地位向上協会）の創立者、アフリカ系アメリカ人の体験に関する画期的な書『黒人のたましい』（未来社）の著者としてよく知られている。しかしデュボイスのキャリアはフィラデルフィアの黒人地区の研究から始まっており、一八九九年に『フィラデルフィアの黒人（The Philadelphia Negro）』という本の形で発表され、その後の数十年にシカゴ学派で用いられたテクニックの多くを先取りしていた。この本は社会学の革新的研究として正しく評価されるようになったが、公衆衛生についての新しい考え方を生み出したことでも称賛に値する。それは社会疫学と呼ばれることもある分野だ。デュボイスが初めて実証した残念な事実は、COVID-19の時代にもなおアメリカにつきまとっている。アフリカ系アメリカ人は白人アメリカ人より高い率で死亡しており、その格差の原因のひとつは、彼らの生活環境が人種差別の抑圧力に左右されることにあったのだ。

一八九六年、任期一年の「社会学助手」としてフィラデルフィアに到着したとき、デュボイスは二〇代後半だった。アフリカ系アメリカ人として初めてハーバード大学で博士号を取得し、ベルリン大学の大学院で研究を行う目まぐるしい二年間をヨーロッパで過ごしたあとだった。ハーバードに入ったばかりの学部生だったころ、彼はウィリアム・ジェームズやジョージ・サンタヤナのような優れた指導者のもとで哲学を学んでいた。しかしジェームズから、哲学者としてのキャリアは「働かなくても暮らしていける資力のない」人にとっては難易度が高いと警告され、一八九〇年代の政治的気運もあって、当時「黒人問題」と呼ばれていたものに、自分の並はずれた知力を集中せずにはいられなくなった。「アメリカ黒人の民族性と傾向」のようなタイトルの扇情的な記事とえせ知識の波によって、アフリカ系アメリカ人の高い貧困率と犯罪率が取り上げられ、おもに「黒人種」そのものが有するとされた欠陥を指摘していたのだ。「黒人問題」に関する解説の多くは、あからさまな偏見によってゆがめられていた。デュボイスは萌芽期の社会学のツールなら、そんな偏見のない科学的なデータにもとづいたレンズを通して、アフリカ系アメリカ人コミュニティの課題をとらえる方法になるかもしれないと考えるようになった。

フィラデルフィアでは、大勢の裕福な進歩主義者——その多くが昔からのクエーカー教徒——が、第七区の犯罪と貧困が増えるのを、警戒感を強めながら注視していた。第七区はスクールキル川沿いに並ぶ一八のブロックからなっている。ファーとスノウが分析したソーホーやイーストエンド地区と同様、この地域は現在、高級レストランとブティックとリノベーションされたマンションが立ち並ぶ富裕な複合地区だが、一九世紀には衰退した都会の荒涼とした風景が広がっていた。しかしロンドンとはちがって、第七区で起こっていた危機には、明らかに人種差別的な含みがあった。南北戦争が終わってからの数十年で、この地域はフィラデルフィア最大のアフリカ系アメリカ人コミュニティになっていた。デュボイスの伝記作家デイヴィッド・L・ルイスはこう書いている。「とても大勢［のアフリカ系アメリカ人］が住んでいるから、そのうちの大半がとても貧しいから、大勢が南部から来たばかりだから、彼らはたくさんの犯罪に関与しているから、彼らの肌の色と文化が近隣の白人にとってとても目立って見えるから、という理由で、その地域は生活環境の良いフィラデルフィアの悩みの種であり、そこの住民はみな、近代化する紳士階級の睡眠を妨げる『危険な階級』のまさに権化だった」[*8]

一八九五年までに、フィラデルフィアの上流階級にとって、第七区をはじめとするアフリカ系アメリカ人が住む地域が、貧困と暴力の循環に陥っていることは明らかだった。それは二〇世紀には「スラム街」の危機と呼ばれるようになった。たまたま第七区のそばに住む白人のフィラデルフィア市民のなかに、進歩主義の慈善家スーザン・ウォートンがいた。彼女はそれまで一〇年間、市のアフリカ系アメリカ人コミュニティのためにさまざまな慈善団体に資金提供していた。そしてウォートンはペンシルヴェニア大学の学長を、悪化する第七区の問題を理解するには「経験ある観察者」が——理想的には自身がアフリカ系アメリカ人である観察者が——必要だと説得した。輝かしい学業成績と、最近のヨーロッパでの社会学研究を考えると、デュボイスはうってつけの人物だ。

そういうわけで、一八九六年の夏、デュボイスと妻は地区の東端にあるロンバードストリート七〇〇番地のワンルームアパートに引っ越した。

死亡率は白人の二倍

デュボイスの職務は表面的には、ペンシルヴェニア大学の教授陣が要点を説明したとおり、実地経験主義の調査だった。「私たちが望むのは、この階級の人たちがどういう暮らしをしているのか、どんな職業に就いているのか、どんな職業には就けないのか、どれだけの子どもが学校に行っているのかを正確に知り、この社会問題を浮き彫りにする事実をすべて突き止めることだ」[*9]。しかしデュボイスは、たとえ進歩的な理想があるにしても、出資者がいまだに問題の本質について、人種差別主義の考えにとらわれていることをよくわかっていた。デュボイスはのちに、「それほど多くの犯罪に関与している人種は何かがおかしい」という暗黙の前提があったと説明している。そこでこの若い学者は、社会学の探偵作業の強みを存分に発揮することで、その偏見と闘うことにした。四〇年前にジョン・スノウがソーホーで行ったものより、広くて深い地域調査をしたのだ。彼はのちに書いている。「問題は目の前にあった。私は代理を通してではなく、みずから調べた。調査員を送るのではなく、自分で足を運んだ。……データを求めてフィラデルフィアのさまざまな図書館を回り、多くの場合、有色人種の個人蔵書を利用させてもらった。……地区の地図を作成し、それを状況で分類した」。数カ月にわたって、デュボイスはベルリン時代からの習慣だった「ステッキと手袋を身につけて」ロンバード七〇〇番地を出発し、八時間の第七区探検を開始する。ドアをノックし、住民に仕事や家族についてインタビューし、住居の状況を調べる。調査が終わるまでに、デュボイスは八〇〇時間以上を費やして地域の状況を記録し、わずか三カ月の調査で二〇〇〇を超える家庭を訪れた。そして調査から表にしたデータの一部を、スノウが前にやったように地図形式で示し、地区内の各区画を五つの職業階級で色分けした。「悪徳の犯罪者層」「貧困者層」「労働者階級」「中産階級」、そして白人または営利企業に属する住民である。

こうした色分け自体が、地区の境界周辺に住んでいたフィラデルフィアの進歩主義者にとってさえ新事実であり、アフリカ系アメリカ人コミュニティ内部に明確な階層構造があることを実証した。その構造は地図上の空間分布にはっきり見ることができる。貧困者と犯罪者は一七番通りの東に押し込まれていて、比較的裕福な家族は地区の西端で栄えており、白人の隣人たちと混ざっている。こうした視覚化と詳細な解説文のおかげで、『フィラデルフィアの黒人』は最終的に、都市社会学の画期的な初期研究のひとつにふさわしい、高い評価を得た。一八八〇年代にチャールズ・ブースが作成した著名なロンドン貧困層の地図や、デュボイスが第七区の調査を始める前の年に作成された、ジェーン・アダムズによるシカゴのハルハウス地図に匹敵する。それでもデュボイスが『フィラデルフィアの黒人』で出した成果は、いまだにあまり評価されていない。なぜなら、彼は人間の健康格差を分析する科学でも、大きな進歩を実現したからである。社会学者として、デュボイスはその分野の先頭に立って研究していた。社会疫学者として、白人と黒人の集団間に見られる健康状態の格差を分析し説明した彼は、ほかのみんなより少なくとも半世紀は先を行っていたのだ。

大規模な『フィラデルフィアの黒人』プロジェクトを手本として、デュボイスは当時ありきたりだった偏見と闘うことから始めた。その偏見とは、黒人コミュニティの死亡率を引き上げる何かが、黒人種には本来備わっているのだ、という考えである。デュボイスはこう説明している。「この人種の高い死亡率に関心が向けられるとき、その率は異常で前例がなく、黒人種は早期に絶滅する運命にあるので、劣等の種に道を説くこと以外にやるべきことはほとんどないと結論づけられる傾向がある。しかし事実は、統計学の学生なら誰もが知っているとおり、黒人大衆の現在の社会的地位を考えれば、死亡率はけっして予想より高くはないし、さらに、過去二世紀にこの人種の死亡率より高い死亡率を経験したことのない文明国家はいまのと

図表3-2

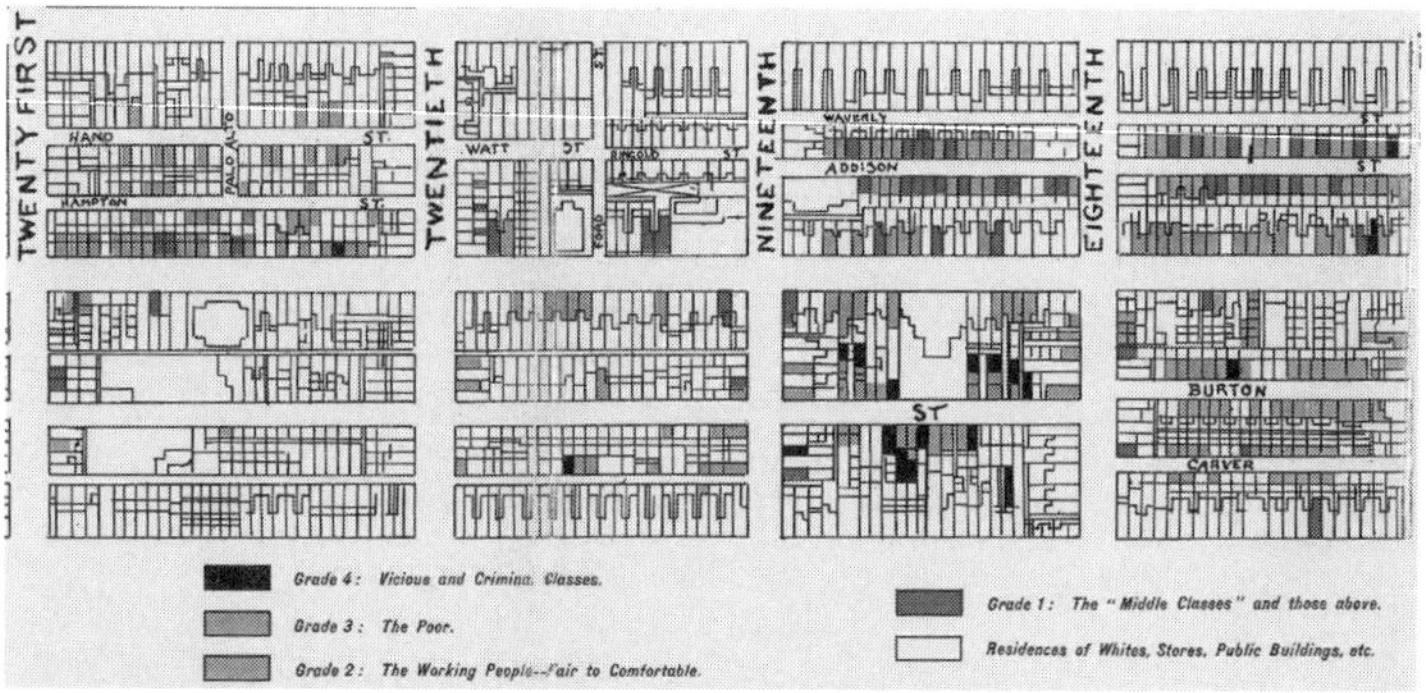

W・E・デュボイスによるフィラデルフィア第七区の地図（1899年）より

ころ存在しない[10]」

ウィリアム・ファーがその場にいたら、デュボイスが用いた手法に感心しただろう。彼は第七区（およびより広くフィラデルフィア）におけるアフリカ系アメリカ人の高い死亡率を裏づける統計学的証拠を、一〇以上の図表によって明らかにしている。平均すると、黒人の死亡率は近隣の白人よりも五パーセント高かった。そしてデュボイスはこの地域の平均寿命を計算しなかったが、ファーの生命表の方式で図表をいくつか作成しており、そこには子どもの死亡率という点で、黒人と白人の家族に衝撃的な格差があることが示されている。黒人のフィラデルフィア市民が一五歳になる前に死亡する確率は、近隣の白人の二倍だった。

デュボイスがこの本にそうした人種間の健康格差について、強力な統計学的証拠とともに記録していただけなら、『フィラデルフィアの黒人』は、都市と田舎の格差を明らかにしたファーの生命表にもとづく「生命統計学」の発展の過程で重要な節目の書となっていただろう。しかしデュボイスは、当時の人種的偏見を考えると、差異を記録するだけではだめだとわかっていた。もっと重要なこととして、第七区に「劣等の種」が居住していることの必然的結果ではないことを示すために、その差異をこの本の中で説明しなくてはならなかったのだ。ここでデュボイスは、それほど異様な健康格差につながる環境要因を明らかにするために、自分が行った地域の状況の徹底調査を用いて、社会疫学に社会学をもち込んだ。そしてこうした物理的状況を、フィラデルフィアで作用していたもっと大きな差別の力――現在、制度的人種差別と呼ばれるもの――と結びつけた。

彼はこう書いている。「一般的に言って、階級としての黒人は都市の最も不衛生な区画に、さらにそのなかでも最悪の住宅に住んでいる。……二四四一世帯のうち、浴室とトイレを利用できるのはたった三三四世帯、一三・七パーセントだった。その三三四世帯も、ほとんどの場合、設備が貧弱である。ひとつの浴室を別の家族と共同で使うことが多い。たいてい浴槽に湯をためることができず、そもそも水道が引かれていないことが非常に多い。この状況はおもに、第七区がフィラデルフィアの旧市街にあって、もっぱら中庭のくみ取り式トイレが使われ、小さな家に浴室のスペースはなかった時代に建設されたせいである。家が密集する前、広い裏庭があったころには、それほど不衛生ではなかった。しかし今日、裏庭に共同住宅が建ち並び、不衛生の結果がこの地区の死亡率に表われている」[*11]

COVID-19でも生かされた

直接訪問したことで、第七区の過密問題の重大さを理解するための独自の視点も得られた。調査するなかで、ひと部屋に一〇人が住んでいるアパート二軒と、ひと部屋当たり四人以上が住むアパート一〇〇軒以上が記録された。都市経済の現実と根深い偏見のせいで、必然的に、アフリカ系アメリカ人がそのような不衛生な環境に住むことになる経緯を、デュボイスは説明している。「ほとんどの白人フィラデルフィア市民は、黒人の近くに住みたがらないという否定できない事実のせいで、黒人は家の選択、とくに安い家の選択が、きわめて厳しく限定される。おまけに、住宅の供給量が限られていることを知っている不動産業者はたいてい、黒人の借り手をすべて拒否しない場合でも、彼らに対しては家賃を一ドルか二ドル上げるのが一般的だ。……黒人の大半は、経済の世界では富裕層の賄い人であり、個人宅、ホテル、大きな店などで働いている。この仕事を失わないためには、近くに居住しなくてはならない。……したがって黒人はその仕事の性質上、白人労働者の大半よりはるかに都心に密集せざるをえない」。多くのアフリカ系アメリカ人が以前、結核のような伝染性の病気で死亡していたことは、「黒人種」に固有の病気にかかりやすい傾向の結果ではなかった。デュボイスが明らかにしたとおり、アフリカ系アメリカ人を市全体のなかで最も不衛生な空間に送り込むような、社会のあり方の間接的影響だったのだ。アフリカ系アメリカ人に健康的な生活様式を取り入れるようただ要求するだけでは、第七区の健康危機を解決することは不可能である。その健康状態を改善したければ、体制全体を変える必要があった。

ファーとスノウが初めて行った生命統計学への取り組み同様、デュボイスが導入したデータ分析のイノベーションは、二一世紀の健康への脅威に対する闘いでも、重要な役割を果たし続けている。平均寿命と子どもの死亡率に関して、アフリカ系アメリカ人は相変わらず白人アメリカ人に後れを取っている。COVID-19の影響がアメリカの有色人種コミュニティにかたよっている原因のひとつは、そうしたコミュニティが、呼吸器疾患が広がりやすい人口密度の高い居住地に住み続けていることだ。この種の社会疫学で暴かれる健康格差は、おもに慢性ストレスが体におよぼす有害な影響によって、貧困と差別が長期的な健康問題を引き起こす状況を探る、まったく新しい研究分野を生み出した。ファーとスノウはデータを用いて、工業都市の物理的インフラが病気を増殖させている様子を明らかにした。そしてデュボイスは同等のデータセットを集めて、それをもっと幅広い偏見そのものの問題と結びつけたのだ。

真に記念すべきことを知らない私たち

一八五四年のコレラ集団発生の共同調査から数年後、ヘンリー・ホワイトヘッドは、スノウからかつて次のように言われたと書いている。「あなたと私は生きてその日を目にすることはないかもしれないし、私の名前は忘れられているだろう。しかしコレラの大集団発生が過去のものになる時は来る。病気の伝わり方の知識こそが、病気を消えさせるのだ」。コレラ流行の減少に関するスノウの予測はほぼ正しかったが、彼の名前が忘れられるという部分はまちがっていた。現在のロンドンには、ポンプのレプリカが、ブレイクスルーを記念する小さな飾り板つきで、かつてブロードストリート四〇番地があった歩道に立っており、隣の角にはザ・ジョン・スノウというパブがある。公衆衛生の仕事をする人は決まってその場所を訪れ、パブの来訪者ノートにサインする人もいる。それにしても、ロンドンのほかの観光名所に照らして考えると、ポンプの記念像は印象的だ。トラファルガー広場にそびえるネルソン提督像や、ブルックリンの私の自宅近くにあるグランド・アーミー・プラザの南北戦争記念碑を考えてほしい。大都市の大きな公的記念碑の多くは、戦争やその英雄にささげられている。しかしポンプは公衆衛生のブレイクスルーにささげられた都会の記念碑であり、私はこれまでほかに見たことがない。そしてもちろん、ポンプの記念像は原寸大で、たまたまそのすぐそばに立たなければ、ほとんど目につかない。通りの反対側を歩いていたら、気づかない可能性もある。デュボイスの調査にも似たような大きさの記念物がある。第七区にある飾り板で、「アフリカ系アメリカ人の学者、教育者、活動家」が、この地域で暮らしながら「古典的研究『フィラデルフィアの黒人』のためにデータを集めていた」と刻まれている。

ブロードストリートのポンプや第七区のデュボイスの飾り板とくらべると、戦争の記念碑の数も大きさも、何だかおかしい気がする。たしかに、トラファルガーの戦いやアメリカの南北戦争で失われた命は、建てられた記念碑にふさわしい。しかしポンプが思い出させるのは、ある意味、別の種類の歴史である。それは救われた命の記念であり、貧困地域の町医者が死亡者データにパターンを見つけて、伝染病への理解を変えたから（そして統計学者と聖職者がそのパターンを視覚化するのを助けたから）こそ、コレラで死なずにすんだ何十万、何百万の人びとの記念なのだ。過去二世紀の歴史には、同様の勝利があふれている。とりわけ、ほんの二、三世代前には伝染病が日常の現実だった大都市圏で、人びとの日々の生き方を計り知れないほど左右したブレイクスルーだ。そうした勝利を、戦争の勝利と同じくらい華やかに祝おうではないか。

こうした記念物の数のかたよりは、もっと実質的なアンバランスに反映されている。公衆衛生機関と軍とでは、提供される資金がちがうのだ。ファーとスノウの先駆的研究から直接生まれた機関、すなわち疾病対策予防センター（ＣＤＣ）に、アメリカは年間約八〇億ドルを費やしている。それに対して、アメリカ軍は宇宙基盤の防衛システムだけでも、そのほぼ倍の金額を投じている。国家防衛費の総額はほぼ一兆ドルだ。これを書いているいま、半年間にコロナウイルスで亡くなったアメリカ人の数は、二〇世紀のあらゆる戦争でのアメリカ人犠牲者合計の半数を超えている。パンデミックのおかげで、私たちが直面する微生物の脅威は、人間の敵の脅威よりはるかに大きいことがはっきりした。そして、生命統計学と公衆衛生介入のおかげで膨大な数の命が救われたことを思うと、歴史上、私たちを安全に守るために最も重要な仕事をしてきたのはＷＨＯやＣＤＣのような組織であることを、あらためて思い知らされる。

その仕事を評価するにあたっては、目に見えにくいという問題がある。その仕事は、工場、超高層ビル、ロケットのような、目に見える現代のアイコンに現われることはなかった。別の場所、文字どおり見えないところ、つまり、飲料水中の目に見えない微生物の減少に、地下に建設された下水道システムに、表形式データの目立たない公表文献に、現われたのだ。こうした成果が見えにくい――したがって記念碑や政府の歳出に反映されない――からと言って、ジェット戦闘機や核兵器にばかり目を向けるべきではない。これをきっかけに、私たちは視野を正すべきである。

第4章

青い牛乳に殺されない方法

低温殺菌と塩素殺菌

牛乳が大勢の子どもの命を奪う

一八五八年五月、ジョン・スノウが例のソーホーの井戸にコレラ流行の発生源を発見してまもなく、フランク・レスリーというブルックリンの進歩的ジャーナリストが、主要都市につきまとう別の残忍な殺し屋を糾弾する、五〇〇〇語におよぶ暴露記事を発表した。この記事では、手加減することなくその犯罪がいかに重大なものかを立証していた。特定の邪悪な人物が大勢の子どもの死を引き起こしており、レスリーはそれを「幼い子どもの大量殺人」と呼んでいる。「真夜中の暗殺者にはロープと絞首台があり、強盗には刑務所がある。しかし、何千人もの子どもらを殺す者たちに対しては非難も罰もない」[*1]

映画『ギャング・オブ・ニューヨーク』に描かれている時代なので、当然、レスリーが非難しているのは暗黒街のことだと思うかもしれない。何度も「液体毒物」に言及しているので、当時数多く発表されていたアルコールによる社会破壊を嘆く禁酒談義を連想させたかもしれない。しかしレスリーが実際に告発していた大量殺人者は、現代の読者にとっては、かなりの違和感をおぼえるかもしれない。レスリーはギャングや麻薬密売人に憤慨していたのではない。牛乳屋を非難していたのだ。

現在、牛乳は混ぜ物のない健康に良い飲み物と考えられているので、さほど遠い昔ではない時代に、牛乳が子どもの死亡率を押し上げる原因のひとつだったことも、世界中の多くの都市でコレラを蔓延させた汚染給水源と同じくらい命取りだったことも、想像しがたい。一九世紀半ば、ニューヨークの人口が上昇の一途をたどっていたころ、子どもの死亡率は五〇パーセントに近づき、工業化されたリヴァプールでファーが記録した大量死にほぼ匹敵していた。一九世紀初め、アメリカのほとんどの大都市で報告された、全死者の四分の一が五歳未満の子どもだった。これでも現代の基準からすると衝撃的な数字だ。しかし一八四〇年代には、ニューヨークの全死者の半分以上が乳幼児だった。レスリーが言うように、市内に存在する何かが実際に「幼い子どもを殺していた」のだ――しかも加速度的に。なかには水媒介の病気、とくにコレラで命を落とした子どももいて、ニューヨークで恐ろしい大流行が発生した一八三二年と一八四九年に集中していた。しかしそれ以外の年においては、最強の殺し屋は汚染された牛乳だったようだ。そして犠牲者は圧倒的に子どもだったが、死亡者には多くの成人も含まれていた。第一二代アメリカ大統領ザカリー・テイラーは、一八五〇年、ワシントン記念塔の起工式のあと、汚染された牛乳と思われるものを飲んだあとに死亡している。

動物の乳を飲むことは動物の家畜化そのものと同じくらい古い習慣だが、つねに、動物自身からうつされる伝染病や、腐敗による感染症の健康リスクがともなった。しかし一九世紀初期の牛乳は、かつてないほど命取りだった。マンハッタン島は住民の祖先がオランダ人だったおかげで酪農業の長い伝統があり、ニューヨーク市民向けに牛乳を生産していた。酪農家は島の南端に集まっていたが、マンハッタン北部とブルックリンのまだ田舎だった地域にも散らばっていた。しかし一九世紀にそうした地域への移住が急速に進むと、伝統的な農地が消えた。冷蔵技術のない時代、遠く離れたニュージャージー州やニューヨーク州北部の牧場から運ばれると、牛乳は夏季には腐ってしまう。しかし企業心のある酪農業者は、オランダ植民地時代にマンハッタンにあった広大な牧場がなくても、餌を確保する方法さえ見つけられれば、市内でもウシの大群を飼うことができると気づいたのだ。そしてすぐに、近所の蒸留酒業者と一見うまい提携関係を結んだ。ウイスキーの製造過程で穀物からアルコールを抽出する際に出る廃棄物は、いくつかの名前で呼ばれているが、いずれも食欲をそそらないという点で共通している。「かす」「残飯」「残滓《ざんし》」。蒸留酒業者はその廃棄物を捨てる代わりに酪農業者に売り、酪農業者はそれをコストの高い穀物や牧草の代わりにウシに与えることができる。ウイスキーの残滓を食べて生きるウシが出す乳は、あまりおいしそうではない青い色だが、少なくとも爆発的に増えるマンハッタンの全住民に新鮮なまま届けることはできる。

　牛乳の市場は、工業化による労働力の変化によっても拡大していた。働く女性が増えると、生後数カ月を過ぎて赤ん坊に母乳を与えることが、しだいに少なくなっていったのだ。ある健康の専門家によると「母親の気力と時間が必要とされ、ほかにもはっきり認識されていないさまざまな要因によって心身が消耗される現代生活では、人類が子どもに自然な栄養を与えることは不可能になった」[*2]。牛乳の需要が増え、コスト低減につながる醸造業者との共生提携が強まってまもなく、ニューヨーク市全域が工業的酪農業者に占領される。何千頭というウシが、マンハッタンとブルックリンという完全な都市部で飼育されるようになり、狭い区画に押し込まれた。ウシは一生涯、ひとつの区画につながれたままで、蒸留酒業者が出す熱いかすが目の前の餌入れに注がれる。酪農業者は蒸留廃棄物に十分な水分が含まれていると考えて、水さえも与えないため、残滓だけを食べているウシは、潰瘍性の痛みを起こし、しっぽが取れてしまう。歯が抜けてしまうウシも多かった。そんなゾッとするやり方だったが、それで大量の安い牛乳が生産され、酪農業者は「純粋な田舎の牛乳《ピュア・カントリー・ミルク》」――商品を説明するのに使われた偽ブランド――に見せるために、チョーク（石灰）と小麦粉と卵を混ぜた。広告戦略と、約一リットルたった六セントという安価があいまって、マンハッタンだけでなく国中の都市部の労働者階級は、まもなく残滓牛乳のとりこになった。そしてその直後に、子どもが恐ろしいペースで命を落とし始める。

パスツールから半世紀の時を超えて

牛乳がどうして大量殺人者から健康と栄養の象徴に変わったかという話は、長期的に見て人間の健康改善を促す要因が、往々にして誤解される――あるいは見る影もなく単純化される――ことの実例である。第一に、残滓牛乳（またはジョン・スノウとウィリアム・ファーが浄化を助けた汚染飲料水）のような意外なほど近年の脅威のこととなると、ほとんどの人が一種の歴史健忘症にかかる。今日、たいていのニューヨーク市民には、たった三、四世代前に自分たちの市に住んでいた祖先が、牛乳を飲んだせいで子ども時代に死ぬ確率が高かったという観念などない。当時の戦争――とくに顕著なのは南北戦争――の死傷率が人々に記憶されているのは、戦争における殺人は突然の暴力的な出来事に凝縮されたものだからだ。しかし、工業都市のスラム街で子どもたちが一人ずつ死んでいくという、着実に、けれども少しずつ増えていくという犠牲者については、人びとの歴史の記憶に定着しない。

もし一九世紀に牛乳がどれだけ命取りだったかを思い出したとしても、その不幸の元凶を取り除いたのが何かについての誤った説明が、実際の歴史をゆがめてしまう。ここでも、かかわったさまざまな人たちの複雑なネットワークが、たったひとりの英雄的科学者に凝縮されているからだ。この場合、その科学者はとても有名なので、彼の名前は今日売られている牛乳パックの大部分に印刷されている――ルイ・パスツールだ。牛乳はかつて命取りだったが、いまは安全である。どうしてそうなったのだろう？　そう問いかけると、人は必ず低温殺菌《パスツーリゼーション》がその変化の原因だと言うだろう。牛乳が液体毒物から命を延ばす必需品になったのは化学のおかげだ、と。

この説明はけっしてまちがいではないが、じつに中途半端である。なぜ中途半端なのか。その理由を説明するには、パスツールのアイデアが実際に牛乳の安全に有意な影響を与えるまでにかかった時間が手がかりとなる。一八五四年、三二歳のとき、パスツールはフランス北東部のベルギー国境のすぐ西側にあるリール大学に就職した。地域でワインや蒸留酒をつくっている人たちとの会話がきっかけで、パスツールは特定の食品や液体がなぜ腐るのかという疑問に興味をもった。当初、腐りやすい傾向を知っていて牛乳を重点的に調べたが、やがてビールとワインに目を向けた。腐ったビートルート酒のサンプルを顕微鏡で調べたところ、パスツールは発酵の原因となる酵母有機体だけでなく、棒状のものも検出することができた。それは現在アセトバクター・アセチと呼ばれており、エタノールを酢の酸味のもとである酢酸に変えるものである。こうした初期の観察からパスツールは、発酵と腐敗両方の不可解な変化は、酵素間の単純な化学反応という自然発生の結果ではなく、生きた微生物の副産物だと確信した。その洞察はやがて病気の細菌説の基礎になったが、パスツールはそこから、ある微生物が害をおよぼす前に殺すためのさまざまな手法を実験することにした。一八六五年にはパリ大学の教授になっていたパスツールは、最終的に彼の名を冠することになる手法を思いついた。ワインを摂氏五四度くらいに温めることによって、人間が気づくレベルで風味に影響を与えることなく、腐敗を防ぐことができたのだ。[*3]

現在、低温殺菌牛乳はすべて、パスツールが一八六五年に特定した基本技術を使って生産される(温度は長年のあいだに微調整され、パスツールがワインに用いたものより少し高くなっている)。それでもアメリカで低温殺菌が牛乳業界で標準になったのは一九一五年、パスツールが開発してからまる五〇年もたってからだ。発見から実用化までの時間差のせいで、世界中で何百万の命が奪われただろう。その時間差が生じたのは、進歩はたんなる科学的発見の結果ではないからだ。報道キャンペーン、積極的活動、政治的策略など、ほかの力も必要である。科学だけでは世界を改善することはできない。闘争も必要なのだ。

青い牛乳との闘い

現代の進歩を伝える物語では、ほとんどの場合、科学や技術のブレイクスルーを強調して、過去二世紀にわたって公衆衛生の改善を促した扇動者と不正暴露記者《マックレーカー》と政治の連携については無視しがちである。このようにプラスの変化を語るときに触れられることのない側面に関して、コレラ撲滅が良い事例研究になる。ジョン・スノウは厳密に言うと医師であり、免疫学者としての成果で有名になった。しかしブロードストリートのポンプの話には、スノウが自分の考えを知らしめるために政治的な舞台でも闘わなくてはならなかった側面があるのはたしかだ。地元教区と市全体の保健委員会に、コレラへの対処法を変えるよう嘆願したのである。一九世紀の水媒介性感染症に対する勝利は、啓蒙主義科学の勝利ではあるが、社会運動の成果としてもそれと同等の価値があるといえる。それもあって、ヘンリー・ホワイトヘッドのような人物が、科学や医学の教育を受けていなかったにもかかわらず、重要な役割を果たすことができた。彼にはコミュニティにおける信頼や人間関係があり、それが最終的に当局の方針を変えるのに役立ったのだ。

ケンブリッジ大学の歴史学者サイモン・スレーターは、死亡率低下に関するトーマス・マキューンの研究を巧みに批判するなかで、一八五〇年から第一次世界大戦勃発までの「社会的介入」の重要性を主張している。スレーターいわく、たしかにコレラのような病気は、確実な効果のある薬が発見されなかったにもかかわらず、その期間に患者数は減少した。つまり、特効薬がコレラを治したのではない。治したのは下水道である。そして下水道は政府出資の事業であり、スノウとバザルジェットのような活動家が、大衆紙に記事を書く擁護者とともに、その存在を主張したからこそ誕生したのだ。

一八七〇年代の国勢統計で目立ち始めた死亡率の低下をもたらしたのは、確実に特定できる要因のなかでとくに、公衆衛生を求める政治的、イデオロギー的な交渉を基本とする活動の最終的な成功だった。称えられることもない小さな闘いが各地で無数に起こり、その結果としてようやく実現している。たいてい不当に賃金が低く、終身雇用の保障もない保健担当役人が、ほかの衛生担当役人、地域の出生と死亡の登記官、おそらく町の報道機関、ときに一部の地方議員など、地元の協力者と組んで、公共料金納付者の大半を代表する非常にけちな議員たちと闘ったのだ。一九世紀最後の四半世紀に、国中の公会堂や地方議会で徹底的に議論された、この緩やかな根気強い一〇〇万の議事録キャンペーンの重要性と必要性こそが、死亡率低下に関する以前の説明に欠けていたものである。[*4]

安全な牛乳のための闘いは、スレーターのいう社会的介入が実際に作用する実例として説得力がある。闘いの火蓋が切られたのは、残滓牛乳の事業所がニューヨーク市全体に急増した一八四〇年代初め、ロバート・ミルハム・ハートレーという織物商人が本を出版したときだった。ニューヨーク禁酒運動の創始者のひとりだったハートレーは、市内のビール醸造所や蒸留酒製造所の悪影響に目を光らせて、また長老派教会員として布教活動をしていたので、ファイブポインツのスラム街のゾッとするような生活環境も直接知っていた。その布教活動からわかった事例証拠は、子どもの死亡が気がかりなほど急増していることを示しており、彼はそのことを、市の死亡報告を注意深く調べて確認した。さらに個人的に酪農業者を調べ始め、最終的に『牛乳についての歴史的、科学的、実践的小論――人間の栄養となる品目として、大都市に供給するために現在行われている不自然な生産方法の影響の考察とともに』という長々としたタイトルで三五〇ページの本を出版した。この本では、アメリカとヨーロッパの都市における子どもの死亡率の比較研究を含め、ウィリアム・ファーによる年次報告書と同じ方式のデータ分析を、残滓酪農業者の恥ずべき状況に迫るジャーナリスティックな記述に結びつけている。

大きくなりすぎた大都市の牛乳事業体のなかで、というか、経営者がたくさんいるので膨大な数の残滓酪農業者のなかで、とりわけ悪名高いのはジョンソン商会の穀物蒸留酒業者とつながっている業者であり、ニューヨーク西郊の端に近いところ、一五丁目と一六丁目のあいだにある。商会が占有するその地区には、九番街からハドソン川まで広がる二つの街区の大部分が入り、おそらく距離は三〇〇メートルあまりだろう。冬には約二〇〇〇頭のウシが施設で飼育されていると言われているが、夏はその数がかなり減る。もちろんウシの餌は残滓だ。大きなタンクに空けられて、三、四メートルほど持ち上げられ、そこから細い四角い木製の溝を通ってウシのいる各区画に分配され、二枚の板を連結させたそまつな造りの三角形の餌入れに入る。[*5]

最後にハートレーは次のような結論を述べている。「ニューヨーク市およびその近隣の約一万頭のウシは、化学的に変化して蒸留酒製造所から熱いまま吐き出された穀物の残滓や廃物を食べさせられるという、きわめて非人道的な扱いを受けている」

『牛乳についての小論』は酪農業全体の有罪を証明する起訴状だったが、いくつかの理由で、世論を揺さぶったり、政府の介入を引き起こしたりすることはできなかった。その理由のひとつは、政府には残滓牛乳危機に対処する適切な規制機関がなかったことである。そうした機関の大部分は二〇世紀にようやく考案された（第5章参照）。しかしハートレーが失敗した最も大きな理由は、彼が禁酒運動で目立っていたことにあるようだ。ニューヨーク市は数十年にわたる酒浸りのさなかで、絶対禁酒布教者からウエストヴィレッジの醸造所を非難する説教を聞かされるのにうんざりしていたのだ。

「地獄スープ工場」を糾弾せよ

結局、ようやく意味のある改革を起こしたのは、ハートレーの小論から一五年後に発表された、フランク・レスリーによる残滓牛乳という液体毒物への堂々たる拒絶声明だった。両者の語調は多くの点で似ている。基本にあるのは義憤で、酪農業者の残虐行為に関する扇情的ともいえる記述がちりばめられている。レスリーは残滓牛乳の事業主のことを、次のように書いている。「彼らは文字どおり人命を不正に取引しているのに、政府は無力か、介入をしぶっているように思える。……こうした地獄スープ工場の存在を、これ以上許していいのか？　われわれの死別を——彼らの毒によってあらゆる家族にあく穴を——踏み台に、ある種の人びとが金持ちになることをおとなしく受け入れていいのか？」[*6]。しかしレスリーが闘いの武器にしたのは言葉だけではなかった。もともと挿絵画家としての訓練を積んでいたレスリーは、調査報告書のあちこちに、残滓牛乳工場の浅ましさを伝える衝撃的な絵を入れた（その一部は伝説の風刺画家トーマス・ナストによるものだ）。一枚の挿絵は、立てなくなった病気のウシが革ひもで宙づりにされ、ほぼ意識がないかのように頭を低く垂れているところを描いている。ウシはひどい健康状態であるにもかかわらず、酪農作業員はスツールにすわり、従順にウシの潰瘍だらけの乳房から乳を搾っている。

　レスリーが初めて大きなチャンスをつかんだのは、Ｐ・Ｔ・バーナム【訳注：アメリカの興行師でいかがわしい見世物を売り込んで成功】の宣伝企画を任されたときで、彼は不正を暴露する記者としての仕事にも、バーナムのような宣伝の才能を発揮した。ライバル新聞に広告を出し、自分の特集記事を挑発的な見出しで宣伝したのだ。これは時事問題を伝える午後一一時のニュース番組の予告のようだった。「あなたは自分がどんな牛乳を飲んでいるか気づいているか?」。まもなくレスリーの調査報告は、それ自体が新聞ネタになっていた。ニューヨーク・タイムズ紙はレスリーの試みについて、次のように書いている。

図表**4-1**

残滓牛乳反対の漫画、カリアー・アンド・アイブズ版画印刷会社、1872年

解決される望みのない問題がそこにあった。フランク・レスリーが玄関に牛乳として置かれている瓶入りのむかつくような牛乳と膿の混ぜ物を見つけたときだ。それがきっかけで、彼の絵入り新聞が嘔吐を誘発するような騒ぎを引き起こした。恐ろしい物語の最悪の部分を知る運命にあった彼は、サンプルを分析してから、記者と画家の軍団を毒の本部に送り込んだのである。……彼が再現した絵は実物そっくりであまりに衝撃的なので、牛乳という言葉だけで、あるいは主材料として牛乳が入っているごちそうを見るだけで、胸が悪くなる。町全体が吐き気を催す。[*7]

調査のきっかけに関するニューヨーク・タイムズ紙の説明は、現実ではなくつくり話である。レスリーが暴露記事を書くことになったもともとのきっかけは、玄関に置かれた汚染牛乳ではなく、ブルックリン市議会によって一年前に委託された報告書であり、残滓牛乳製造所にはびこる動物虐待を記録したものだった。しかしきっかけは何であれ、レスリーの宣伝能力――およびこの事件の真にぞっとする事実――が、有意義な改革につながった。レスリーの記事にプレッシャーをかけられ、市議会は残滓牛乳製造所の調査を開始したが、わずかな変更を提案する裁決をさっさと下しただけにとどまったのだった。議員がひそかに牛乳業界から賄賂を受け取っていたからにちがいない。レスリーは三日後、トーマス・ナストの風刺画で応戦した。タマニー派【訳注：一七八九年にニューヨーク市で結成された民主党の政治団体。政治腐敗の象徴とされることも多い】の政治家が、牛乳業界の大物から賄賂を受け取っていて、彼の仲間が瀕死のウシを健康に見せるために、文字どおり白く塗っている絵だ。これを見た大衆は激しく憤り、議会は現実的な行動を取らないわけにはいかなくなり、一八六二年には残滓牛乳の時代を終わらせる法律が制定された。都会の酪農場は閉鎖され、残ったものは蒸留酒業者との浅ましい提携を断念した。こうしてニューヨークの牛乳から、あの奇妙な青い色が消えた。

それでも、牛乳を飲むことによって引き起こされる健康リスクはいろいろと残った。州北部の農場から運ばれる牛乳が増えるにつれ、とくに夏季には腐敗が深刻なリスクになる。また、かなりの割合の乳牛が、田園地帯のちゃんとした酪農場のウシでも、牛結核にかかった。こうしたウシの未加工の乳は、結核菌を人間に伝染させるおそれがある。ジフテリア、腸チフス、猩紅熱など、牛乳と関係する命にかかわりそうな病気はほかにもあった。フランク・レスリーの運動は、牛乳産業の改革のために世論を動かせることを示した。しかし残滓牛乳は問題の一部でしかなかったのだ。

〝小さな生命体〟の侵入を防ぐには

パスツールの牛乳とワインの腐敗に関する初期調査で種が蒔かれていた病気の細菌説が、一八八〇年代までに芽を出し、一九世紀の最も致死的な病気の多くは、微小な生命体によって引き起こされることが明らかになっていた。その生命体は、より高性能の顕微鏡を実現するレンズの進歩のおかげで、新たに目に見えるようになった。一八八二年、パスツールの好敵手ロベルト・コッホが結核菌を特定し、昔から信じられていたこの病気が遺伝するという考えを反証し、さらに二年後、数十年前にジョン・スノウの顕微鏡調査ではとらえられなかったコレラ菌を特定した。科学上の決着はついた。病気を引き起こす目に見えない生物が入っているから、人は牛乳を飲むことで死ぬのだ。しかし専門家らの間でその意見が一致しても、さらなる問題が解決しないまま残った。どうやってそういう生物が牛乳に入らないようにする?

解決策のきわめて重要な要素のひとつは、技術的イノベーションから生まれたようだ。一九世紀前半、ボストンを拠点とする粘り強い起業家、フレデリック・テューダーが、世界中に氷を売る途方もない事業を構築していた。氷は消費者によって飲み物やアイスクリームに使われたが、食品産業が輸送する商品を冷やすのにも使われた。とくに有名なのは、大平原からの肉を北東部の成長著しい都市に運べるようになったことだ。テューダーが氷をつくるのに使った手法は、凍りついたニューイングランドの湖から切り出させるというローテクだったが、彼が築いた巨万の富はあちこちの投資家に、物を冷やすことでお金を稼げるというメッセージを伝えた。南北戦争が終わるまでに、機械式冷却の機能的な設計が数多く開発され、世紀末には、牛乳瓶が温度を管理された環境で保存され、出荷されるようになって、腐敗のリスクが大幅に低減した。冷蔵は医療とは直接関係ないように思えるが、いろんな意味で公衆衛生と長寿を進歩させる基本技術のひとつであることがわかる。いたみやすい食品の日持ちをよくする能力は、二〇世紀の食料供給に多大な影響をおよぼし、牛乳を液体毒物から信頼できる栄養源に変えるのに役立った。しかも冷蔵はワクチンにも決定的な影響を与えた。多くのワクチンは、凍る寸前の限られた温度範囲で保管されないと、効能を失ってしまう。「低温流通《コールドチェーン》」網の発明のおかげで、世界各地の高温気候地帯で集団ワクチン接種が可能になった。こうした地域では、天然痘のような病気が二〇世紀に入ってかなりの期間、相変わらず風土病だったのだ。

しかし、冷蔵は部分的な解決策にすぎなかった。牛結核に汚染された牛乳は、たとえ冷蔵庫でずっと保存されていても、やはり命取りになりかねない。一部の牛乳改革者にとって明白な解決策は、残滓牛乳製造所をうまく排除できた戦略にしたがうことだった。つまり、問題を元から絶つ。幸いこの頃になると、ウシが牛結核のような病気にかかっているかどうかを判断できるテストが開発されており、新しい顕微鏡のおかげで、牛乳を分析して含まれる細菌の量を判定することができた。こうした新しいツールを武器に、牛乳検査官が酪農家を訪れ、ウシが病気にかかっていないこと、そして衛生的な環境で飼育されていることを認定できる。この検査に合格した酪農家がつくる牛乳は「お墨付き」となり、消費者は自分が買っている牛乳が飲んで安全だと信じられる。

しかし認定制度にもそれなりの問題があった。牛結核にかかったことのあるウシは処分しなくてはならなかったのだが、おおよその推定では、国の乳牛の半分が病気の保菌者だった。当然のことながら地方の酪農家は、わけのわからない結核検査をたずさえて農場に現れ、完璧に健康に見えるウシを殺さなくてはならないと宣告する、都会の検査官に憤慨した。農場地帯代表の政治家は、この侵害に対して反撃に出る。そして一九〇六年に食品医薬品局が設立されるまで、そのような規制を執行できる連邦機関はなかった。

それでもルイ・パスツールのおかげで、牛乳の安全性提唱者に使えるツールは、結核検査と酪農検査以外にもあった。冷蔵で牛乳が腐るのを防げるが、すばやく加熱すれば、人間に結核を引き起こすものも含めて、牛乳に含まれる危険な微生物を殺すことができる。しかしここでも、科学だけでは意味のある変革を起こすには不十分だった。低温殺菌牛乳は通常の牛乳より味が劣ると広く考えられていたのだ。さらにその工程が牛乳の栄養成分を取り除いてしまうとも信じられていた。これは二一世紀に、「天然牛乳」信奉者のあいだに再び現われた意見だ。酪農家が低温殺菌に抵抗したのは、生産工程に追加のコストがかかるからだけでなく、消費者は低温殺菌された牛乳を買わないと――もっともな理由があって――確信していたからでもあった。

現代の平均寿命の歴史についての記述にたびたび見られるとおり、命を救うイノベーションを大衆にもたらした出来事で、主役を演じたのは科学者や医者ではなかった。たしかに、低温殺菌のアイデアが最初に現われたのは科学者の頭のなかだった。しかしアメリカでようやく変化が起きたのは、もっとはるかに関係のなさそうな人物、百貨店オーナーのおかげだった。

百貨店オーナー・ストラウスの挑戦

一八四八年にバイエルン王国で生まれたネイサン・ストラウスは、八歳のときに家族とアメリカ南部に移住した。そこで父親は雑貨店を始め、財をなした。しかし結果的にその移住はタイミングが最悪だった。南北戦争のせいで悲惨な赤貧に追い詰められ、ネイサンが大人になりかけのころ、家族はニューヨークに引っ越す。そしてストラウス一家はマンハッタンで足がかりをつかみ、ネイサンは父親の陶器とガラス製品の会社で働き始めた。そして兄とともに、一八七〇年代に商業とファッションの世界で爆発的に勢いを増していた新しい百貨店に、自分たちが製造した器や皿を売り込んだ。一八七三年初め、彼らはメイシーズの旗艦店である一四丁目店の地下スペースを、陶磁器やガラス製品を展示するために借りるようになった。そのコーナーはすぐに、店内で最も人気を博すようになる。約一〇年後、ストラウス兄弟はメイシーズの経営権を獲得し、さらにブルックリンの有名な雑貨店を買収して、エイブラハム・アンド・ストラウスとした。

自分の家族が突然の貧困で死を間近に感じる体験をしたからか、ネイサン・ストラウスはかなりの時間と資源を、ニューヨーク市のホームレスや貧しい労働者の状況を改善する試みに費やしている。五万人以上を収容するシェルターを開き、一八九二年から九三年にかけての厳しい冬と景気低迷のあいだ、そこに石炭を配った。エイブラハム・アンド・ストラウスの敷地にカフェテリアをつくり、従業員に無料の食事を提供したが、これはそのようなプログラムの先駆けだった。ストラウスは長年、ニューヨーク市の子どもの死亡率を心配していた――自分も二人の子どもを病気で亡くしている。やはりドイツからの移民であり、政治的急進派で医師のエイブラハム・ジャコビとの会話から、彼は低温殺菌技術のことを知った。この技術はパスツールが最初に開発してから四半世紀近くたってようやく、牛乳に応用され始めていた。その工程の何かがストラウスの心に響いた。都市の貧困の複雑さを考えると、低温殺菌は比較的簡単な介入であり、子どもたちの命を守るための重要な変化を起こせるのではないか、と。

ストラウスは、低温殺菌牛乳に対する大衆の考え方を変えることがカギだと気づいた。一八九二年、彼は殺菌された牛乳を大規模に生産できる牛乳製造所をつくった。翌年、市内の低所得者地区に「牛乳デポ（拠点）」と名づけたものを開いた。そこで貧しいニューヨーク市民に原価割れで牛乳を売ったのだ。最初のデポはロウアー・イーストサイド外縁の埠頭にあった。記録によると、ストラウスはその最初の年に三万四四〇〇本の牛乳を販売している。そして一八九四年夏までに、市のあちこちに四カ所のデポを開設した。[*8] ニューヨーク・タイムズ紙はこの新しいデポを取り上げ、「貧しい人のための純粋な牛乳」と見出しをつけた。そのなかにストラウスの言葉が引用されている。「昨夏の牛乳デポが成功したおかげで、施設を拡張することができた。唯一の問題は、子どもの病気の治療と予防にとって殺菌された牛乳がどれだけ重要かを、貧しい人たちがまだきちんと理解していないことだ。殺菌牛乳の価格を約一リットル五セントまで下げているが、これは原価より安い。それでもまだ値下げすることもありうる」[*9]

一八九七年、市の衛生局長に任命されたストラウスは、イーストリバーに浮かぶランドールズ島にある孤児院の死亡率が壊滅的だと知った。それまでの三年間で、孤児院に入っていた三九〇〇人の子どものうち一五〇九人が死亡していたのだ。全市の低所得者コミュニティの悲惨な死亡率よりもさらに高い。孤児たちに新鮮な牛乳を供給するために島で飼わせていた乳牛群が、じつは問題の原因なのではないかとストラウスは疑った。孤児院が地理的に孤立していることが、低温殺菌牛乳の有効性を証明する自然実験になっていると気づいたのだ。ジョン・スノウが一八五四年のコレラ集団発生中に行った自然実験と同じようなものである。ストラウスはランドールズ島に低温殺菌工場を設立し、そこから孤児たちに殺菌された牛乳を供給した。食事も生活環境もほかには何も変えていない。ほどなく、死亡率は一四パーセントまで下がった。[*10]

こうした初期介入の成果に勢いを得て、ストラウスは低温殺菌されていない牛乳を法的に禁止するための広範なキャンペーンを始めると、国中の牛乳業界とそれを代表する州議会議員の猛烈な反発をくらった。低温殺菌をめぐる政治闘争の勃発だ。一九〇七年の集会で、ストラウスは集まった大勢の反対派に、イギリス人医師の言葉を引用して言った。「低温殺菌されていない生乳を見境なく使うことは、国家犯罪も同然だ」[*11]。ストラウスの推進運動はセオドア・ルーズベルト大統領の関心を引き、彼は低温殺菌の衛生的メリットを調査するよう命じる。するとこれを担った二〇人の政府の専門家たちは明確な結論に達した。「低温殺菌は多くの病気を防ぎ、大勢の命を救う」。こうして一九〇九年、シカゴがアメリカの主要都市として初めて、低温殺菌を義務づけた。市の衛生局長は殺菌された牛乳への支持を主張するのに、「慈善家ネイサン・ストラウス」の実証を具体的に引用している。ニューヨークは一九一四年にあとに続いた。一九二〇年初め、ネイサン・ストラウスがロウアー・イーストサイドに牛乳デポ第一号を開いてから三〇年後、低温殺菌されていない牛乳は、ほぼすべてのアメリカ主要都市で非合法化されていた。[*12]

貯水池にこっそり塩素を入れた医師

低温殺菌が平均寿命に与えた影響を、正確に測定するのは難しい。なぜなら、死亡率のデータは同じ時期に起こった別の重要なブレイクスルーにも影響されているからだ——その〝別の〟ブレイクスルーも、身の回りのある液体の脅威を減らすために化学を使ったものだった。二〇世紀初めから世界中の都会人たちは、飲料水に含まれる微量の塩素を摂取するようになった。塩素は十分な量を口にすると毒になるが、ごく少量なら人間には無害である。一方で、コレラのような病気を引き起こす細菌にとっては致命的だ。牛乳に含まれる細菌を数えることを可能にしたのと同様に、顕微鏡とレンズ製造の進歩のおかげで、科学者は飲料水に含まれる微生物の量を測定することができるようになった。そうして一九世紀末までに、塩素をはじめさまざまな化学物質が、危険な病原体を殺す効果をテストすることが可能になったのだ。こうした実験を何度も行ったあと、ジョン・レアルという先駆的医師が、ジャージーシティの公共貯水池にこっそり塩素を加えた。この大胆な行動でレアルは裁判沙汰に巻き込まれ、あやうく刑務所に送られるところだった。科学者でない人にとって、有毒な化学物質を人口五万都市の主要な飲料水供給源に導入するなど、あきらかに狂気の沙汰に思える。しかしレアルの大胆な行動は、長い目で見ると、驚くほどの規模で命を救うことになる。*13

一九〇〇年から三〇年までに、アメリカの乳児死亡率は六二パーセントも下がった。これはこのきわめて重要な尺度の歴史において、屈指の劇的減少である。一九世紀の間は、ほぼ、ニューヨーク生まれの人びとは一〇〇人当たり六〇人しか大人になれなかった。現在、九九人が大人になることができている。それでもなお、格差はニューヨークにつきまとう。地下鉄二系統でブルックリンを二、三駅行くと、乳児死亡率がスタート地点の二倍になっているということはよくある。しかしそうした低所得者コミュニティでさえ、一九〇〇年より前の社会とくらべれば、赤ん坊の命を守ることに驚くほど成功している。その変化はあまりに顕著なので、小数点を追加する必要がある。ナンシー・ハウエルはクン人の乳児死亡率は二〇パーセント前後だと推定した。フランク・レスリーとネイサン・ストラウスが広告キャンペーンを始める前、『ギャング・オブ・ニューヨーク』時代のマンハッタンの新生児も同じくらいの死亡率だった。現在、ニューヨークで最も業績不振の地区でも、乳児死亡率は〇・六パーセント。市全体の平均は〇・四パーセントである。[*14]

その減少のうちのどれだけが、化学の二大勝利である低温殺菌と塩素殺菌の成果といえるのだろう？　二〇〇〇年代初め、ハーバード大学教授のデイヴィッド・カトラーとグラント・ミラーは、死亡率の減少に対する塩素の効果を分析する独創的なアプローチを考え出した。この浄化技術は仰天のやり方で導入され、市によって採用時期がちがったので、市どうしで塩素消毒の前後の死亡率を比較すると、研究者にとっては自然実験のようなものになる。カトラーとミラーは異なる市の比較分析によって、塩素消毒のような浄化技術が、死亡率の劇的改善の三分の二以上に貢献していると判断した。[*15]彼らの研究は、公衆衛生研究者のあいだでちょっとした古典になった。ただし近年、彼らのデータを再現しようとする試みで、全体の死者数に対する効果はそれほど劇的ではなかったことが示されている。その理由のひとつは、低温殺菌も非常に重要な役割を果たしたからだ。

名もなき扇動者たちの功績

どんなふうにデータを分析しようと、政府に規制される化学的手法と、それを求めて闘った反乱者のおかげで、何百万という生まれたばかりの子どもが大人になることができたのは明らかだ。二〇世紀初期の偉大なイノベーションはと問われると、人は必ず飛行機、自動車、ラジオ、テレビを挙げる――低温殺菌された牛乳や塩素殺菌された飲料水ではない。しかしこの二つの処置によって避けられた、想像を絶する苦悩すべてについて考えてみてほしい。自分の子どもを埋葬せずにすんだ親たち、大人になって今度は自分の子どもをもうけた赤ちゃんたちのことを。

そのような劇的進歩を支える材料は何だったのか？　よく名前が挙がる候補がいることは否定できない。それは顕微鏡の技術的イノベーションに支えられたコッホやパスツールのような聡明な科学者だ。しかし劇的な進歩には扇動者も必須だった。残滓牛乳事件や低温殺菌牛乳を求める闘いは、啓蒙主義科学の勝利とされるものの、それと同じくらいマスコミ操作が一役買った出来事だった。牛乳を安心して飲めるようにするためには、化学者が科学的手法を使って、汚染物質を抹殺する技術を発明する必要があった。しかし進んで声を上げる人びとの存在も必要だったのだ。

一九〇八年、初めて提案された未殺菌牛乳を禁じる条例をめぐる闘いのさなかに、ネイサン・ストラウスはハイデルベルク大学で講演をするよう招かれ、家族が五〇年以上前に逃れた故国にもどった。講演のなかで彼は、なぜ低温殺菌という目標にこれほど身を投じることになったのかという質問を取り上げ、子ども（ストラウスの場合は二人の子ども）をなくすトラウマが親を苦しめることをちらりとほのめかした。「私がそもそもこの仕事にかかわるようになった個人的な理由に、ここで立ち入る必要はありません」と彼は聴衆に言った。「私が他人の赤ん坊の命を救おうと固く決意したのは、自分の悲しい経験からだったと言うだけで十分でしょう」。しかしそのあと、自分が取り組むなかで採用した手法のことに触れた。「どうすれば最もうまく、最も早く、実際的な方法で世間に伝えることができるのかを、つねに考えるだけでした。これを達成するために、私は報道機関の助けを求め、彼らが快く協力してくれたおかげで、私のしたこととその結果が知られ、広められました。報道による注目があってはじめて、牛乳の低温殺菌のメリットがあらゆる場所で実現できるのです[*16]」

経口補水療法

欧米の乳児死亡率低下の波に開発途上国が到達するには、さらに半世紀ほどかかった。しかし最終的にその波が押し寄せると、すばやく遅れを取りもどした。インドの乳児死亡率は、一九七〇年から現在までに一四パーセントから三パーセントまで下がった。それには低温殺菌や塩素殺菌のような技術がひと役買っている。しかしその効果は、コレラをはじめとする水媒介感染症のリスクを大幅に低減した、別のブレイクスルーがあったせいで影が薄れたかもしれない。偶然、このブレイクスルーも、化学的に処理された液体と独創的な広報活動を結びつけるハイブリッド戦略に支えられていた。

コレラで人が死ぬのは、不運にも細菌を摂取した人の体内で、激しい下痢による重度の脱水と電解質不均衡が起きるからだ。極端な症例では、コレラ患者は脱水によって数時間で体重の三〇パーセントも失うことが知られている。一八三〇年代に早くも、患者に点滴治療を施すと、患者はその水分の電解質で命をつなぎ、そのあいだに自然に治癒する場合があることを、医者は見出していた。一九二〇年代には、コレラ患者の点滴治療は病院での標準処置になっていた。しかしその時点では、コレラはおもに開発途上国に追いやられており、こうした国では病院や診療所も訓練された医療従事者も乏しい現状があった。患者のために点滴を用意し、輸液を投与することは、バングラデシュやラゴスで何十万人を襲ったコレラ集団発生中に実行できる処置ではなかったのだ。成長中の都市に群がる人びとは、現代的な公衆衛生体制も点滴の装置も利用することができず、一九〇〇年から六〇年間で何百万人がコレラで死亡し、その大半を幼い子どもが占めていた。

その犠牲の規模だけでも世界的悲劇といえるが、さらにそれが痛ましいのは、重度の脱水症に対する比較的簡単な治療法はすでに存在していたからだ。しかもそれは病院ではない場所で、医療従事者でない人でも行える。現在、経口補水療法と呼ばれるこの治療は、しゃくにさわるほど簡単だ。砂糖と塩を補った水をたくさん飲ませればいい。一九五三年に早くも、ヘメンドラ・ナス・チャタージーというインドの医者が、カルカッタでの集団発生中に患者を治療しながら、この療法を考え出していた。複雑で高価な点滴装置は必要ない。水を確実に殺菌するための方法さえあればいい。飲む前に沸騰させればいいのだ。チャタージーの療法の結果はとても有望で、この手法で治療された患者一八六人全員が病気を乗り越えたので、彼は結果をランセット誌で発表した。[*17] ほかにも同様のアプローチが、それから一〇年のあいだにフィリピンとイラクで開発された。開発者はどちらもチャタージーのような医者で、現代的な病院のハイテク装置に頼ることができず、爆発的な集団発生への対処に奮闘していた。ところがこうした経口補水療法すべてが医学界に無視された。一世紀前、ミアズマ論者がジョン・スノウによる異端の水媒介説を無視したのと同じである。

一九七一年、バングラデシュ独立戦争のせいで大勢の難民がインドに押し寄せ、バンガウンやコルカタのような都市で膨れ上がった。独立戦争後にバングラデシュが国として正式に認められたとき、インドとの国境となったものを越えてすぐのところにある都市だ。まもなくコレラの激しい集団発生が、バンガウン郊外の満員の難民キャンプで起こった。ジョンズ・ホプキンス大学卒の医師でコレラ研究者のディリップ・マハラナビスは、コルカタ病院の実験室での研究プログラムを一時中断し、すぐに集団発生の最前線に向かった。マハラナビスはのちに、危機の途方もない規模を回想している。「政府はこれほどの大人数に備えていなかった。コレラによる死者が大勢いて、あちこちで惨劇が起こっている。到着したとき、私はとにかく呆然とした」[*18]。最も衝撃的な光景は、彼がバンガウンの病院で遭遇したものだ。二つの部屋が壁から壁までコレラでひどく苦しむ患者で満杯だった。床の上ですし詰めになって横たわり、床そのものは水様便と嘔吐物で覆われている。

マハラナビスはすぐに、既存の点滴の手順は機能しないと気づいた。点滴液を扱う訓練を受けたメンバーはチームに二人しかいない。「生理食塩水の点滴でこの人たちを治療するためには、文字どおり彼らの便と嘔吐物のなかにひざまずかなくてはならない。到着して四八時間以内に、私は闘いに負けつつあるのだと認めた」[*19]

そこでマハラナビスはやり方を変えることにした。標準処置にはしたがわず、彼とチームは即席の経口補水治療を始めたのだ。バンガウン病院の床に横たわっていた人たちをはじめ、自分が接触した患者には直接施した。マハラナビスの指揮の下、難民キャンプの三〇〇〇人以上の患者が経口補水療法を受け、結果的にその戦略は驚異的な成功を収める。死亡率は三〇パーセントから三パーセントにひと桁下がり、そのすべてがはるかに単純な治療法のおかげだったのだ。

〝施す〟ではなく〝教える〟広報戦略

この成功に触発されて、マハラナビスらは「やってあげるより、やり方を教える」アプローチを導入し、フィールドワーカーたちが、専門家でなくても自分たちで治療を行うのがいかに簡単かを実演した。マハラナビスはのちに回想している。「私たちは塩とブドウ糖の混ぜ方を説明するパンフレットを用意し、国境沿いで配った。情報はバングラデシュの秘密ラジオ局でも放送された」[*20]。水を沸騰させ、材料を加え、子どもや親類や隣人にそれを飲ませる。求められるスキルはそれだけだ。素人にやらせてはいけない理由などあるのか?

一九八〇年、独立戦争終戦からほぼ一〇年後、ＢＲＡＣと呼ばれるバングラデシュの非営利団体が、できたばかりの国中の小さな村で、経口補水技術を広める独創的なプランを考え出した。一四人の女性チームが料理人と男性の監督者とともに村から村へと旅して、水と砂糖と塩だけを使って経口補水液を与える方法を実演する。試験的計画が心強い結果を出したので、バングラデシュ政府は何千人というフィールドワーカーを雇い、これを全国規模で繰り返した。「自分の手で溶液をつくり、自分の言葉で意図を説明するように、村人をうまく説得しながら、教育係が観察し指導することで、公共サービス広告や教育ビデオができるよりはるかに多くのことを達成した」と、このプロジェクトについて医師で著述家のアトゥール・ガワンデが書いている。「時間がたつにつれて改革はテレビやラジオに支持され、需要の増加によって、既製の経口補水液用パック入りの塩の安定市場が育成された」[*21]。コレラその他の腸疾患による死者は急激に減少し、ある調査は、バングラデシュで重いジフテリアを経験する子どもの九〇パーセントが、いまでは経口補水療法で治療されることを示している。

バングラデシュでの成功は、世界中で繰り返された。いまや経口補水液は、グローバル・サウス（南半球に遍在する発展途上国）で子どもたちが確実に生き延びるためにユニセフが用意したプログラムの中心となる存在であり、世界保健機関の必須医薬品リストに載っている。ランセット誌はそれを「二〇世紀における最も重要な医学上の進歩かもしれない」と言っている。一九世紀には五〇〇万人がコレラで亡くなったと言われている。二〇世紀に入ってからの数十年、人口が一〇倍以上になった地球上で、コレラで亡くなった人は五万人に満たなかった。この重大な躍進は、一九世紀のデータ探偵、下水道技師、そしてジョン・レアルの塩素殺菌された水のおかげでもある。しかし経口補水療法も、とくに終盤の局面で重要な役割を果たした。

なぜ経口補水療法が医療の主流に加わるのに、それほど長い時間がかかったのだろう？　ひとつには、ある種のお決まりの偏見のせいで、広まるのに長い時間がかかったからだ。大きな発見がインドやイラクのような国の現場で働いている医者から生まれることはない、と考えられていたのだ。医学史学者のジョシュア・ルクシンは、経口補水療法の歴史を徹底して研究し、こう書いている。「一九五〇年代、欧米の医師の活動のベースとなった生理学の基本的考えは、点滴治療がほかの何よりも優れている、ということだった。したがって、チャタージーによる研究を読んだ研究者は、考え方は興味深いが、コレラに対するあまりに安易な（したがって二流の）解決策より西洋医学のほうが優れている、と考えただろう。点滴治療のほうが科学的に見えるし、装置があって、医師は患者の摂取を正確にコントロールできる。経口治療は原始的で、コントロールできないように思われた[*22]」

経口補水療法の出現がそれほど遅かった理由は、その基盤となる現象が科学的にきちんと理解されたのが、ようやく一九六〇年代半ばのことだったからでもある。そのころ、世界中の研究所で働く多くの研究者が、コレラ菌がこれほどまでに大量の水分喪失を誘発する具体的なメカニズムをついに究明した。そして、ブドウ糖は小腸での水分吸収を促進できることも発見した。たとえ治療のメリットを示す証拠が二〇年前からあったとしても、すでに基本的な仕組みが科学的研究に裏づけられている治療法のほうが奨励しやすかったのだ。

低温殺菌と経口補水療法の話には、興味深い対称性がある。どちらのブレイクスルーも転機は医療の危機から生まれている。ランドールルズ島の孤児院で死んでいった子どもたちと、バングラデシュの難民キャンプだ。どちらもうわさを広める独創的な戦略に支えられている。ストラウスの牛乳デポと、マハラナビスのパンフレットだ。そしてどちらも、最初の進歩が実践されるのにひどく時間がかかった。牛乳低温殺菌も経口補水療法も、実際より少なくとも一世代前には主流になっていてもおかしくなかったはずだ。どちらも称賛に値する成果をあげているし、異例の協力関係で救われたすべての命――とくに幼い子どもの命――には驚くばかりである。だからこそ厳しい疑問も投げかけるべきだ。なぜそれほど時間がかかったのか？　そしていまの私たちにも、これらの出来事と同じような盲点があるのではないだろうか？

第5章

大規模な薬害を起こさない方法

薬の規制と治験

もっと早く発明されるはずだったもの

なぜ、イノベーションのなかには、本来ならもっと早く出現していたはずのものがあるのだろう？　当然とも言えるが、社会や文化の進歩の物語はふつう、踏み段がきちんと決まっているはしごとして示される。斬新なアイデアそれぞれが次の足がかりになるのだ。一段ずつの進歩が標準であって、たとえばチャールズ・バベッジが一八三〇年代にプログラム可能な計算機を発明したことのような、一段か二段飛ばしのアイデアは例外だ。そういう例外的なアイデアを表わす言葉がある――「時代の先を行っている」。ところが私たちは遅れているものを調べることにあまり時間をかけない。歴史上のある時点ではっきり想像できたはずなのに、妙なずれが生じたせいで、なぜか手の届かないところにとどまってしまったままの優れたアイデアがある。どういうわけか、時代に遅れているアイデアだ。なぜ遺伝子配列の解明技術が一九世紀末に発明されなかったのか、不思議に思う必要はない。そんな進歩を想像するためのツールも概念も、当時は存在しなかった。しかし、なぜ経口補水療法のようなものが、実際より五〇年早く根づかなかったのかについては、不思議に思うべきだ。そのアイデアは当時、既存の科学的理解の範囲内にあった。しかしどういうわけか、私たちにはそれが見えていなかったのだ。

技術史にはこうしたおかしな遅れがいくつもある。たとえばタイプライターの発明は一八六〇年代、グーテンベルクが印刷機を発明した五〇〇年後である。自転車も同じ時期まで商業的に採算が合わなかった。ところがそれからわずか二、三〇年で自動車が発明されている。実用性が単純明快であったにもかかわらず、車輪を発明できなかった高度文明も少なくない。こうしたアイデアはすべて、技術的には実際よりはるかに早く実現されてもおかしくなかった。概念や力学に関して、はしごを上りにくくする明らかな足がかりの欠けはなかった。それでもなんらかの理由で、その一歩を踏み出すのに何世紀もかかったのだ。

マクロレベルでも同じような遅れがある。広範な発展が可能だったはずなのに、実現するのになぜか妙に長い時間がかかった。そうした遅れた分野のひとつが——トーマス・マキューンの研究が明らかにしたように——医薬品そのものである。

もしあなたが一九〇〇年の薬屋で、痛風や消化不良などさまざまな病気に効く薬を仕入れたいなら、きっとパーク・デービス・アンド・カンパニーの分厚いカタログを参考にするだろう。現在のパーク・デービス社は、アメリカ屈指の高い業績と高い評価を誇る製薬会社である。しかし一九〇〇年のカタログには、「ダミアナ・エ・フォスフォラス・カム・ナクス」なる製品が載っている。「性的生活を復活させる」ために幻覚作用のあるシュラブとストリキニーネを混ぜ合わせたものだ。「ダッフィールドの濃縮薬効液体エキス」という名前の万能薬には、ベラドンナ、ヒ素、そして水銀が入っていた。コカインは粉や巻きタバコだけでなく、注射できる形でも売られていた。カタログは誇らしげに、薬は「食品の代わりになり、臆病者を勇敢に、寡黙な人を雄弁に、……患者が痛みを感じないようにする」とうたっている。医学史学者のウィリアム・ローゼンによると「パーク・デービスの薬のカタログのほぼ全ページに、ダイナマイトくらい危険で、有用性ははるかに低い化合物が載っていた」[*1]

図表5-1

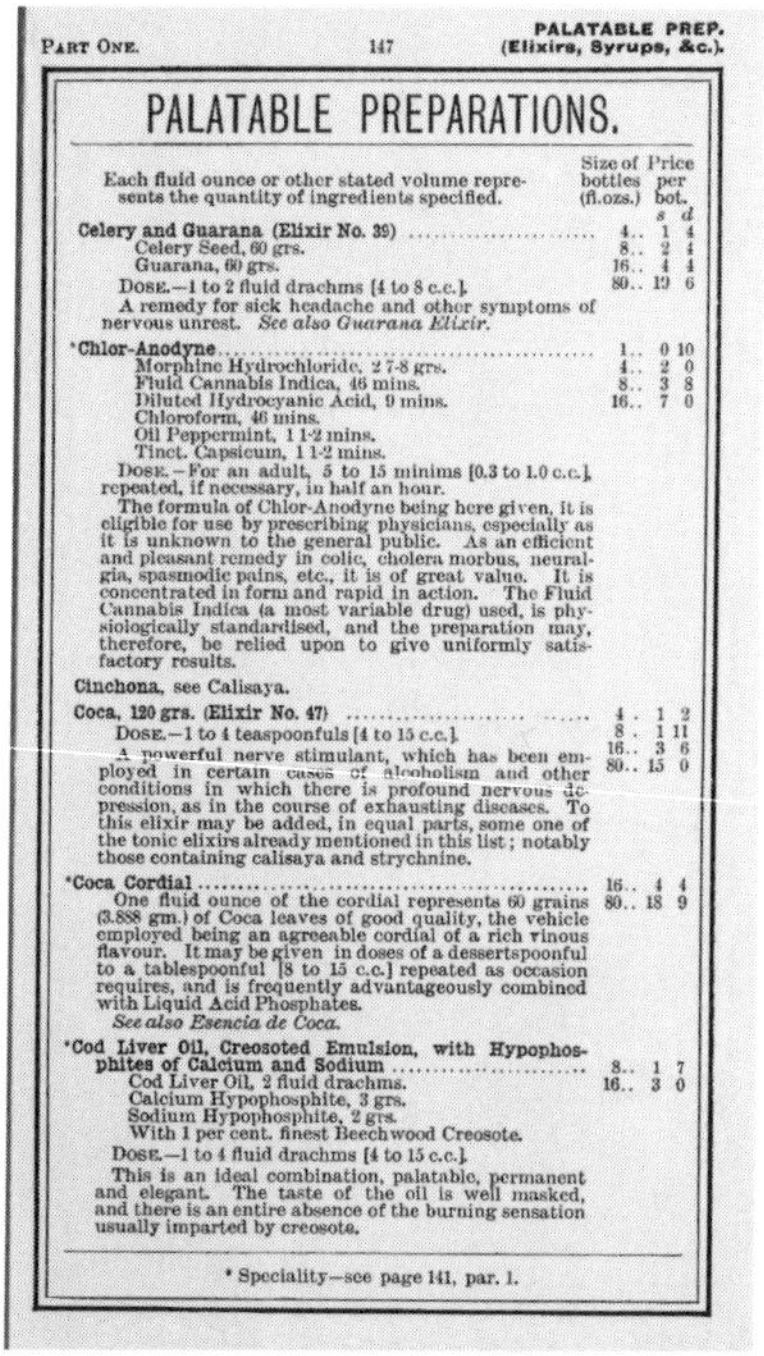

PART ONE. 147 PALATABLE PREP. (Elixirs, Syrups, &c.).

PALATABLE PREPARATIONS.

Each fluid ounce or other stated volume represents the quantity of ingredients specified.	Size of bottles (fl.ozs.)	Price per bot. s	d
Celery and Guarana (Elixir No. 39)	4..	1	4
Celery Seed, 60 grs.	8..	2	4
Guarana, 60 grs.	16..	4	4
DOSE.—1 to 2 fluid drachms [4 to 8 c.c.].	80..	19	6
A remedy for sick headache and other symptoms of nervous unrest. *See also Guarana Elixir.*			
***Chlor-Anodyne**	1..	0	10
Morphine Hydrochloride, 2 7-8 grs.	4..	2	0
Fluid Cannabis Indica, 46 mins.	8..	3	8
Diluted Hydrocyanic Acid, 9 mins.	16..	7	0
Chloroform, 46 mins.			
Oil Peppermint, 1 1-2 mins.			
Tinct. Capsicum, 1 1-2 mins.			
DOSE.—For an adult, 5 to 15 minims [0.3 to 1.0 c.c.], repeated, if necessary, in half an hour.			
The formula of Chlor-Anodyne being here given, it is eligible for use by prescribing physicians, especially as it is unknown to the general public. As an efficient and pleasant remedy in colic, cholera morbus, neuralgia, spasmodic pains, etc., it is of great value. It is concentrated in form and rapid in action. The Fluid Cannabis Indica (a most variable drug) used, is physiologically standardised, and the preparation may, therefore, be relied upon to give uniformly satisfactory results.			
Cinchona, see Calisaya.			
Coca, 120 grs. (Elixir No. 47)	4.	1	2
DOSE.—1 to 4 teaspoonfuls [4 to 15 c.c.].	8.	1	11
A powerful nerve stimulant, which has been employed in certain cases of alcoholism and other conditions in which there is profound nervous depression, as in the course of exhausting diseases. To this elixir may be added, in equal parts, some one of the tonic elixirs already mentioned in this list; notably those containing calisaya and strychnine.	16.. / 80..	3 / 15	6 / 0
***Coca Cordial**	16..	4	4
One fluid ounce of the cordial represents 60 grains (3.888 gm.) of Coca leaves of good quality, the vehicle employed being an agreeable cordial of a rich vinous flavour. It may be given in doses of a dessertspoonful to a tablespoonful [8 to 15 c.c.] repeated as occasion requires, and is frequently advantageously combined with Liquid Acid Phosphates. *See also Esencia de Coca.*	80..	18	9
***Cod Liver Oil, Creosoted Emulsion, with Hypophosphites of Calcium and Sodium**	8..	1	7
Cod Liver Oil, 2 fluid drachms.	16..	3	0
Calcium Hypophosphite, 3 grs.			
Sodium Hypophosphite, 2 grs.			
With 1 per cent. finest Beechwood Creosote.			
DOSE.—1 to 4 fluid drachms [4 to 15 c.c.].			
This is an ideal combination, palatable, permanent and elegant. The taste of the oil is well masked, and there is an entire absence of the burning sensation usually imparted by creosote.			

* Speciality—see page 141, par. 1.

パーク・デービス・アンド・カンパニーの1907年のカタログで推奨されている薬

これが二〇世紀初頭の薬の悲しい現実だった。電気は制御され、マンハッタンの街角を照らすのに使われていた。飛行の謎は解明されかけていた。無線信号は天空を伝わっていた。しかし薬に関するかぎり、世界屈指の製薬会社がいまだに、水銀とヒ素を基本にする偽の治療薬を売っているという状況だったのだ。

個人に対する保健介入は、下水道や浄水システムのような公衆衛生介入とちがって、一九五〇年までは平均寿命に有意な影響をおよぼさなかったようだ。一九世紀にはワクチンによって多くの命が救われていたことはたしかだが、それ以外の薬の分野は、狂王ジョージを治療するのに使われた水銀毒からほとんど進歩していなかった。延びた命と縮んだ命を合わせると、医療界の収支はかろうじてとんとんというところだ。歴史学者のジョン・バリーによると、「医学事典『MSDマニュアル』一八八九年版で推奨されていた、気管支炎の治療法は一〇〇通りあって、それぞれに熱心な信者がいたが、マニュアルの現編集長は、そのなかに『効能のあるものはなかった』と認めている。マニュアルはさらに、船酔いにシャンパン、ストリキニーネ、そしてニトログリセリンを推奨していた」。オリヴァー・ウェンデル・ホームズの皮肉は有名だ。「現在使われている薬をすべて海の底に沈められれば、人類にとってはますます好都合で、魚にとってはますます不都合だと私は確信している」[*2]。ホームズがこれを書いたのは一八六〇年だったが、二〇世紀初めの薬の状況にもほぼ当てはまった。

いまではもちろん、医薬品もスマートフォンや電気自動車と並んで、現代社会発展の柱のひとつと考えられている。抗生物質は私たちの曽祖父世代の命を奪っていた病気の多くを治療し、奇跡的な新しい免疫療法はがんを治し、抗レトロウイルス薬はいまやエイズを効果的にただちに止めることができる。しかしこうした特効薬は実際にはかなり最近の発明だ。わずか八〇年前、第二次世界大戦勃発前に市場に出回っていた薬の圧倒的多数が、有害ではなかったにしても無益だった。二〇世紀前半の薬のおそまつな状況には、妙なタイミングのずれがある。ほかの多くの分野が進歩のはしごを登っているとき、薬の科学をはばんでいたのは何だったのか?

ラズベリー味の薬禍

なぜ、効果のある医薬品の発明が遅かったのか。そのことを説明する重要な要因はいくつかある。なかでも、とくに決定的なのは、価値のない薬を売ることが法律で禁じられていなかったことにちがいない。それどころか二〇世紀初め、製薬業界全体がほとんど規制されていなかった。厳密に言うと、業界を監督するために一九〇一年に設立された化学局と呼ばれる組織があった。しかし、最終的にアメリカ食品医薬品局（FDA）になったこの組織は当初、顧客が効果的な医療を受けられるようにする力という点では骨抜きだった。唯一の責任は、瓶に列挙されている化学成分が実際に薬そのものに入っていることの確認だった。特効薬に水銀やコカインを入れたければ、それをラベルに記載するかぎり、FDAにとっては何の問題もなかったのだ。

その不合理な状況を変えるには、国家的悲劇が必要だった。一九三〇年代初め、ドイツの製薬会社バイエルAGが、スルファニルアミド、または「サルファ」剤と呼ばれる新種の薬を開発した。現在の抗生物質の先駆けだが効果はそれほどなかった。二、三年のうちに市場には模倣薬があふれた。残念ながら、スルファニルアミドはアルコールにも水にも溶けないので、既存のサルファ剤は、子どもが飲み込みにくい丸薬の形で売られた。そこに市場機会を察知したサミュエル・エヴァンス・マッセンギルという二七歳のテネシー人が、医学部を退学して自分の製薬会社を始めた。目標は飲みやすいサルファ剤を生産すること。一九三七年、新興のS・E・マッセンギル社の主任化学者ハロルド・ワトキンスが、子どもの口に合うようにラズベリーの風味を加えたジエチレングリコールに、薬を溶かすアイデアを思いついた。会社は大急ぎで調合薬を「エリキシール・スルファニルアミド」という商品名で発売し、連鎖球菌性喉頭炎を治す子どもにやさしい薬とうたって、アメリカ中の薬局に九〇〇リットルも出荷した。[*3]

サルファには実際に役立つ抗菌効果があり、ラズベリー風味で甘い薬になったが、ジエチレングリコールは人間にとって毒である。数週間のうちに、オクラホマ州タルサで「エリキシール」と関連する六人の死者が報告された。いずれも死因は腎不全だ。死者が出たことをきっかけに全国で必死の調査が行われ、FDAの職員が薬局の記録を詳しく調べ、医者に注意喚起し、薬を買った人にはすぐに破棄するよう警告した。しかしFDAは薬理学の専門知識が十分でなかったので、この薬がなぜそれほど致死的なのかを判断できなかった。そのため、その解明を南アフリカ生まれのシカゴ大学の化学者ユージーン・ガイリングに委託する。数週のうちにガイリングは大学院生のチームに、エリキシールの材料すべてを、イヌ、マウス、ウサギといった実験動物でテストさせた。そしてすぐに、不凍液と化学的に近いジエチレングリコールが犯人だと特定した。

これはフィールドワークと実験室での分析のすばらしい連携だった。しかしアメリカ中の多くの家族にとっては遅きに失した。FDAが最後のひと瓶を回収するまでに、七一人の大人と三四人の子どもが、エリキシールを飲んで死亡している。さらに、重度の腎障害で入院し、かろうじて死を免れた人も大勢いた。

驚くべきことに、アメリカ史のその時点で、政府にはまだ国民の健康を直接監視する閣僚クラスの要職がなかった（保健教育福祉省ができたのは一九五三年のことだ）。そのためこの薬禍への対処は、当時の農務長官ヘンリー・ウォレスに任された。どうしてこれほど生命をおびやかすエリキシールが消費者の手に渡ることになったのかを説明するために、議会に引きずり出されたウォレスは、FDAがその監督手順にしたがった経緯を説明した。「エリキシールの発売前にその風味は検査されたが、人命に対する影響は検査されなかった」とウォレス長官は議会に報告している。「既存の食品医薬品法は、新薬が販売される前に検査されることを義務づけていない」[4]。FDAの検査官は、エリキシール・スルファニルアミドが宣伝どおりラズベリーのような味なのかは確認していた。腎不全を引き起こすかどうかをわざわざ調べなかっただけだ。

複雑な医薬品の市場メカニズム

エリキシール・スルファニルアミド事件のような悲劇は必然的に、犯人やいけにえ探しにつながる。罪のない子どもたちの死の責任を負う悪者は誰だ、というわけだ。悲劇の責任の一部がハロルド・ワトキンスとS・E・マッセンギル社にあることはまちがいない。マッセンギルは、何も知らない消費者に毒を売ったかどで、最終的に罰金二万四六〇〇ドルを科せられた。ただしワトキンスの責任は公式には否定された。「われわれは専門家からの合法的要求に応えていたのであり、思いがけない結果を予見することはできなかった」とマッセンギルは言明した。「われわれの側には何の責任もなかったと思っている」[*5]。しかし化学者のハロルド・ワトキンスは、それほど簡単に悲劇の責任をはねのけることができなかった。FDAの調査が終わる前に、彼は自殺している。

それでも、エリキシール・スルファニルアミド事件を数人の悪者の行動に限定するのは単純すぎる。一〇五人の死亡は、市場と規制怠慢の結果でもある。問題はひとりの危険な化学者と無謀な起業家だけにあったわけではない。薬をつくって売る体制全体にもあったのだ。FDAによる監視が限定的だったので、製薬会社には実際に効くエリキシールを調合する法的動機がなかった。成分リストが正しいかぎり、どんな特効薬でも自由に売ることができる。たとえその成分のひとつがたまたま知られている毒で、一〇四人の命を奪ったとしても、お仕置きは軽い罰金にすぎなかったのだ。

市場そのものが、製薬会社にとって有効な薬をつくる適切な動機になると思う人もいるかもしれない。治すと約束している病気を実際に治したエリキシールのほうが、エセ科学にもとづくエリキシールよりもたくさん売れるだろう。しかし医薬品の市場メカニズムは、ほかの消費者製品には当てはまらない二つの要因のせいで、それほど単純ではなかった。要因のひとつはプラセボ（偽薬）効果である。人間はたいてい、効く薬を与えられていると言われると、たとえそれが砂糖の塊でも、健康状態が改善していると考える傾向にある。プラセボがどうして実際に効くのかはまだ完全には理解されていないが、効果は現実だ。たとえばテレビや靴には、同じようなプラセボ効果はない。あなたがにせのテレビを売る商売を始めたとして、買った商品を居間に持ち帰った顧客の二〇パーセントが、どういうわけか、にせテレビが番組を映し出していると妄想しはしない。しかしにせのエリキシールを売る製薬会社は、かなりの割合の顧客から確実にプラスの結果を得る。

薬の場合は市場が動機にならないもうひとつの理由は、人間には免疫系という体内薬局があることだ。人が病気になったとき、ほとんどは自力で回復する。白血球、食細胞、リンパ球のすばらしい防御システムが、脅威ややけがに気づき、それと闘い抜いて、損傷を修復するおかげだ。魔法のエリキシールが腎不全を引き起こさないかぎり、その調合薬を消費者に売ることは可能で、ほとんどの場合、実際に結果が見える。連鎖球菌性喉頭炎は治まり、熱は下がる。ただし特効薬を飲んだからではなく、本人の免疫系が静かに、目に見えないところで仕事をしていたからだ。しかし患者の立場からすると、すべてが特効薬のおかげに思える。

しかしプラセボ効果も免疫系も、ジエチレングリコールにはかなわなかった。ハロルド・ワトキンスのエリキシールによる死者は、結果的に、政府からの免疫反応を引き起こしたと言える。ヘンリー・ウォレスの証言で、医薬品の規制ということになると、ＦＤＡが実際にはどれだけ無力かが明らかになっていた。憤った市民が改革を強く求め、一九三八年、フランクリン・ルーズベルトが署名して食品医薬品化粧品法が成立した。FDAが初めて、アメリカで売られているあらゆる薬の安全性を調査する権限を得たのだ。やっとのことで規制当局が、ラズベリー風味だけでなく、問題の薬が人を殺すおそれがあるかどうかという、もっと重大な問題に目を向けられるようになった。

男性と間違えられたおかげで

エリキシール・スルファニルアミド禍が起こる一年前、のちにエリキシールに含まれる毒を特定したシカゴ大学の薬理学者ユージーン・ガイリングは、フランシス・オルダムというカナダの早熟な大学院生から問い合わせを受けた。ガイリング研究室での職に興味を示していたのだ。まだ二一歳のオルダムは高校を一五歳で卒業し、すでにマギル大学で大学院の学位を取得していた。このカナダの天才からの手紙と履歴書に感心したガイリングは、速達便で返事を送った。「三月一日までにシカゴに来られるなら、四カ月間は研究助手となり、そのあと博士課程を終えるまでの奨学金が下りる可能性があります」

ひとつだけ問題があった。ガイリングは手紙の宛名を「ミスター・オルダム」とした。しかしフランシス・オルダムはじつは女性だった。女性の生化学者の存在はほとんど知られていなかった時

図表**5-2**

フランシス・ケルシー博士に「顕著な連邦文民功労への大統領賞」を授与するジョン・F・ケネディー大統領、1962年（WDC フォト／アラミー・ストックフォト）

代のことだ。のちにオルダムはこう書いている。「ガイリングはとても保守的で旧態依然としていて、実際、女性を科学者としてあまり認めていなかった」。彼女はガイリングに思いちがいを指摘する返事を送ることを検討した。「ここで良心がちょっと働いた。当時、求められているのは男性だとわかっていたからだ。『e』のフランシスは女性で、『i』のフランシスが男性だと説明を書くべき?」。オルダムがマギル大学の指導教官にその疑問をぶつけると、彼はその心配を退けた。「ばかを言うな。仕事を受け、署名して、後ろに(ミス)とつける。そして行くんだ!」

その決断が結果的にオルダムにとっての転機となった。彼女は回想録にこう書いている。「もし私の名前がエリザベスとかメリー・ジェーンだったら、その最初の大きな一歩を踏み出すチャンスがあったかどうか、いまでもわからない[*6]」

彼女の最初の業務は、エリキシール・スルファニルアミドの動物実験でラットを観察することだった。その経験は二二歳の科学者に、拭い去れない印象を残した。そして、このような大規模な悲劇——害になるものを与えないというヒポクラテスの誓いに対する真の裏切り——は、研究室での実証的分析と適切な規制制度で避けることができると確信した。

数十年後、オルダムは別の画期的な法律制定にきわめて重要な役割を果たすことになる。一九六〇年八月、結婚してフランシス・オルダム・ケルシーと呼ばれるようになった彼女は、三人しかいない新薬申請を評価する医薬品審査官のひとりとしてFDAに就職した。エリキシール・スルファニルアミドの時代以降、FDAの製薬業界に対する監督は拡大していたが、さまざまな著しい制約のせいで、供給される薬物を安全に保つ局の能力は相変わらず骨抜きにされていた。新薬を認可または否認するのに、FDAには六〇日しかない。医薬品審査官がその期間中に判断を下せなければ、メーカーは自由に市場に持ち込めるのだ。とくに驚きなのは、メーカーには新薬が実際に効くことの証拠を提出する義務がなかったことだ。新薬が危険でないとFDAが納得すれば、製薬会社に発売を許可する。メーカーはでたらめな材料を混ぜ合わせて、関節炎の治療薬と呼ぶことができる。知られている毒物が入っていないかぎり、気づかない顧客に大量に売ることができるのだ。

マリリン・モンローとサリドマイド

不思議な巡り合わせで、二〇年以上前に若い研究助手だったときの経験が繰り返された。フランシス・オルダム・ケルシーはFDAでの新しい仕事を始めてからものの数週間で、気がつけば重大な健康危機のまっただなかにいた（医療災害に関係する場所に居合わせる素質が彼女にはあった）。ケルシーがFDAに移る数年前、ドイツの会社が鎮静催眠剤をコンテルガンという商品名で売り始めていた。そしてのちに妊婦のつわりの治療薬として販売した。その薬の有効成分でサリドマイドと呼ばれる免疫調整薬には、奇跡の力があるように思われていた。市場に出回り始めていたほかの鎮静剤と同じように、人を落ち着かせて眠気を誘うが、そうした鎮静剤とはちがって、依存症による過剰摂取はありえないとテストは示している。一九六〇年までに、世界中の四〇カ国以上で使用が認可された。

そんなとき、サリドマイド――アメリカでは商品名ケバドン――の生産と販売の申請が、フランシス・オルダム・ケルシーの机に届いた。

サリドマイドはヨーロッパ中で使用認可されていたので、その薬のライセンスを認められたアメリカのリチャードソン・メレル社は、ややいい加減な新薬申請を提出していた。医薬品審査官としてのケルシーの仕事は、薬の安全性を実証するために会社が提出した、治験をはじめとする裏づけの証拠を審査することである。ところがケバドンの場合、リチャードソン・メレルが提出していたのは実証的研究ではなく、たんなる医者からの証言だった。FDAで働く薬理学者には、提出された新薬申請では取り組まれていない、薬の吸収のされ方についての疑問もあった。ケルシーは申請書が不完全だと申し渡すことに決め、FDAの審査期間が数カ月延びた。

この裁定を下した直後、ケルシーはブリティッシュ・メディカル・ジャーナル誌で、サリドマイドの使用と関連した神経炎で、元にもどらないおそれのある一種の神経損傷の症例を報告する記事を見つけた。リチャードソン・メレルの代理人は、そうした報告について何も聞いていないと主張し、調査のためにヨーロッパに出張したあと、その副作用は「とくに深刻なものではなく、不適切な食事が関係している可能性がある」とケルシーに報告した。会社はすぐさまFDAに対して新しい戦略をとり、以前に認可されているバルビツール酸塩のようなほかの睡眠薬では、依存性による過剰摂取がいかに容易に生じうるかを強調した。「もしマリリン・モンローが飲んだのがサリドマイドだったら、彼女はまだ生きているだろう」*7。しかしケルシーはひるまなかった。神経損傷を示す研究を知り、多くの女性がつわりの治療薬として服用していることを考え、胎児の発育に薬が与える影響に関心を抱いたのだ。

その直感は恐ろしいほど当たっていた。ケルシーは知らなかったが、ドイツの産科医たちはすでに、重度の手足の奇形をもって生まれる子どもが異常に急増していることを報告し始めていた。アザラシ肢症と呼ばれる病気だ。さらに新生児の半分が死亡していた。またもや犯人を特定する必死のレースが始まった。一九六一年秋、ケルシーの抵抗のおかげでケバドンの申請がまだ審査中だったとき、ヨーロッパの当局は説得力をもって出生異常の波をサリドマイドと結びつけた。一九六二年三月、リチャードソン・メレルは正式に申請を取り下げた。世界中で一万人以上の子どもが、サリドマイドによるアザラシ肢症をもって生まれ、莫大な数が子宮内で死亡した。しかしアメリカではごくわずかな症例しか報告されなかった。フランシス・オルダム・ケルシーとFDAの同僚たちの鋭い判断力のおかげで、アメリカ人はサリドマイドの悲劇を経験せずにすんだのだ。ホワイトハウスでの式典で、ケネディー大統領は彼女に「顕著な連邦文民功労への大統領賞」を授与した。「私は大勢のさまざまな連邦職員を代表して、メダルを受け取っているのだと思っていた」と彼女は回想録に書いている。「これはほんとうにチームの努力だった」

多くの人命を救った官僚たち

ふつう、英雄的な官僚の話はあまり聞かれない。FDAのような実際の官僚組織の力は、情報と専門知識が何千という人びとに割り振られているからこそ発揮されるからだ。それぞれが静かに自分の仕事として、臨床記録の審査を行い、申請者と面談し、目の前の問題をできるだけ厳密に理解しようとする。このような組織は、ほかの組織で注目されるCEOやテレビスターやプロスポーツ選手のような、象徴的存在を生むことはめったにない。そして官僚の仕事は、壮大な個人的業績の物語には向いていないので、その仕事の価値は長いあいだ一般市民に過小評価されてきた。現在、誰かを「政府の規制官」と呼ぶことは、アメリカ政治の主流では事実上の中傷である。

たしかに、官僚組織はイノベーションを抑圧するおそれがある。たしかに、一部の規制は有効期限をとっくに過ぎても残るおそれがある。時代遅れの規則を削るもっと良いメカニズムが必要だ。しかし医薬品に関するかぎり、政府による監視のメリットは、いわゆる官僚組織が実際にアメリカ国民に販売される薬の安全性を調べる権限を与えられてから救われた命の数に、鮮明に表われている。そのメリットには現実の数字の裏づけがある。エリキシール・スルファニルアミドに命を奪われた一〇四人は、もしFDAがごく簡単な動物実験を行っていたら、生き延びていただろう。そして、もしフランシス・オルダム・ケルシーが仕事に就くのが六〇日遅かったら、何千人ものアメリカ人が生まれてこなかったか、ひどい身体障害を負って生まれていたかもしれない。

前に起きたエリキシール・スルファニルアミド禍と同じように、サリドマイド事件も、活動家たちが長年推進に失敗していた新たな法律制定の扉を開けた。サリドマイドが市場から引き上げられて二、三カ月のうちに、議会は、新薬申請に求められる条件を劇的に広げる、画期的なキーフォーヴァー・ハリス医薬品改正法を通した。この法律は規制の規約にさまざまな変更を導入したが、最も衝撃的だったのは、製薬会社が初めて、安全性だけでなく効能の証拠提出を義務づけられたことだった。大手製薬会社は、顧客に毒を盛っていないことの証拠を示すだけでは不十分である。ついに、顧客を治していることの証拠を、実際に示さなくてはならなくなったのだ。

この時系列は一見ばかげているように見える。実験にもとづく成功率を製薬会社に求め始めたのがほんの半世紀前とは、いったいどういうことなのか？　しかし、フランシス・オルダムが初めてシカゴ大学の研究所に到着したとき、効能の疑問に答えるのは難しかったというのが真相だ。一九三七年には、ＦＤＡは効能の証拠を合理的に求めることができなかった。なぜなら実験医学の世界に、成功か失敗かを確定する標準化された方法がなかったからだ。しかし一九六二年にフランシス・オルダム・ケルシーがＦＤＡの勤務初日に現われるころには、標準化された方法があった。二つの薬禍を隔てる四半世紀のあいだに、根本的な変化があったのだ。人類は新たに強大な力を手に入れた。といっても、原子の分裂や宇宙飛行のようにニュース映画で感動的に見えるような力ではない。医学上のブレイクスルーだったが、注射器や化学がかかわるようなものではない。ファーの生命表に近い、データの見方に関するブレイクスルーだ。そのイノベーションの正式名称は、無作為化対照二重盲検試験（RCT）である。自転車やタイプライターなど、文化史および技術史上で出現が遅かったもののなかで、RCTは最も不可解かつ最も重要なものと言えるかもしれない。

無作為化対照二重盲検試験

科学史上、RCTの発明ほど重大な方法論革命はほとんどない（大きく立ちはだかるのは、一七世紀の科学的手法そのもの――仮説を立て、それを試験し、試験からのフィードバックにもとづいて磨きをかける――の構築だけである）。フランシス・ベーコンなど元祖の啓蒙主義科学者が開発した実証的手法と同じように、RCTは意外なほど単純な技法だ。それどころか、あまりに単純なので、見いだされるのにそれほど長い時間がかかったのはなぜかという疑問が生じる。RCTの主要素は名称そのものに表れている――無作為化、対照、二重盲検だ。たとえば、連鎖球菌性喉頭炎を治すとされる新薬を試験しているとしよう。まず、現在その病気にかかっている大勢の人を見つけ、無作為に二つのグループに分ける。一方のグループは実験群と呼ばれ、試験している薬を投与される。もう一方のグループはプラセボを投与される。プラセボ群は対照である。つまり、薬の効果を測定するための基準のようなものだ。対照群によって、連鎖球菌性喉頭炎が体の免疫系によって自然に治るまでにどのくらいかかるかを測定する。問題の薬が実際に作用するなら、薬を投与されるグループのほうが対照群よりも早く回復する。二つのグループ間で結果にちがいがなければ——あるいは実験群が腎不全で死に始めたら——試験している薬に問題があるとわかる。そして重要なのは、真の二重盲検実験では、実験を行っている人も患者も、どの被験者がどちらのグループなのかを知らないことだ。その情報を伏せておくことで、微妙なバイアスがひそかに研究に入り込むのを防ぐ。ひとたびデータが集められたら、一方のグループのほうが他方のグループより大幅に回復したのか悪化したのかを判断するために、統計分析が行われる。一般的に、結果が偶然である確率は五パーセント未満であることが実証されている。言い換えれば、試験を一〇〇回行ったら、九五回以上で実験群にポジティブな結果が出たということだ。

こうした要素をすべて合わせれば、にせの治療薬を本物と区別するシステムになる。事例証拠、偽陽性、確証バイアスなど、長いあいだ薬の科学につきまとっていた多くのリスクを避けるシステムだ。FDAが一九六二年、製薬会社に対して効能の証明を要求するようになったとき、それができたのは、その種の証明を有意な形で提出できるシステムが、RCTという方法によってでき上がっていたからだ。

RCTはいくつかの異なる知的支流が合流することで生まれた。遠く一七四七年までさかのぼると、スコットランドの医者ジェイムズ・リンドが、イギリス海軍艦船ソールズベリー号で、最初の

RCTを行ったことが知られている。当時、船員の死因第一位だった壊血病の有効な治療薬を見つけ出す試みとしてのものだった。リンドの実験では、症状を示している一二人の船員を選び、六組のペアに分けて、それぞれのペアに異なる栄養補助食品を与えた。リンゴジュース、希硫酸、酢、海水、柑橘類、一般的な下剤だ。プラセボを与えられる正しい意味での対照群はなかったが、ほかの環境要因はすべて同じになるようにした。全員に（補助食品のほかは）同じ食事を与え、船上での生活環境を同じにしたのだ。リンドの実験は、病気との闘いでプラス効果があったのは柑橘類だけという正しい結果を示した。

多くの点で、リンドの研究は現代のRCTとはかけ離れている。そもそも、プラセボも盲検もなかったし、統計的に有意な結果を得られるだけの被験者数ではなかった。無作為化の重要性がようやく明らかになったのは、二〇世紀初め、イギリスの統計学者R・A・フィッシャーが農業に関する研究のなかで、異なる土地区画に対する処置の効果を試す方法として、その概念を調査し始めたときだ。一九三五年の著書『実験計画法』（森北出版）で、フィッシャーはこう述べている。「無作為化を適切に実行すれば、実験者は、データに干渉するおそれのある無数の原因の重大さを、検討したり推定したりできるかという不安から解放される」[*8]

研究者の無意識のゆがみ

一九三〇年代の無作為化と実験計画に関するフィッシャーの研究は、疫学者で統計学者でもあったオースティン・ブラッドフォード・ヒルの目を引いた。彼はフィッシャーの手法に、医学研究にとっておおいに役立つ技術を直感した。ヒルはのちに、無作為化の力についてのフィッシャーの説明に同調し、こう書いている。この手法なら「個人の特異性（意識的または無意識的な好き嫌い）も、公平な判断力の欠如も、さまざまな治療群の構成に入り込まない。割り当てては私たちが関与できないものであり、したがって群には偏りがない」[*9]。ヒルは、成功する実験計画法へのカギは、試験するべき有望な薬をつくる研究者の能力だけでなく、実験結果に対する研究者の影響を取り除くことでもあると気づいたのだ。そうした影響がしばしばデータを微妙にゆがめてしまう。

ヒルは若いころ、地中海で水先案内人をしていたときに結核をわずらったことがあったため、結核の新薬である抗生物質ストレプトマイシンの実験は、彼が指揮する最初の画期的研究としてふさわしかったと言えよう。一九四八年、結果がブリティッシュ・メディカル・ジャーナル誌で発表されたとき、タイトルは研究内容をほのめかすだけだった。「肺結核のストレプトマイシンによる治療」。しかしこの研究の真の重要性は、その手順にあった。いまでは広く、初めて行われた本物の

ＲＣＴとして認識されている。次章で見ていくように、医薬品界をついに平均寿命という観点で掛け値なしにプラスの力に変えた立役者が、抗生物質である。最初の真の特効薬と最初の真のＲＣＴが、二、三年のあいだに開発されたことは偶然ではなさそうだ。二つの開発は互いに補完し合った。つまり、抗生物質の発見でついに研究者は試験する価値のある薬を手にしたのであり、ＲＣＴのおかげで研究者は迅速かつ信頼できる方法で、有望な抗生物質を偽物と分けることができるようになった。

ストレプトマイシンの効能についてのヒルによる無作為化対照調査は、実験計画の歴史における節目だった。あとに続いた無数のＲＣＴが、人びとの健康に間接的に影響をおよぼしたのだ。もしヒルが以降一本も論文を発表しなかったとしても、それだけで彼は医学史の殿堂入りを果たしていただろう。しかしオースティン・ブラッドフォード・ヒルにとってそれは序の口だった。彼の次の研究は、地球上の何百万もの命に直接影響をおよぼした。

喫煙と肺がん

第二次世界大戦の混乱のさなか、ロンドンはドイツ軍の電撃戦によって恐怖におとしいれられていた。そんななか、イギリスの公衆衛生当局は戸籍本署によって集められた死亡報告の不吉な兆しに気づき始めていた。大勢が空爆やヨーロッパの前線で死亡していたが、別の種類の〝殺し屋〟がしだいに住民の命を奪いつつあった——肺がんである。死者の急増は真に憂慮すべきものだった。終戦までに医療研究審議会は、肺がんによる死者は一九二二年の一五倍に増えたと推定した。疑われる原因のひとつはタバコだったが、自動車からの排ガス、道路でのタール使用、その他の産業汚染など、ほかの環境原因を指摘する人も大勢いた。

オースティン・ブラッドフォード・ヒルが結核研究を発表する二、三カ月前、医療研究審議会は、ヒルともうひとりの著名な疫学者リチャード・ドールに声をかけ、肺がん危機を調査するように依頼した。もちろん、いまでは小学生でさえ喫煙と肺がんのつながりを知っている——たとえ一部の人は大人になったらそのことを無視するにしても。しかし一九四〇年代末、つながりはそれほど明確でなかった。リチャード・ドールはのちにこう回想している。「私自身、喫煙が主要な問題だと判明するとは予想だにしなかった。当時、もしお金を賭けなくてはならなかったら、道路や自動車と関係あるものに賭けていただろう」

ヒルとドールは、喫煙と肺がん患者の急増に関係があるかもしれないという仮説をテストする、みごとな実験を考案した。その仕組みは従来の治験を逆にしたようなものだった。実験群は実験薬を与えられず、プラセボはない。その代わり、実験群は既存の肺がん患者で構成された。ヒルとドールは二〇のロンドンの病院にアプローチして、統計的に有意な肺がん患者群を見つけた。そのあと、各病院で二つの異なる対照群を集めた。ほかの部位のがんをわずらっている患者と、がんにはかかっていない患者だ。その際、「実験」群——つまり肺がんグループ——のメンバー一人ひとりに、年齢と経済的階級がだいたい同じで、同じ地域や町に住んでいる対照群の患者を組み合わせようと試みた。それぞれのグループ内でそうした変数を同じにすることで、何らかの交絡因子が結果に影響しないようにしたのだ。たとえば、肺がん急増の原因がランカシャーの工場の煤煙と判明したとしよう。居住地や経済的地位（たとえば工場労働者と店員）を制御しない実験では、その因果関係を検出できないだろう。しかしヒルとドールは、人口統計の観点でだいたい似ている実験群と対照群を集めることによって、喫煙習慣に関して、二つのグループに有意な差があるかどうかを調べることができたのである。

最終的に、七〇九人の肺がん患者と同じ数の対照群が、喫煙履歴について面談を受けた。ヒルとドールは、この履歴をさまざまな側面から探る、多角的な表を作成した。一日に吸うタバコの平均本数、生まれてからこれまでに吸ったタバコの総数、喫煙を始めた年齢、といった具合だ。数字が処理されると、結果は一目瞭然だった。「喫煙のどの尺度をとっても同じ結果が得られた。具体的には、喫煙と肺がんの著しい明確な関係だ」。[*10] 最終的に発表した論文の最後で、ヒルとドールは、多量の喫煙が肺がん発病率におよぼす影響をおおよそ推定しようと試みた。その推定によると、一日に一箱以上吸った人は喫煙しない人より、肺がんにかかる確率が五〇倍高かった。その数字は当時衝撃的だったが、いまではリスクの大幅な過小評価だとわかっている。ヘビースモーカーはじつは喫煙しない人より、肺がんにかかる確率が五〇〇倍近くも高いのだ。[*11]

研究がもたらした圧倒的な証拠と、実験計画の緻密さにもかかわらず、二人が一九五〇年に発表した論文――「喫煙と肺がん」――は当初、医学界に相手にされなかった。数年後にドールは、なぜ彼とヒルが集めた明らかな証拠を多くの権威が無視したのか訊かれて、こう説明した。「科学界を説得しようとして遭遇した問題のひとつは、当時の考え方の中心が、ジフテリアや腸チフスや結核のような細菌の発見だったことだ。それが一九世紀後半の医学の進歩を支えていた。疫学的研究から結論を出すという話になっても、科学者は特定の細菌が感染症の原因であることを示すのに使われてきたルールを用いる傾向があった」[*12]。ある意味で、医学界はほかの病気の原因を特定した自分たちの成功に目がくらんでいたのだ。圧倒的人数の肺がん患者がヘビースモーカーだと判明した一方で、この病気にかかる非喫煙者もたくさんいた。古いパラダイムを用いると、こうした非喫煙者は、コレラ菌を摂取したことがないコレラ患者を見つけるようなものだった。「しかしもちろん、喫煙が唯一の原因だとは誰も言っていなかった。私たちが主張していたのは、ひとつの原因だということだ」とドールは説明している。「こうした慢性疾患には複数の原因がありうることに、人びとは気づいていなかった」

それでもヒルとドールはひるむことなく、喫煙問題に異なる角度からアプローチする別の実験に取りかかった。長年にわたる喫煙と健康状態を分析することによって、肺がんの症例を予測できるかどうか確かめることにしたのだ。今回彼らは、被験者として医師を使った。五万人以上のイギリス人医師に質問表を送り、喫煙習慣について面談し、そのあと時間をかけて彼らの健康を追跡する。ドールはこう回想している。「私たちは五年にわたって研究を行う計画だった。しかし二年半のうちに、すでに三七人が肺がんで亡くなり、非喫煙者に死者はいなかった」。彼らは一九五四年初めに結果を公表した。それは現在、科学界が喫煙とがんの因果関係を理解した重大な分岐点とされている。

一九五四年のその論文では、実験計画そのものよりも異例の被験者選択のほうが重要だとわかった。ヒルとドールがそもそも医師に面談しようと決めたのは、その後の数年にわたって、健康と喫煙習慣を追跡しやすかったからだ。しかしその決断にはほかにもメリットがあることが判明する。ドールによると「さまざまな観点から、医者を選んだことはとても幸運だったとわかった。ひとつには、この国の医療従事者はほかのどこよりも迅速に研究結果に納得し、こう言った。『大変だ！喫煙で医者が死ぬとは、とても深刻なことにちがいない』」。

実験と法律の両輪で

がんと喫煙の関係についてのヒルとドールの第二の調査が発表されてから、ちょうど一〇年後、アメリカの公衆衛生局長官で医師のルーサー・テリーが、有名な「喫煙が健康に与える影響の報告」を発表し、タバコが健康への重大な脅威になると公式に宣言した（発表に向かう途中、そわそわとタバコをふかしたあと、テリーは記者会見中にあなたは喫煙者なのかと訊かれた。「いいえ」と彼は答えた。禁煙してからどれくらいかと訊かれると、こう答えた。「二〇分だ」)。ヒルとドールの先駆的研究を手本にしたその後の研究は、喫煙による健康への脅威をほかにも特定した。このうち心疾患は、現在アメリカで死因第一位である。世界中の政府の規制機関がタバコのラベルに警告を加え、広告の制限が確立され、タバコには重い税が課せられた。ヒルとドールがロンドンの病院で最初の患者に面談した当時は、イギリスの人口の五〇パーセント以上が能動喫煙者だった。今日、その数字はわずか一六パーセントである。三五歳より前に禁煙すると、余命は九年も延びると推定されている。

RCT計画と政府規制の連携、つまり実験が脅威を明らかにし、それを政府が法律で禁止したり制限したりすることが、世界中の大勢の人びとの健康に、静かだが深い革命を起こした。染料やゴムの製造に使われる化合物が膀胱がんの原因になることがわかって排除された。道路作業員がタールにさらされることで起きる皮膚がんは大幅に減った。アスベストは研究によって中皮腫という珍しい致死的ながんとの因果関係を見出され、法律で禁止された。この革命を後押ししたのは、めざましい技術的ブレイクスルーや街頭のデモ隊ではなく、別の〝職種〟の人たち、すなわち巧妙な実験の計画者と政府の規制機関である。どんな疑問を投げかけるか、そしてそれに対してどんな形式で答えるかが、大きく変わったのだ。この新しいエリキシールは安全？　それは実際に人を治す？　タバコは危険？　そしてどうすればこうしたことを確実に知ることができる？

第6章

世界を変えるカビを大量生産する方法

抗生物質

〝片付けられない人〟が救った命

科学や薬の歴史に少しでも興味をもったことのある人なら、初めての本物の抗生物質、ペニシリンの発見に関する伝説的な物語に遭遇したことがあるだろう。この話が、ニュートンのリンゴと重力論の話と同じくらいよく知られるようになったのは、ひとつには、偶然の出来事と突然のひらめきという同じ構成になっているからだ。一九二八年九月の運命の日、スコットランド人科学者のアレクサンダー・フレミングがたまたま、ブドウ球菌を入れたペトリ皿を、開けっぱなしの窓のそばで風雨にさらしたまま放置して、二週間の休暇に出かけてしまう。九月二八日に研究室にもどってくると、青緑色のカビがブドウ球菌培養物を汚染しているのを発見する。それを捨てる前に、フレミングは奇妙なことに気づく。カビが細菌の成長を阻止しているようなのだ。好奇心に駆られ、フレミングは培養皿をさらに詳しく調べ、細菌の溶解を引き起こす——つまり細胞膜を解体して、実質的に細菌を破壊する——何らかの物質を、カビが放出しているようだと気づく。この細菌を殺す物質もまた、強く求められる聖杯だった。フレミングはそれをペニシリンと名づける。一七年後、その発見の真の重大さが明らかになった結果、彼はノーベル医学生理学賞を受賞している。

フレミングの話が広まった理由のひとつは、仕事机を散らかしている人にとっての言い訳になるからだ。もしフレミングがもう少しきれい好きだったら、ノーベル賞を受賞していなかったことはほぼまちがいない（実際、イノベーションの歴史には乱雑さが何かを生み出す長い伝統がある。X線が発見されたのは、同じように散らかった職場環境のおかげだった）。しかし、真のブレイクスルーに関する物語の多くがそうであるように、ペトリ皿と開けっぱなしの窓の話は、ペニシリンとそれに続く抗生物質が、世界を変えることになった経緯の実話を、大幅に圧縮している。ペニシリンの勝利はじつは、国際的かつ学際的な協力の壮大な物語である。一人の変わり者の天才の物語ではなく、ネットワークの物語なのだ。

フレミングはそのネットワークの一部だったが、一部にすぎなかった。彼は自分がたまたま見つけたものの真の可能性を、完全には理解していなかったようだ。なにしろ、ペトリ皿の外でブドウ球菌を殺す効力を試す、最も基本的な実験を計画しなかった。「フレミングはペニシリンの治療効果を実証するのに、五ミリリットルの培養液を、連鎖球菌か肺炎球菌に感染した二〇グラムのマウスに注射すればいいだけだった」と同時期の研究者が指摘している。「このわかりきった実験をしなかったのは、思いつかなかったという単純な理由のせいだ」[*1]

細菌によるリスクがどれだけ高かったかを考えると、この見過ごしはじつに衝撃的だ。人類は少なくとも文明が始まって以降ずっと、細菌による病気との生きるか死ぬかの闘いから抜け出せていなかった。エジプトの墓所から発掘された六〇〇〇年も前の骨が、脊髄結核による奇形の兆候を示している。ヒポクラテスが治療した患者は明らかに結核菌に感染していた。一九世紀には、全死者の四分の一が結核で亡くなっている。長い目で見ると、結核はあらゆる感染症のなかで最も多くの人命を奪った〝殺し屋〟かもしれない。単純なすり傷や切り傷――あるいは医療処置――による細菌性感染症も、重大な死因だった。アメリカ南北戦争での死者の三分の二が、軍病院でかかった敗血症などの感染症が原因だったという推定もある。感染症の脅威は、二〇世紀まで医療介入が平均寿命を延ばせなかった主原因のひとつだ。医者に人の命を救う技術があっても、うかつにも細菌性感染症で死なせてしまう可能性があった。

こうした顕著なリスクが、フレミングのペニシリン発見を取り巻いていたわけだ。古来の宿敵をついに直接攻撃できる薬なら、医薬品の真の革命を先導することができるだろう。そしてフレミングが一九三〇年代に自分の発見を放置しているあいだ、第二次世界大戦の予兆となる動乱によって、リスクはさらに高まるばかりだった。結局、フレミングの発見を真の救命ツールに変えたのは、世界戦争による殺戮だった。

連合国にあって枢軸国になかったもの

抗生物質が第二次世界大戦におよぼした影響についての物語は、文字どおり何千とある。ペニシリンによって救われた多くの命それぞれ、その特効薬を利用できなかったせいで失われた命それぞれに、物語があるのだ。しかし、次のひとつの物語を代表的なサンプルとして考えよう。一九四二年五月二七日、ナチ党の幹部ラインハルト・ハイドリヒが、ベルリンにいるヒトラーに会うために、メルセデスのコンバーチブルでプラハ郊外を移動していた（ハイドリヒは水晶の夜《クリスタルナハト》【訳注：ドイツ各地でユダヤ人の店や家屋や教会が破壊された暴動】などの残虐行為の首謀者だった）。しかしイギリス軍に訓練されたチェコ人暗殺チームが、道路のヘアピンカーブで待ち伏せしている。ハイドリヒの車がカーブでスピードを落とすと、暗殺者のひとりがマシンガンを取り出したが、不具合で発砲できない。もうひとりがメルセデスに向かって投げた手榴弾は車の後ろに落ちたが、それでもいくらかダメージを与えた。標的のハイドリヒがいかに攻撃しやすかったかを考えると、当初、それはナチスにとって幸運のように思われた。彼は負傷したが、致命傷ではなかったのだ。膵臓を切除する手術のあと、医者は彼が完全に回復すると楽観視していた。ところがハイドリヒの傷の一部に、メルセデスの破片やそのシートの布地に使われたウマの毛が入り込んでいた。そうした一見小さな傷から微生物が彼の血流に入り、増殖を始める。医者の楽観的な予測から数時間のうちに、患者は敗血症を起こした。[*2]

ハイドリヒは六月四日、襲撃のちょうど一週間後に死亡する。彼はマシンガンと手榴弾の激しい爆発を生き延びた。彼を殺したのは目に見えない脅威、傷に感染した細菌だったのだ。

ハイドリヒが死亡したのはたまたま、イギリスとアメリカの科学者がアメリカ軍の支援を受けて、ハイドリヒの命を奪ったような感染症を治療するために、十分な安定したペニシリンを初めて生産したのとほぼ同じ時期だった。大戦の終盤、連合国には大量のペニシリンがあったが、枢軸国は開発さえしていなかった。それが連合国にとって、わかりにくいが実質的な強みになった。原子爆弾はアジアでの戦争を終わらせたかもしれないが、ヨーロッパでの勝利を確実にするのに、ペニシリンが重要な役割を果たしたという主張にも説得力がある。それは防衛の成果だった。連合国はより多くの敵を殺す方法を考え出すことによってではなく、自分たちの兵士を死なせない新しい方法を考え出すことによって、戦争に勝ったとも言える。戦線ではなく病院での戦いだ。しかしそれでも重要な成果である。では、どうしてそういうことになったのだろう?

　これを説明するのに、フレミングの存在が欠かせないことはたしかだ。彼が自分の発見を有意義にする行動を起こさなかったのは事実だが、ペニシリンを最初に発見したのがフレミングだったという事実は、ただのうれしい偶然ではなかった。彼はまさに、混沌とした状況でも刺激的な変化を求めるような知者だった。仕事でも遊びでも熱心なゲームプレーヤーだ。ゴルフ、ビリヤード、カード、どんな気晴らしを追い求めるにせよ、彼はつねに臨機応変に、ときにゲームの最中でも、新しいルールを発明する。仕事を説明してくれと言われると、彼はよく自嘲的とも思える表現で答えた。「微生物と遊ぶことだ」[*3]。しかし彼は真面目にそう言っていたのだ。あらゆる遊びが引き起こす意外な組み合わせに引きつけられない人なら、カビの生えたペトリ皿をひと目見て、実験の失敗によるゴミとして捨てていただろう。ところがフレミングはそれをおもしろいと思った。そういうふうに新しいアイデアが生まれることは少なくない。ほかの人が本能的に雑音だと受け止めるものを、信号だと認識する人もいるのだ。

細菌で描いたカラフルな絵

フレミングの研究に対する遊び心は、仕事を始めたばかりのころから明らかだった。ロンドンにあるセントメアリー病院付属医学校の学生だったとき、彼は細菌を色素として使い、複雑な絵を描いているのだ。細菌それぞれが成長するにつれて表現する、さまざまな色に関する知識にもとづく技法だった。微生物で絵を描くなど不真面目に思えるかもしれないが、その時期――二〇世紀最初の一〇年――には実際、細菌と色のつながりを探ることが、科学的研究にとって信じられないくらい豊かな土壌だったのであり、それが最終的に抗生物質革命のための重要な基盤になった。そしてこの発見もまた、無関係に思える分野から現われた。それはファッションである。

一八七〇年代になってもなお、世界最先端の化学会社にとって、ビジネスの大半は染料の製造だった。「染色は群を抜いて大規模で、最も儲かる化学プロセスだった」と医学史学者のウィリアム・ローゼンは述べている。「そして、たとえば医薬品よりはるかに利益になった」[*4]。何千年にもわたって、織物の色づけには植物ベースの染料が使われていたが、一九世紀の化学の進歩が、とても興味深い新たな可能性を開いた。合成物質を使って織物を染められる染料の誕生だ。そうした新しい染料は工業規模で生産できたので、すぐさま新たな生産技術に投資しようとする起業家の注意を引いた。この時期に設立された会社の多くはドイツに拠点を置いており、そのなかに、のちにＩＧファルベンと呼ばれるようになった複合企業もあった。この会社はポリウレタンや、とくに悪名高いナチスのガス室で使われたチクロンB毒など、広範囲の化学的ブレイクスルーを生み出し続けたが、第二次世界大戦後に解体された。しかしそのルーツは名前にはっきり表わされている。「ファルブ」は色を表わすドイツ語で、動詞の「ファルベン」は「染める」という意味だ。

にわかに合成染料への関心がわき起こり、その時代の研究者全員が、細胞組織染色のイノベーションを探るようになり、その頂点に立ったのがパウル・エールリヒの研究である。彼は、個々の細胞に固有性にもとづいて色をつける一連の技法を開発し、異なる種類の血球の識別を可能にした。やがてこうした染色技法は、グラム陽性菌とグラム陰性菌と呼ばれるものを識別するのに応用されたが、これは一九四〇年代の抗生物質開発にとって不可欠だった。

実験室でペトリ皿がたまたま汚染されたのは幸運な出来事であり、ある研究分野が偶然にもまったくちがう分野で使えるツールを提供するのは、ちがった尺度の幸運な出来事である。本来は見えない細菌を知覚する能力が開発されたのは、ロベルト・コッホのような科学者が、微生物の世界を探るために特別に設計された実験で、新しい顕微鏡を使ったからだ。しかし、こうした新しい力を開発したのは、鮮やかな彩りの服を人びとに売って稼いだお金があったからでもある。

特効薬を生むための三つのピース

抗生物質革命におけるアレクサンダー・フレミングの役割には、特筆すべき別の要素がある。彼は一九二〇年代から三〇年代にかけて、イギリスの医学界で働いており、当時の医学研究界で最も聡明な人たちに囲まれていた。もし彼がメンデルのように、どこかの修道院でペニシリンを発見していたら、フレミングがなぜかその有用性を厳密に試験する気がなかったことを考えると、その発見はきっと何も進展していなかっただろう。しかしフレミングは広いネットワークの一部になっていた。つまり彼の研究がほかの種類のスキルをもったほかの研究者の注意を引きつけるというのは、起こりうることだったのだ。ペニシリンがすばらしい偶然から、真の特効薬になる段階に進むには、三つのことが起こる必要があった。まず、それが実際に医薬品として機能するかどうかを、誰かが判定しなくてはならない。次に、それを大量に生産する方法を、誰かが考え出さなくてはならない。そしてそのあと、その大量生産品を支える市場が育たなくてはならない。

この三つの重要なピースすべてが、かなり短い期間に集結した。およそ一九三九年から四二年までのあいだ、つまり世界政治が恐ろしく混乱した期間だ。フレミングが一九二九年に発表し、長いあいだ無視されていたペニシリン発見に関する論文を、オックスフォード大学で研究をしていたオーストラリア人のハワード・フローリーとドイツ系ユダヤ人難民のエルンスト・ボリス・チェーンが、一九三〇年代末にたまたま見つけた。フローリーが所長を務めていたオックスフォード大学サー・ウィリアム・ダン病理学研究所が、病原菌とそれが人間の免疫系におよぼす影響を研究するために設立されたのは、ほんの二、三〇年前のことだった。フローリーはその不可解なカビに可能性を感じたが、医薬品として使えるくらい安定した形で化合物を再現するのは難しすぎると考えた。けれどもチェーンは、その不安定な性質をやりがいのある課題と考えた。それにしても、動物実験どころか薬の安定化に取り組む前に、実験を行うのに十分な量のカビをつくる方法を考え出さなくてはならない。フローリーとチェーンにとって幸運なことに、ダン研究所チームの若手のノーマン・ヒートリーは、すばらしい研究所技術者で、なおかつ真の博識家であり、生物学と生化学だけでなく、フローリーの伝記作家の言葉を借りると、「光学、ガラス、金属加工、配管、木工、そして必要とされる電気工事」にも長けていた。「しかも彼は臨機応変に、まったく思いも寄らない実験道具や家庭用品を利用して、時間の無駄を最低限に抑えながら仕事をするのだ」[*5]

猛烈に試行錯誤を重ねたあと、一連の実験装置とさまざまなスペアパーツをうまく組み合わせて、ヒートリーは奇妙な仕掛けを設計した。使われたのは再利用のドアベル、荷造り用ワイヤ、クッキー缶、おまる、熱いガラスに正確な穴を空けるための縫い針。ローゼンはヒートリーがつくり上げた複雑怪奇な装置を、次のように記述している。

枠のなかに、培養液、エーテル、酸が入った三本の瓶が、上下逆さまに設置されている。培養液の入った瓶のガラス玉の栓をはずすと、液体が氷漬けのガラス製コイルに流れ込む。冷却されたあと三番瓶からの酸と混ざって酸性化された液体はジェット噴射され、その飛沫が並列する六本の分離管のどれかに到達する。一方、エーテルの入った二番瓶の栓をはずすと、エーテルが装置全体の最下部へと放出される。分離管内の濾液は一二〇センチの管を上がっていくエーテルに噴射される。ペニシリンはエーテルと化学的親和性があるので、その管に移動し、元の培養液の残った成分はあとに残って排出される。次に、ペニシリンとエーテル（のちにアセテート）の溶液は、弱アルカリ性水とともに別の管に取り込まれる。ペニシリンと水の混合物――長い手順の最初に濾過された培養液量の約二〇パーセント――が取り出される。[*6]

ヒートリーの装置にくらべれば、アレクサンダー・フレミングの作業場のほうがまだ整

図表6-1

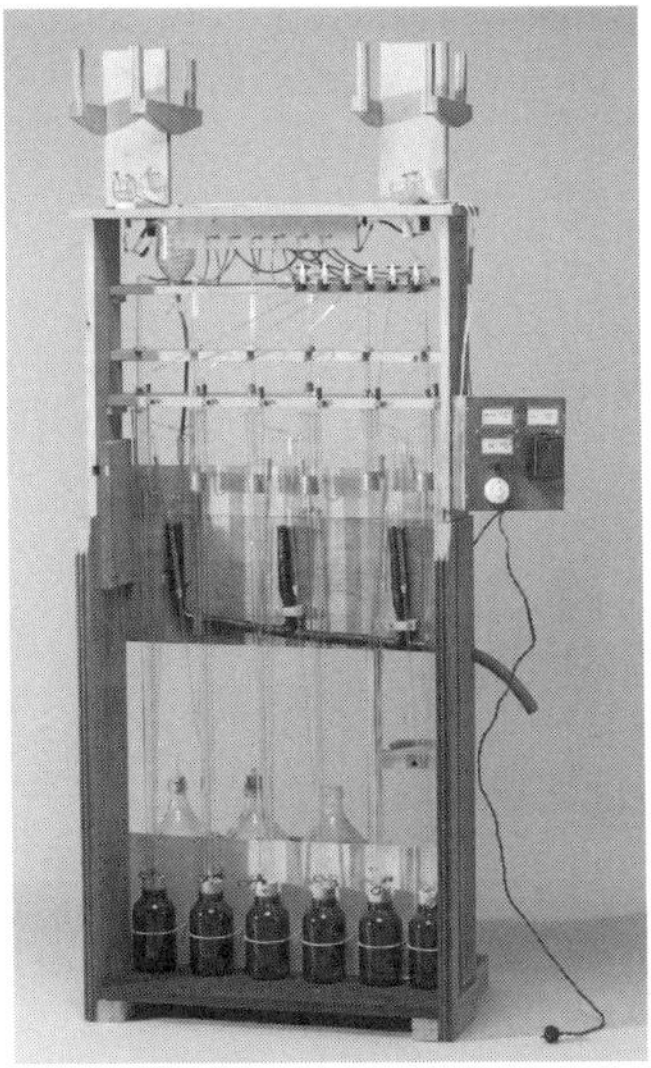

ペニシリンの連続抽出・生成のための装置のレプリカ。イギリス科学博物館のためにノーマン・ヒートリー博士が再現、1986年

然としているように見えるが、それでも装置は機能した。一二リットルのカビの「培養液」をわずか一時間で二リットルの有効なペニシリンに変えることができたのだ。

一九四〇年五月二五日、フローリーはペニシリンの効果を初めて実際に試験した。まず八匹のマウスを、連鎖球菌性喉頭炎その他の消耗性疾患の原因となる細菌に、意図的に感染させる。次に、そのうちの四匹に量を変えてペニシリンを与え、残りの四匹には何も与えない。正しいRCTではなかったが、結果は十分に印象的だったので、フローリーは自分がいいところに気づいたとわかった。対照の四匹はすべて死に、ペニシリンを与えられたマウスはみな生きていたのだ。

ホラー映画の逆再生のように

さらなる実験と実験技術により、ダン研究所チームはより純度の高い薬を生成できたので、ペニシリンを実際に人間の被験者で試すことにした。治験に参加してもいい――またはぜひ参加したい――患者を見つけるために、フローリーは若い研究者を送り込んだ。チャールズ・フレッチャーは探すべき場所を正確に知っていた。「当時、どの病院にも敗血症病棟があった」とフレッチャーはのちに書いている。急性感染の初期治療は、ただ包帯を巻くだけだった。「ほかには何もなかった。この病棟に来る患者の約半分は死亡した[*7]」

フレッチャーはすぐに近くのオックスフォード病院で、理想的な症例を見つけた。抗生物質前の時代にあった、ごく小さなすり傷から始まるグロテスクな感染症を思い出させる症状だ。アルバート・アレグザンダーという警官が、庭いじり中にバラのとげで顔にひっかき傷をつくってしまった。そのときはちょっと不快な程度だったが、傷の表面下で、もとは庭の土に棲みついていたブドウ球菌が増殖し始めた。二月までに感染症は全身に広がり、細菌のせいで左眼を失明した。フレッチャーによると「彼は激しい痛みに苦しみ、哀れなほどひどく具合が悪かった」。ヒートリーが病院にアレグザンダーを訪ねた日の夜、彼は日記に書いている。「彼のあらゆる場所から膿が出ていた」[*8]。感染症と闘うための特効薬がなければ、アレグザンダーは数日ではないにしても数週のうちに死ぬことは明らかだ。

フローリーとダン研究所の同僚は、アレグザンダーが治験にぴったりだと判断した。一九四一年二月一二日、アルバート・アレグザンダーはペニシリン二〇〇ミリグラムを投与された。それから三時間ごとに一〇〇ミリグラムを与えられる。当時の病院であれば、これほど重篤な患者に対処する場合には、おおざっぱにその二倍以上の量を与えただろう。しかしフローリーは、薬の適正な量を推測しながら治療を進めていた。なにしろ、初めてペニシリンで治療される人間なのだ[*9]。どのくらいの量が有効で、どのくらいの量が死を招くのか、誰も知らない。

しかし、ほどなくフローリーの経験にもとづく推測が正しいとわかった。数時間のうちに、アレグザンダーは回復し始めたのだ。その様子はまるでホラー映画を逆再生で見ているかのようだった。目に見えて崩れつつあった男性の体が、突然、元にもどっていく。体温は平熱の範囲に下がり、数日ぶりに視力が残っている右眼が見えるようになり、頭皮からしたたっていた膿は完全に消えた。

アレグザンダーの症状が改善するのを観察しながら、フローリーとダン研究所の同僚は、自分たちがまったく新しいものを目にしているのだと気づいた。「チェーンは興奮して踊っていた」とフレッチャーはその重大な日について書いている。「フローリーは控えめで静かだったが、それでもこのすばらしい臨床例にわくわくしていた」。細菌と人間の長い共進化の駆け引きで初めて、人間は細菌を殺す確かな手法を考え出した。手を洗ったり、上水道を浄化したりするのでなく、感染した人が摂取すると、血流で全身に広がって殺し屋の微生物を攻撃する、新しい化合物を設計する手法である。ワクチンは人の免疫系を始動させることで病原体を撃退した。公衆衛生は、外部に免疫系を構築することで、それをやってのけた。しかしペニシリンは新しい技だった。独自の病原体を殺す力をもつ化合物をつくるのだ。

ところがダン研究所チームの才能をもってしても、生産規模の問題は解決できなかった。それどころか、ペニシリンの供給がきわめて限られていたので、アレグザンダーの尿に排出された化合物を再利用するという手段に訴えた。それでも二週間の治療後、薬は使い果たされた。アレグザンダーの状態はすぐに悪化し、三月一五日、この警官は亡くなった――バラのとげのひっかき傷で命を落としたのだ。しかし、たとえ一時的でも彼が目覚ましく回復したことで、ペニシリンは命にかかわる細菌性感染症を治せることがはっきりした。答えが出ないまま残されたのは、効果を上げるのに十分な量を生産する方法である。

カビとトウモロコシのすてきな関係

生産規模の問題を解決するために、ハワード・フローリーはアメリカ人に頼った。ロックフェラー財団の先見の明あるリーダー、ウォーレン・ウィーヴァーに手紙を書き、ダン研究所の有望な新薬について説明したのだ。ウィーヴァーはその発見の重要性を認め、ペニシリンとフローリーとヒートリーをアメリカに呼び寄せる手配をした。ロンドン大空襲で混乱したイギリスから遠く離れて研究を進めるためである。フローリーとヒートリーは七月一日、『カサブランカ』【訳注：ドイツの侵略を逃れようと多くのヨーロッパ人が中立国のポルトガルからアメリカに亡命しようとした時代を描く映画】のワンシーンのように、リスボンからパンアメリカン航空の大型旅客機に乗った。世界に供給するための重要なペニシリンのタネを入れて鍵をかけたブリーフケースをもって。

アメリカに着くとチームはさっそく、イリノイ州ピオリアにあった農務省の北部研究所に、研究室を立ち上げた。プロジェクトはすぐにアメリカ軍の支援を引き込んだ。当然のことながら軍としては、過去の戦争で大勢の兵士の命を奪った感染症から軍を守ってくれる特効薬が、喉から手が出るほどほしかった。まもなく、大量生産に関する専門知識を考慮して、メルクとファイザーをはじめとするアメリカの製薬会社数社も、プロジェクトに協力を求められた。フローリーとヒートリーにとって、ピオリアはプロジェクトの遠い前哨基地のように思えたかもしれない。なにしろ彼らはそれまで、ロンドンとオックスフォードの緊密な知的ネットワークのなかで、目標に向かって前進していた。しかしピオリアの施設は理想的な環境であることがわかった。農業科学者はカビや土壌ベースの微生物について、広範な専門知識をもっている。そしてその拠点の場所にはひとつ重要なメリットがあった。トウモロコシ生産地に近かったのだ。農務省研究所の研究者は、コーンスターチを製造するときに出る不用な副産物、コーンスティープリカーの発酵力を研究していた。そしてカビはコーンスティープリカーの大樽で盛んに増えることがわかった。

チームは規模の問題に二つの角度から取り組むことにした。まず、ヒートリーがオックスフォードの実験室で開発したみごとな技術的アプローチを推し進め、コーンスティープリカーで増やした最初のカビから、最大量のペニシリンを生産する新しい装置を構築する。しかし、自然界には急速培養に適したほかのペニシリン株があるかもしれないとも、彼らは考えていた。アイオワの農学者は、ふつうの土壌にはアルバート・アレグザンダーの命を奪ったブドウ球菌のような細菌と、そうした細菌の脅威を食い止める防御力を進化させた、フレミングの最初のカビのような微生物の両方が、たくさんいることを知っていた。ヒートリーの装置で効果的にカビを育てようと試みて、何カ月も無駄にする可能性がある一方で、大量生産にはるかに適した微生物が、どこかの土のなかにいるかもしれないのだ。

そういうわけで、アメリカ政府が世界史上最も壮大な「干し草の山で一本の針を探す」作戦を開始することになった。この場合の針は裸眼には見えないかもしれないカビであり、干し草の山は地球上のあらゆる場所の生きている土壌だ。連合国の兵士が第二次世界大戦の象徴とも言える著名な戦いに挑んでいるあいだ、大勢の兵士が静かに別の任務を世界中で遂行していた。その任務は見たところ、軍事行動というより幼稚園の休み時間のようだった——文字どおり、地面を掘り、土のサンプルを集めて、調査のためにアメリカの研究所に送るのだ。そうした探検隊のひとつが持ち帰った生物が、世界中で最も広く使われている抗生物質、ストレプトマイシンの基礎原料になり、一九四八年のオースティン・ブラッドフォード・ヒルによる先駆的な無作為化対照試験の基盤になった。戦争直後の数年間、ファイザーのような製薬会社は、地球上の隅々で土壌サンプルを探す大規模な調査任務を続行した。ファイザーの化学者によると、同社は「墓所からも土壌サンプルを取った。私たちが空中に飛ばした風船は、風で運ばれる土壌サンプルを集めた。私たちは坑道の底からも……海底からも土壌を手に入れた」[*10]。そして一三万五〇〇〇という膨大な種類のサンプルが集められた。

腐った果物を買う女

ピオリアでは、チームがペニシリンの別の株を独自に探していた。一九四二年の夏、地元の食料品店で買い物する人たちは、生鮮食品の通路に妙な人がいることに気づき始めた。若い女性が並んでいる果物をじっくり調べ、目に見えて腐っているものを選んで買う。店主やレジ係には変わった客に思えたにちがいないが、じつは彼女は、戦っている連合軍兵士数百万人の生死にかかわる重要な極秘任務に就いていた。彼女の名前はメアリー・ハント。彼女はピオリア研究所の細菌学者で、使われている既存の株に置き換わるような有望なカビを見つける仕事を課されていた（その異常な買い物習慣のせいで、やがて彼女はモルディー《かびの》・メアリーと呼ばれるようになった）。ハントが見つけたあまり食欲をそそらないメロンに生えていたカビが、ヒートリーとダン研究所チームが試した最初の株よりはるかに繁殖力が強いとわかった。[*11] アレクサンダー・フレミングが最初に発見したことから、ペニシリンの話はふつう、たまたま新しいアイデアに巡り合い、その新しい組み合わせに好奇心をそそられるような感受性の強い人物の事例として語られる。しかしペニシリンの勝利は偶然の発見だけでなく、計画的な調査の物語でもある。メアリー・ハントが腐ったメロンを探していたのは、細菌を殺すカビが潜んでいるかもしれないと考えたからであり、連合国の化学者チームはみな、そのような発見が戦争に役立つ可能性があると確信していたからだ。

そして彼らはみな正しかった。現在使われているペニシリン株はほぼすべて、ハントがそのメロンで見つけたコロニーの子孫である。

製薬会社の先進の生産技術に助けられて、アメリカはまもなく安定したペニシリンを、世界各地の軍病院に配布するのに十分なほど大量生産していた。一九四四年六月六日、連合軍がノルマンディーの海岸に上陸したとき、彼らは武器と一緒にペニシリンも携えていた。

抗生物質が開いたいくつもの扉

重要なイノベーションにはよくあることだが、正確にいつペニシリンが発明されたのかを、確信をもって言うことはできない。その疑問に対する答えは、年表の一時点ではなく一定範囲である。唯一言えることは、抗生物質という特効薬が、一九二八年より前には真の意味では存在しなかったが、一九四四年半ばには世界中で効力を発揮するようになっていて、週に数千の命を救い、枢軸軍と戦う連合軍に静かだが決定的な強みを与えていたということである。実際、散らかった研究室にいるうっかり博士がその革命の端緒を開いたのだが、医療をはじめイノベーションの歴史には、そのような話がたくさんある。ペニシリン革命の何がちがうかというと、雑然とした研究室から出た洞察が、大量生産まで進展したスピードである。そのおもな立役者は、アメリカ軍と民間製薬会社の規模の力だった。化合物そのものは、ペニシリンが世界に広まるために発見され精製されなくてはならないものだったが、その発見を共有して拡大する新しい道筋が考え出されたことも、同じくらい重要だった。フレミングの研究室からダン研究所へ、ピオリアへ、そしてノルマンディーの海岸へという道筋だ。

結局のところ、その革命の影響は何だったのだろう? ペニシリンの発見とその後継の抗生物質(そのほぼすべてが、一九四二年にフローリーとヒートリーが初めて試験に成功してから二〇年以内に開発された)は、世界中の何十億ではないにしても、何億もの命を直接救った。フレミングがあのペトリ皿を風雨にさらしたまま放置する前、結核はアメリカの死因第三位だったが、いまでは五〇位以内にも入っていない。感染症を撃退する抗生物質の不思議な力は、新しい治療法の扉も開いた。命にかかわる感染症にとても弱い臓器移植のような根治手術が、はるかに安全になり、医療の主流になることができたのだ。抗生物質革命は、医薬品の歴史でも重大な分岐点になった。こうした特効薬のおかげで、医薬品はついにマキューーンが主張する暗い束縛から解き放たれた。ペニシリンより前の新薬で健康状態を改善したものは、パウル・エールリヒの梅毒に対する最初の「特効薬」だったサルバルサンや、糖尿病のためのインスリン注射、一九三〇年代のサルファ剤など、ごくわずかだったが、抗生物質は病気と感染症に対する前代未聞の防衛線を築いた。第二次世界大戦後の平均寿命の延びは、公衆衛生機関と低温殺菌牛乳だけでなく、薬がついにただのプラセボ効果以上に有益なものを提供するようになったおかげでもあった。病院はもはや、包帯と効果のない慰めしか与えられない、人が死ぬために行く場所ではない。日常的に行われる外科手術が、命にかかわる感染症を起こすことはめったにない。抗生物質が生まれてから数十年のあいだに、ほかにも新しい形式の治療法が生まれた。たとえば、心臓病を治療するのに使われるスタチンとＡＣＥ阻害薬、ある種のがんを治すと期待できる新しい免疫療法だ。薬に関しては、世界中の土壌サンプルからカビを抽出するという、第一世代の抗生物質探求の特徴だった偶然の発見モデルは、しだいに新しいアプローチに入れ替わっている。「合理的薬物設計」とも呼ばれるもので、新しい治療化合物は、コンピューターを使って、ウイルスその他の病原体の表面にある分子受容体の知識にもとづいて設計される（過去二〇年で何百万もの命を救ったエイズのカクテル療法は、合理的設計アプローチの最初の勝利に数えられる）。いかさま治療薬は市場に残っているが、信頼できる製薬会社によって売られている商品のほとんどは、実際に広告どおりの働きをする。ふつうに予想されるより長い時間がかかったが、ペニシリンとそれに続くさまざまな抗生物質を武器に、今日の医療従事者はついに、病気を予防するだけでなく治す能力を身につけたのである。

ペニシリンの発見と拡大の話から、私たちが分野の垣根を超えて交流するのは、コムギの品種を交配するのと同じ理由だとあらためて思い知る。より活発になり、より多産になるからだ。ペニシリンの年表で一九二八年から四二年に到達するのに、何が必要だったのか？　乱雑な作業場、土壌の研究者、食料品店、コーンスティープリカーの大樽、そして軍の組織が必要だった。化学者と工業技術者が必要だった。そしてそうした役者たちはみな、レンズメーカーと織物産業と一九世紀の農家によって始められた、見識と技術に頼っていた。ネットワーク全体をこのようにとらえると、ノーマン・ヒートリーの奇抜な装置のように思える。ありえないような人たちをつなぎ合わせた鎖だ。顕微鏡をのぞきこむ天才という古典的な展開ほどわかりやすい物語ではないが、ペニシリンほど変革力のあるものが日常生活の一部になるまでの経緯の説明としては、これがより正確なのである。

ナチスの誤算

理由はもっともだが、医療でもそうでなくてもイノベーションの歴史は、ペニシリンや天然痘ワクチンのような、重大な並はずれたブレイクスルーを中心に整理される傾向がある。しかし、特定のブレイクスルーが、ある社会で生まれなかった理由を調べるのが有益な場合もある。なぜナチスは原子爆弾を開発できなかったか、そしてもしできていたらどんな結果が考えられるかという疑問は、長年にわたって何度も検討されてきた。しかし同じくらい興味深いのは、なぜ彼らがペニシリンを開発できなかったのかという疑問だ。

ひとつの要因は、ドイツがスルホンアミド（サルファ剤）と呼ばれる薬に投資したことかもしれない。一九三七年の事件で多くのアメリカ人の命を奪った、抗生物質の先駆けである。サルファ剤はもともと、ドイツの化学医薬品複合企業IGファルベンで、一九三〇年代初めに開発されていた。サルファ剤は細菌性感染症と闘えたので、連合軍はペニシリンが導入される前、袋入りサルファ剤を携帯していたが、細菌はこの薬への耐性を獲得しやすく、薬そのものが毒にもなりかねない。しかしドイツはおそらく発見に対する国家主義的プライドに支えられて、すでにスルホンアミドの大量生産に深くかかわっていた。そのせいで、ほかの代案を研究しにくくなっていたのかもしれない。原子爆弾と同様、科学者の頭脳流出は連合軍にとってさらなる強みになった。その多くが戦争への気運が高まるあいだに逃れたユダヤ人で、とくに顕著な例がエルンスト・ボリス・チェーンである。ドイツに残った化学者の多くは、命を救う薬よりも、ユダヤ人全滅計画を実行するための毒ガス開発に重点を置いていた。

さらなる要因のひとつは、まちがいなく、アメリカ側のプロジェクトを守っていた秘密主義だ。フレミングの最初の研究は、オックスフォードでのブレイクスルーの一部とともに公的記録にあったが、チームがピオリアで重大な進歩をとげ始めたころには、アメリカ政府は、その特効薬がナチスに対する戦略的優位になりうることに気づいていた。真珠湾攻撃の一二日後、ルーズベルト大統領は検閲局と呼ばれる戦時の非常事態に備える機関を設立し、敵への情報の流れを監視する――そして必要ならば妨げる――任務を与えている。その後の歴史で検閲局の最も有名な活動は、マンハッタン計画の極秘サポートだった。しかしルーズベルトが局を設立した翌日、ピオリアのチームは

「［ペニシリンの］生産と使用に関連する情報はすべて厳しく制限されなくてはならない」と通知されている。[*12]

ナチ政権はたしかに薬の大量生産を試みていた。ヘキスト染色工場の数人の研究者チームが、一九四二年にこの薬を調べ始めたが、そのプロジェクトはピオリアでの開発にはるかに遅れをとっていた。ヘキスト社は一九四四年末まで、実験室での少量生産から工場生産に切り替えることができなかった。ヒトラーと副官たちは、薬の潜在的メリットに気づいていたようだ。一九四五年三月にベルリンからヘキスト社へ送られた電報は、彼らが一日何トンのペニシリンを生産できるかの報告を求めていた。その段階でも、その要求は妄想にもとづいていた。ヘキストの化学工場はそのレベルの生産能力とはかけ離れていたのだ。そして電報が届いてからわずか数日後、ヘキスト染色工場は連合軍の兵士に占拠され、ナチスの遅ればせながらの特効薬開発に終止符が打たれた。

アメリカ兵捕虜に救われたヒトラー

ペニシリンと第二次世界大戦の物語には興味深い余談がある。一九四四年七月二〇日、連合軍のノルマンディー上陸から一カ月あまりたって、ヴォルフスシャンツェ軍司令部の会議室に仕掛けられた爆弾がヒトラーを暗殺しかけた。爆発でヒトラーは切り傷、すり傷、そしてやけどを負う。その傷に、爆発の直撃から彼を守った会議室のテーブルから飛び散った木の破片が入り込んだ。二年前にプラハでラインハルト・ハイドリヒを死なせた感染症のリスクを思い出し、ヒトラーの医師テオドール・モレルは、彼の傷を謎の粉で手当てした。日誌にモレルはヒトラーを「患者A」と記しており、七月二〇日夜の書き込みは次のとおり。

「患者A　点眼薬投与、右眼に結膜炎。午後一時一五分、心拍七二。午後八時、心拍一〇〇、正常、強い、血圧一六五〜一七〇。けがをペニシリン粉末で治療[*13]」

モレルはどこでこのペニシリンを手に入れたのだろう？　一九四四年七月、ヘキストの研究所は小規模な生産さえほとんど始めていなかったし、彼らがつくっていた薬がその段階で有効かどうかさえ不明だった。しかしモレルは別のところから特効薬を調達できた。アメリカ兵の捕虜が携帯していた二、三本のアンプルが、ドイツ人外科医によってモレルに送られたのだ。七月二〇日の爆弾事件のあと、別の医者がモレルに、爆風で重傷を負った別のナチ党員を治療するために、盗んだ抗生物質を使ってほしいと懇願したが、モレルは拒否した。おそらく、高品質のペニシリンを総統のために取っておいたのだろう。ハイドリヒの命を奪ったのと同じような致命的な感染症にヒトラーがかかっていたとしたら、そのあとの出来事はどうなっていたか、想像することしかできない。戦争は実際より数カ月早く終わっていたことはほぼ確実だ。しかし推測がどうであれ、モレル医師の日誌からは、ペニシリンを大衆にもたらした国際的なネットワークの物語の皮肉な展開が読み取れる。フレミング、フローリー、チェーン、ヒートリー、メアリー・ハント――全員が、ナチスドイツに対する連合国の勝利を助けるのに欠かせない役割を果たした。そして彼らはヒトラーの命も救ったのだ。

第7章 卵を屋上から落としても割れないようにする方法

自動車と労働の安全

自動車事故で死亡した最初の人物

一八六九年八月三一日、アイルランドの貴族で科学者のメアリー・ウォードが、夫といとこと一緒に、アイルランド内陸にあるオファリー県の田舎道をドライブしていた。彼らが乗っていたのは自動車の前身である蒸気動力車の試作品だ（彼女のいとこの息子たちがみずから製作したもの）。そんな向こう見ずなことをするのは、いかにもメアリー・ウォードらしい。当時の性役割の因習などものともせず、彼女は自力で天文学者とサイエンスライターとしてのキャリアを築き上げていた。さらに、その時期に出ていた新しい精巧な顕微鏡を使うのも、とりわけうまかった。その顕微鏡は新しいガラスレンズを装備し、微生物の隠れた生態系全体を明らかにしつつあった。そして彼女はアーティストとしても名人級だった。顕微鏡で発見したものを精緻に描き、その絵を目玉にした本を何冊か出版していたのだ。

メアリー・ウォードは、一八六九年八月のその日より前に何年も、注目すべき道を歩んでいた。もし長生きし、眠っているあいだに亡くなっていたら、科学者として――そして科学を世に広めた人として――の業績で記憶されていただろう。女性の科学者がそのような業績を勝ち取るのが難しい時代だったのだ。しかし実際にはおもに、その称賛すべき人生がいかにして幕を閉じたかという点で記憶されている。

ウォードたちが乗っていた扱いにくい蒸気動力車は、現代人が見て感心できるようなものではない。この技術は当時の業界用語で道路機関車と呼ばれていた。小さな汽車が（馬なし）馬車の後ろに取りつけられた、半人半馬の怪物のような外観だ。運転手と乗客は最前部にすわり、レバーで車輪をコントロールする。いまの私たちには動かしにくいように見えるが、先行していた技術を考えると、そこにはもっともな必然性がある。蒸気機関は鉄道によって旅に革命を起こした。次の未開拓分野は、既存の道路網でまちがいなかった。そのため、その世代の技術者はこぞって、小型の蒸気機関を駆動車に搭載し、田舎を疾走させ始めた。

とはいえ、疾走は言い過ぎかもしれない。その乗り物の最高速度は時速一六キロ程度で、この技術をなんとか把握していたほとんどの地方条例は、時速八キロを超えることを運転手に禁止した。しかしそんな低速度でも脅威になるくらい、道路機関車は重かった。のちの証言によると、一八六九年八月のその日、メアリー・ウォードを乗せていた車は時速七キロも出していなかったと推定されている。しかし、一行がパーソンズタウンの教会に近い急カーブを回ったとき、突然の激しい揺れでウォードは座席から振り落とされ、車の後輪が彼女の首を踏み潰した。夫といとこが車から飛び降りて見ると、彼女は耳と口と鼻から血を流し、けいれんを起こしている。そして数分のうちに彼女は息を引き取った。

翌日、地元紙は彼女の死を悼む記事を掲載した。「重い沈鬱が町を覆い、こんなに早く逝った教養ある有能な女性の夫と家族に、誰もが弔意を表している」。[*1] イングランドとアイルランド中の新聞に、事故に関する速報が「貴婦人が事故で死亡」や「貴婦人が非業の死をとげる」のような見出しで掲載された。こうした記事の読者は知らなかったが、メアリー・ウォードを筆頭に、同じ根本的原因による死者のおそろしく長いリストができ上がることになる。死因は最終的に首の骨折だと検視官が断言し、陪審はその死は事故だと言明した。しかし彼女の死を首の骨折のせいだとするのは、コレラによる死を下痢のせいだとするようなものだ。厳密には事実だが、真の元凶はほかにある。メアリー・ウォードは機械に殺されたのだ。彼女は自動車事故で死亡した最初の人物とされている。

その時期、死亡報告に利用されていた既存のカテゴリーを考えると、メアリー・ウォードの死は事故に分類されるだろう。しかしすぐに公衆衛生局は、新たにもっと具体的な区分を導入しなくてはならなかった。自動車による死亡だ。二〇世紀半ば、医薬品がようやく真に人命を救うものに成熟しつつあったのと同じころ、人びとはみずからつくり出した新しい脅威によって、命を縮められるようになった。ヘンリー・フォードがモデルTを発明していたときには、結核がアメリカの死因第三位だった。しかし一九五〇年代初め、抗生物質が大衆に届くころには、完全に人間がつくり出した自動車の脅威にその順位を譲っていた。

鉄道事故で死にかけたディケンズ

平均寿命倍増の物語の大半は、致死的なウイルス、細菌への感染、飢餓など、人びとが何千世紀も直面してきた脅威に対する勝利の話だ。しかし一九世紀から、まったく新しい種類の脅威が出現した。闘うためには異なる解決策が必要になる。史上初めて、大勢の人が機械に関連する事故で死亡するようになったのだ。たしかに、人間の文化的イノベーションによって増幅される病気もあった。第3章で見たように、下水道がきちんと設計されていない人口密度の高い都市は、コレラの蔓延を許した。しかし工業化時代の機械による殺戮は異なるパターンをたどっている。蒸気力織機、鉄道機関車、飛行機、自動車など、特定の目的のために設計された一連のテクノロジーが、結果的に、思いがけない影響をおよぼした。やっかいなことに、こうした発明には使っている人の命を奪う傾向があったのだ。

機械に殺された最初の人物は誰だろう？　これに関して、歴史記録は定義によってあいまいだ。ライフルを機械と考えるのか？　大砲は？　投石器は？　けっして戦争のために設計されたのではない機械に初めて殺された人物は、おそらく、産業革命時代初期にランカシャーの工場で働いていた従業員だろう。当初は衝撃的な光景だったにちがいない。機械による事故では、それまで戦場でしか目撃されなかったようなすさまじい暴力に触れることになる。頭蓋骨が押しつぶされ、手足が切断され、爆発によって人体が認識できない生物の塊になってしまう。

自動車がそのような大量の死者を日常生活にもたらす前、最もわかりやすい機械による事故の原因は鉄道だった。新聞に掲載された初期の写真のなかには、鉄道の悲劇のむごたらしい光景があらわになっているものもあり、死者数が特大の活字で誇張されている。チャールズ・ディケンズは一八六四年に鉄道事故で死ぬところだった。最後の傑作『我らが共通の友』（ちくま文庫）を書き終えようとしていたときだ（客車から脱出したあと、彼は原稿を列車に置いてきたことに気づき、取りもどすために再びよじ登った）。その出来事は彼に生涯の傷跡を残したと言われている。

それでも乗客は運のいいほうだ。人間の雇用の歴史上、一九世紀半ばの鉄道労働ほど命の危険が大きい仕事はあまりない。毎年、機関士や制動手などいわゆる運転職の労働者——とくに車両の連結と切り離しにかかわる人たち——の一〇パーセント弱が、重傷を負っていた。この仕事にかかわる人は誰でも、人がただならぬ率で命を落としていることをわかっていた。ジョージ・ウェスティングハウスのような鉄道界の大物が、客車用エアブレーキなどの安全対策を導入する一方、イーライ・ジャニーは車両を自動的に連結する手法を発明した。しかしよくあることだが、部外者が注目するくらい問題に光を当てるには、統計学が必要だ。一八八八年、設立まもない州際通商委員会が、アメリカ国内の鉄道事故に関するデータを集め始める。最終的に彼らが公開した数字はあきれたものだった。鉄道労働者が労働災害で死亡する確率は一一七人に一人だったのだ。[*2]

このデータから直接生まれたのが、アメリカ史上とりわけ過小評価されている法律、安全装置法である。これで鉄道会社は、全列車に動力ブレーキと自動連結器を装備することを義務づけられた。すると一〇年とたたないうちに、国の介入の有効性は決定的になっていた。鉄道労働者の死亡率は半分に減ったのである。

現代人にとっては、安全装置《アプライアンス》法は人を洗濯機などの電気器具《アプライアンス》から守るために策定されたように思えるかもしれないが、職場の安全を向上させることを主目的とする初めてのアメリカの法律という意味で画期的なものだった。そして機械の脅威を減らすための法律が、何百もあとに続くことになる。

そのほとんどが、自動車を対象としている。

その時ジェームズ・ディーンは二四だった

二〇世紀の自動車への熱狂のせいで、正確にはどれだけの人命が犠牲になったのだろう? 世界規模の数字を推定するのは難しいが、アメリカでは一九一三年以降、正確な記録がつけられている。車が運転されるようになってから一世紀ちょっとで、四〇〇〇万人以上が自動車事故で死亡している。独立戦争までさかのぼるあらゆる戦争で亡くなったアメリカ人の三倍が、自動車で亡くなっているのだ（この数字は自動車が死者数に与えた影響を少なめに見積もっている。車中心文化の副作用である大気汚染や鉛中毒の環境への影響を入れていない）。

戦争用に設計されたものも含めて、二〇世紀の発明で、自動車に匹敵する死者数を出しているものはあるのか？　原子爆弾で一〇万人が即死した。飛行機の墜落事故すべてを合わせても死者は数万人だ。ヒトラーのユダヤ人全滅計画の最盛期にチクロBとガス室が殺した人数は、同じ時期の自動車による死者をはるかに上回った。しかし世紀全体で考えると、大量殺人鬼として自動車に匹敵するのはマシンガンだけである。

自動車による死亡が平均寿命に与える影響がとくに強いのは、若い人の死者が多いからだ。その死者数がどれだけ甚大だったかを示す方法のひとつは、五〇歳になる前に自動車事故で亡くなった有名人が、どれだけたくさんいるかに注目することだ。ミュージシャンのハリー・チェイピン、マーク・ボラン、エディ・コクラン。ダンサーのイザドラ・ダンカン、作家のマーガレット・ミッチェル、アルベール・カミュ、ナサニエル・ウエスト。大きく報じられる事故では王族も悲劇的に早世しており、とくに有名なのはベルギーのアストリッド王妃とイギリスのダイアナ公妃だ。ビル・クリントンとバラク・オバマの父親は二人とも、若いときに自動車事故で亡くなった。車の衝突事故は、俳優のジェーン・マンスフィールドとポール・ウォーカーの命も奪った。最も広く一般大衆の反響を呼んだ自動車事故死は、一九五五年のジェームズ・ディーンの死である。中央カリフォルニアのとある交差点で、彼のポルシェ・スパイダーがフォード・チューダーと衝突し、彼は二四歳でこの世を去った。

ディーンが亡くなったとき、ほぼすべての自動車メーカーは、製品に最低限の安全機能しか搭載していなかった。シートベルトは実質的に存在せず、あってもほとんど着用されなかった。朝顔型ハンドルやバンパーは前例がなく、エアバッグとアンチロックブレーキシステムはまだ発明されていなかった。一九五五年に最も売れたファミリーカーのシボレー・ベルエアには、ヘッドレストも、バックミラーも、ダッシュボードの緩衝材も、シートベルトもなかった。それでも、州間高速道路法の制定と戦後の好景気が意味するのは、何百万というアメリカ人が衝突したらほぼ命取りの車で、ふつうに高速道路を移動していたということだ。自動車産業はほとんど例外なく、増加する死者数にはお手上げだとあきらめていた。自動車による大勢の死亡は避けようがない、と彼らは主張する。単純な物理学だ。衝突で生じる力はあまりに大きく、人間の体はあまりに弱い。

信号や制限速度など車外のイノベーションにより、車が走り始めたころにくらべれば、衝突事故で死亡する確率は低くなっていた。一九三五年、アメリカでは走行距離一〇万マイル（一六万キロ）につき一五人が死亡していた。ジェームズ・ディーンがポルシェ・スパイダーで亡くなったころには、致死率はその半分になっていた。しかし車そのものの設計を変えることによって、その数字をさらに減らすという考えはまったく話題にのぼらなかった。自動車メーカーは新しい安全性のイノベーションを発明しようと悪戦苦闘していたが、まだ見つけ出せていなかっただけだ、というわけではない。限界は技術ではなく考え方にあった。彼らは、金属の入れ物に乗って時速八〇キロで移動することは、とにかく根本的に危険なのだと確信していた（この点で自動車メーカーは、一九世紀に新しい工業都市の死者数を調べ、その人口密度でその規模の都市は根本的に健康に悪いと結論を下した、悲観主義者とあまり変わらなかった）。その行き詰まりから抜け出すのに必要な最初のブレイクスルーは、機械の発明ではなく、時代の死角を別の角度から見る方法だった。求められたのは問題への解決策ではなく、もっと基本的な転換、つまり、そもそも問題は解決できるという信念だ。

その信念を早くに受け入れた人物のうち最も重要なのは、ブルックリン生まれのパイロット兼技術者かもしれない。彼は車の安全性の問題に対する革命的な視点を、自身が命を失いかけた経験によって獲得することができた。彼は飛行機で空から落ちたのだ。

飛行機事故生存者のアイデア

一九一七年のある日、当時二二歳の操縦練習生だったヒュー・デヘイヴンは、士官候補生として所属していたカナダ航空隊の監督のもと、テキサスで空中射撃訓練のために飛び立った。ところが訓練中に何かひどくまずいことが起こり、デヘイヴンの飛行機は訓練に参加していた別の飛行機と衝突してしまう。デヘイヴンは重度の内臓損傷を受け、墜落事故に巻き込まれたほかの人はみな死亡した。事故後、回復に至るまで何カ月もかかったが、その間、デヘイヴンは、その墜落事故に遭った人々の〝結果〟が人によって異なっていたことについて長々と考えていた。[*3] なぜ彼は助かったのか？　もっと霊的なものに傾倒している生存者なら、何らかの神の介入が働いたのだと思い込んだかもしれない。しかしデヘイヴンの頭になかには現実的な説明が存在していた。飛行機の設計の何かが自分を守ったのだ。

事故で軍隊での経歴を断たれ、デヘイヴンは発明を生業とすることにした（新聞の大量梱包用の装置で特許を取り、三〇代半ばで財を築いた）。しかし、テキサスでの事故に関する何かが、つねに心の隅に引っかかっていた。飛行機でも列車でも自動車でも、あらゆる乗り物の死亡率についての根本的真実を、彼はとらえていた。その真実とは、乗り物の構造が乗員をどう包み込んで守るのか、その方法が、高速衝突事故の死亡率に劇的影響をおよぼすということだ。デヘイヴンはそれを「パッケージング」と呼んだ。ある方法で飛行機のコックピットや車の車台をつくると、乗員は衝突事故で死亡する。しかしそのパッケージを別の方法で守ると、乗員は生き残る。

一九三三年、デヘイヴンは二回目の機械による事故を経験し、それが彼のキャリアを決めた。すさまじい自動車衝突事故で、ダッシュボードのつまみが運転手の頭蓋骨に穴を開けた。この二回目の機械による暴力との遭遇から、どんな外傷後ストレスを経験したにせよ、彼は自分のパッケージングのアイデアを試して磨くことに注力することにした。

まずは卵だ。デヘイヴンは自宅のキッチンを墜落衝撃実験室に変えて、床に気泡ゴムのシートを何枚も並べた。そしてさまざまなレベルの気泡に、高さ三メートルから卵を落とし、どの素材なら卵が衝撃で割れるのを防げるかを記録していく。やがて、キッチンの天井の高さでは実験に制限を感じるようになってきた。そこで彼は、地面に落ちたときの衝撃の力を減らすように設計された、実験的パッケージに入れた卵を建物から落とし始める（現在、多くの高校物理学の授業で、デヘイヴンの最初の研究にもとづいた卵落とし競争が行われている）。一九四〇年代には、一〇階建てのビルの屋上から、殻を割らずに卵を落とすことができるようになった。

デヘイヴンは卵落とし実験と並行して自動車事故の報道記事を集め、とくに誰かが高速衝突を生き延びた事例に注目した。さらに、人が三〇メートル以上の自由落下を奇跡的に生き延びた、自殺未遂や落下事故の話も収集して整理した。こうした衝突の物理学を計算し、最終的に人間の体は、地球上の通常の重力の二〇〇倍強い重力加速度がかかっても生き残れると、結論づけた。乗客がハンドルに突き刺さらないようにすることができたら、あるいはフロントガラスから飛び出さないようにすることができたら、高速事故は死の宣告になるとはかぎらない。デヘイヴンはこの研究を論文「高さ一五メートルないし四五メートルから落下して生存することの力学的分析」にまとめ、一九四二年に発表した。論文は主として、まさかの自由落下生存者がいた八つの事例に注目し、それぞれの状況、けが、作用した重力加速度に言及している。

女性が一七階から飛び降り、「デッキチェア」のような姿勢で四三メートル落下し、幅六一センチ、高さ四六センチ、長さ三〇〇センチの金属製の箱形換気装置の上に落ちた。彼女の落下の力で、その箱は深さ三〇ないし四六センチまでめり込んだ。両腕と片脚が箱からはみ出ていたので、結果的に両前腕と左上腕の骨が折れ、左足が重傷を負った。彼女は落下と着地を覚えている。頭に影響はなく、意識喪失もなかった。彼女は起き上がり、部屋に連れもどしてほしいと言った。腹部や胸郭内にけがの証拠は見つからず、レントゲン検査でほかの骨折もなかった。平均重力加速度は最小で八〇g、平均で一〇〇g。[*4]

デヘイヴンの論文はちょっと変わった読み物だった。ふつうならタブロイド紙の表紙にでかでかと「一七階から落ちた女性が無事！」と印刷されるような奇跡の生存の物語が、たんたんと事実にもとづいて詳細に語られている。表面的には飛び降り志望の人への助言に思えたかもしれないが、デヘイヴンは最後に究極の目的を明確にしている。

人体は、長軸に対して横に作用する重力の二〇〇倍の力に、短い間隔であれば耐えることができる。衝撃を減らして圧力を分散させる構造的対策は、飛行機や自動車の事故でかなり生存率を高め、負傷を軽くすることができるという推測は妥当である。[*5]

一般の車所有者が理解できる言葉に訳すと、デヘイヴンの意見は革新的だった。物理学によれば、時速八〇キロで別の車と衝突する車に乗っている人は、事故で死ぬ運命にはないというのだ。

適切なパッケージングがあれば、無傷で事故現場から歩き去ることができる。デヘイヴンの論文は新しい分野の端緒となった――負傷の科学だ。この分野の最近の専門家によると、デヘイヴンの論文は「衝突とその結果の負傷は不可避ではなく、むしろ予測でき、したがって回避できる事象である」という急進的な考えを導入したのだ。

デヘイヴンは卵と代数と新聞の切り抜きで主張を展開した。しかし社会通念を変えるには、別の種類の説得が必要なこともある。自動車の安全性の話で言えば、その好例はジョン・スタップ大佐である。彼は一時期、「地表最速の男」として知られていた。しかし自動車と飛行機の安全性に対するスタップの不朽の貢献が、急減速の物理学に対する理解を深めたことだと考えると、この異名はいくぶん皮肉である。彼はスピード狂として新聞ネタになったが、彼の真の遺産は、要は人間の体が減速したときにどうなるか、だったのだ。

「ロケットそり」での命がけの人体実験

一九四七年一一月一四日、当時三七歳でアメリカ陸軍航空医学研究所のプロジェクト担当官だったジョン・スタップは、軍医の年次総会で講演を行うために、ボストンのスタットラーホテルの大広間で演壇に立った。のちに「人間に対する急減速の力に関する人間工学の問題」と題する短い論文として発表された彼の講演は、軽視されがちであるものの科学史のなかできわめて重要な部類に入る。その講演で語られた内容は、新しい答えや説明を示すのではなく、探る価値のある新しい種類の問題を特定する試みであった。その問題は単純に言うと、数秒のあいだに時速一六〇キロからゼロになると、人体はどうなるかを解明しようとすることだった。スタッフによれば、これはまったく新しい種類の問題であり、最新技術の発展によって可能になったものだ。そして彼が話しかけていた聴衆は医師だったが、工学という視点から建設的にアプローチできる問題だと主張した。「現代の航空術が、人間に耐えられないほどの加減速を求めるようになるまで、人体の生理的・構造的応力分析の問題に応用できる工学について、医師には知識も関心もほとんどなかった」。講演の冒頭で、スタップはこのアプローチの課題を概説した。

人間工学者にとって、人間は細長くて柔らかい革袋であり、五〇リットルの線維性とゼラチン質の物質が詰まっていて、関節のある骨組みによる支えは不十分だ。この袋の上にあるのが、ゼラチン質の物質が詰まった骨の箱で、下方の革袋と、骨と繊維の組織からなるしなやかな結合部でくっついている。この不規則な塊の重心は、骨と繊維からなる骨組みから突出する四つの関節のある付属器の姿勢によって変わる。この機械のあらゆる部品に燃料と潤滑油を運ぶ柔軟な油圧装置は、中央ポンプで作動し、圧力耐性は低い。不規則な形、素材の多様性、そして構造のせいで……外からかかる力に対するこの機械の応力分析は、極度に複雑である。[*6]

その複雑さに対処するためには、五年前にヒュー・デヘイヴンの画期的論文を支えた卵落としと事例研究の先を行く必要があった。スタッフは目を輝かせて言った。「問題は単純ではない。被験者にマイクを結びつけて、ビルの各フロアから次々にエレベーターシャフトへと落として、その悲鳴の大きさが力の影響に比例していると推測するわけにはいかない」。代わりに航空医学研究所は新しい種類の技術を開発したのだ、とスタッフは説明した。人体模型だけでなく実際の人体に、飛行機が墜落するときの急激な減速を経験させて、応力分析を行う技術だ。彼らはそれを線形減速器と呼んだが、後継バージョンは別のもっと覚えやすい名前で呼ばれた。「ロケットそり」である。

それはぴったりな名前だった。その機械は事実上、固体燃料ロケットモーターを一人乗りのそりの後部にくくりつけたもので、乗客は通常、クッション張りのいすに背筋を伸ばしてすわり、縛りつけられる。その珍妙な仕掛け全体がでたらめな方向にそれないよう、正確に配向されたレールの上をすべる（車輪はついていない）。ブレーキ系はとても頑強なので、時速一九〇キロで動いているそりを、ほんの二、三秒で静止させることができる。スタッフが初めて航空医学研究所でつくった線形減速器のような初期のバージョンは、二〇〇秒で最高速度に達した。

スタップは設計者だっただけでなく、被験者として積極的にその装置に乗った。数年間で肋骨を何本も折り、二度手首を骨折し、一時的に失明した。しかし彼が乗るたびに、驚異的な重力加速度と闘うときの体のごく小さな変化を、大量のセンサーが律儀に記録する。それが応力分析の本質だった。十分に正確な衝突用の模型をつくれないなら、誰かがそのプロセスで応力を受けなくてはならない。だからこそスタップはとても興味をそそる人物なのだ。彼は応力と分析の両方を引き受けていた。

フォード社への助言

ジョン・スタップは現在、おもに一九五四年に初登場した装置への関与で記憶されている。ソニック・ウィンド1と呼ばれるロケットそりだ。一九五四年一二月一〇日、スタップはニューメキシコ州のホロマン空軍基地の高速試験軌道で歴史をつくった。ソニック・ウィンドに乗って最高時速一〇一一キロを出したあと、わずか一・四秒で命がけの急停止をしたのだ。[*7] このときのスタップの勇気を見くびってはならない。陸上を音速に近いスピードで移動して生きて帰ってこられるかは、まったくわからなかった。玉座のようなシートに、慎重に配置された拘束具で縛りつけられていたが、顔には何の防具も着けずに試験を行った。その約二秒の減速でジョン・スタップにかかった物理的力をとらえた画像がある。次ページの図表7-1の画像1と画像6の顔のちがいを見てほしい。ものの数秒で体重が二〇キロあまりも増えたかのように見える。彼の背骨と胴が驚異的

図表7-1

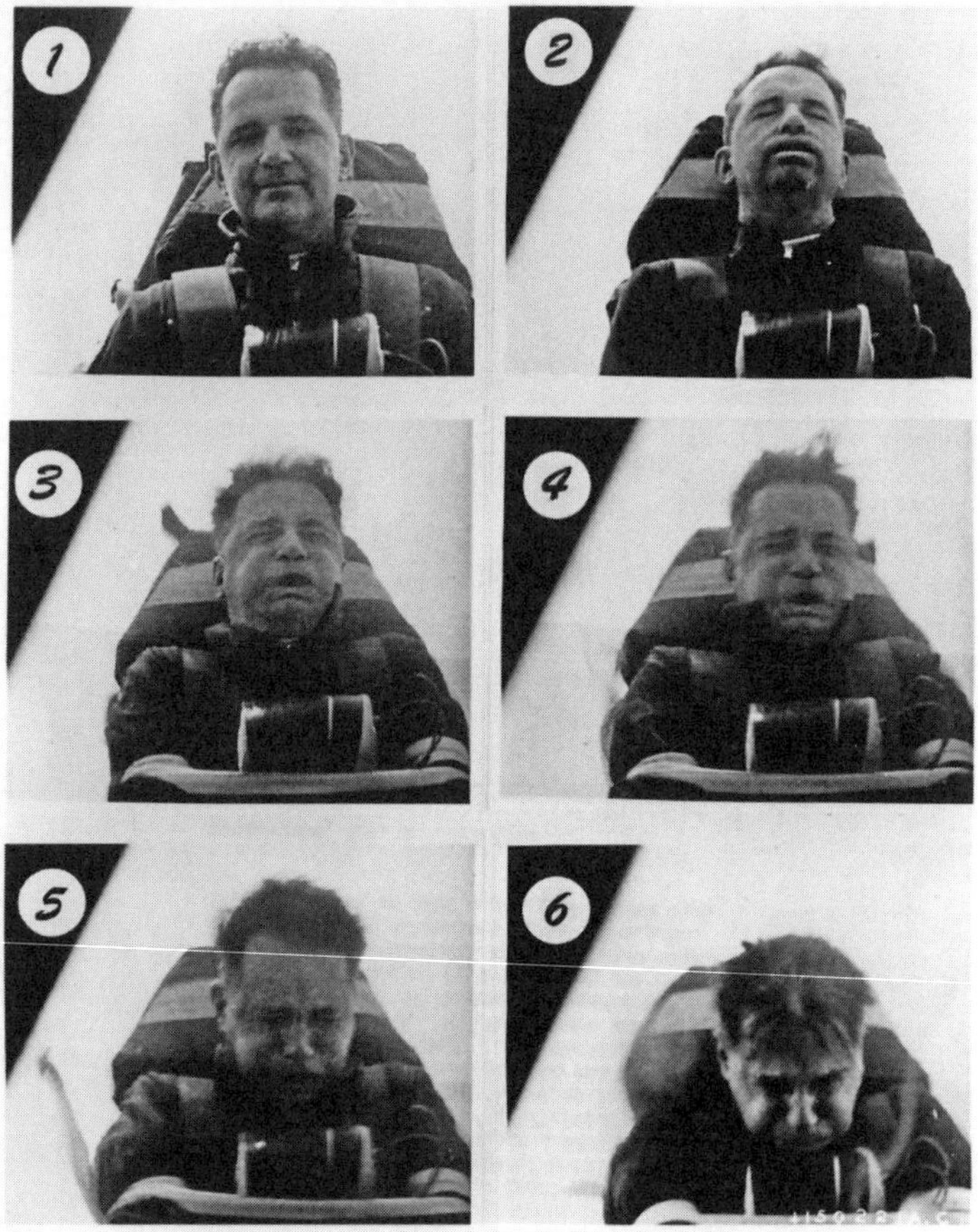

ジョン・スタップの減速試験

な速度で後ろに引っ張られると、「ゼラチン質の物質」すべてが前に押し寄せる。その最後の画像で、彼は二〇歳老けて見える。老化の物理現象というテープを、どうにかして標準よりはるかに高速で再生したかのようだった。

その速度に匹敵するスピードで陸上を移動した人間はいなかった。すぐさまスタッフは地上最速の男とうたわれ、その伝説的なソニック・ウィンド1搭乗の直後、当時アメリカメディアの頂点にあったライフ誌の表紙を飾った。その試験は公式には、航空医学の目的で考案されていた。空軍としては、パイロットが射出プロセスで経験する風速を考えると、超音速航空機に射出座席を用意することに意味があるかどうかを知りたかった。その疑問への答えは、先ほどの画像から見てとれる。決して快適ではなかったし、スタップはまた一時的に失明し、顔にはひどいあざができたが、試験が終わって彼は無事生還し、回復不可能なけがを負うこともなかった。彼はのちに回想している。「麻酔なしで臼歯を抜くような感じを、眼の中で感じた」[*8]。しかし彼は生き延びた。

次の一〇年に超音速で飛行することになったごくわずかな人たちにとって、それは朗報だった。しかし、従来型の移動手段を利用する大勢の人にとっても朗報だった。時速一〇〇〇キロからゼロまでものの数秒で急減速して、大きなけがを負わずにすむなら、時速一〇〇キロの衝突を生き延びることができるはずだ。スタップは空軍時代に、仲間の軍人には飛行機よりも自動車で死ぬ人のほうが多いことに気づいていた。そのため一九五五年五月、自動車産業にかかわる二六人をホロマン空軍基地に招き、作動中のロケットそりを見てもらい、その研究から得た教訓を自動車の安全に応用できる方法について話し合った。この会合は翌年も繰り返され、「スタップ自動車事故会議」は六〇年以上たってもなお、広範な自動車の安全性の専門家たちにとって、重要な業界の会合となった。

さらにスタップはフォード社に、一九五六年フェアレーン・クラウン・ヴィクトリアの設計について直接助言した。特別な「ライフガード」安全パックが目玉の車種である（当時のフォードの重役ロバート・マクナマラにとって、安全機能は情熱を注ぐべきプロジェクトだった。彼は当時、死者を減らすことに関心を示した数少ない自動車メーカーの重役のひとりだった）。自動車メーカーが初めて、自社製品のスタイルや馬力だけでなく安全記録で競おうとしていたのだ。クラウン・ヴィクトリアは、安全ドアラッチ、シートベルト、緩衝材入りダッシュボード、緩衝材入りサンバイザー、朝顔型ハンドルが売りだった。しかしフォードの有力な競合相手であるゼネラル・モーターズ社は、運転の危険を強調することは業界全体にとって最悪だと感じていた。彼らはフォードを訴えると脅し、理由はどうあれ、ライフガードパックは消費者に受けなかった。販売数が散々になるのを見て、ヘンリー・フォード二世は記者にこぼした。「マクナマラは安全性を売っているが、シボレーは車を売っている」[*9]。自動車の衝突は単純な物理現象なので、その安全性を高める能力は限られているのだという通説を、ヒュー・デヘイヴンとジョン・スタップが説得力をもって覆した。しかしあっというまに、新しい意見が取って代わった——安全性は売れない。

死者を七割減らした〝三点式〟

デヘイヴンとスタッフの粘り強い努力にもかかわらず、自動車の安全性に関する最初の――そして今日にいたるまで影響が最も大きい――意味あるブレイクスルーは、デトロイトでなくスウェーデンで生まれた。一九五〇年代半ば、ボルボ社はニルス・ボーリンという航空技術者を雇った。サーブ社の航空機部門で緊急用射出座席に取り組んでいた人物である。その時点までほとんどの自動車でほぼ見過ごされていた装備に、ボーリンはあれこれ手を加え始めた。それはシートベルトだ。この頃、シートベルトなどまったくなしで売られる車も多かった。導入されたモデルに装備されていたのは腰付近を拘束するおそまつな設計のラップベルトで、衝突事故が起きても最小限の防御にしかならない。子どもでさえ、ほとんど装着しなかった。

ボーリンはすぐに、軍のパイロットが使う安全拘束のアプローチを参考にして、本人が「三点式」と呼んだものを開発した。ベルトは胸と骨盤の両方にかかる重力加速度を吸収し、軟組織の衝撃応力を最小にしなくてはならないが、同時に、子どもでも使いこなせるくらい簡単に着用できる単純なものでなくてはならない。ボーリンの設計は、肩と腰のベルトを一体化し、V字形にして、乗客の脇でバックルで留める。そのため、バックルそのものが衝突事故でけがの原因になることはない。エレガントな設計であり、いまや世界各地で製造されるあらゆる車の標準シートベルトのベースとなっている。しかし、肩にかけるストラップの試作品は、衝突で人形の首を切り落としたことが二、三回あったので、シートベルトそのものが衝突事故で人を殺しかねないといううわさが広まった。そのうわさを打ち消すために、ボルボは実際にカーレーサーを雇い、わざと高速で走る命がけのスタントを行うあいだずっと、ニルス・ボーリンの三点式シートベルトを安全のために着用させた。

一九五九年には、ボルボは三点式シートベルトを標準装備した車を販売していた。初期のデータによると、この追加機能ひとつだけで自動車による死者数が七五パーセントも減っている。三年後、ボーリンは「下方両側と上方片側の固定装置からなる三点式シートベルトシステム」に対して、アメリカ特許商標局により特許番号US3043625Aを認められた。それでも、この技術の広範な人道的メリットを考え、ボルボは特許権を行使しないことにした。つまり、ボーリンの設計を世界中のすべての自動車メーカーが無償で利用できるようにしたのだ。ボーリンの設計の最終的な効果は圧倒的だった。若者を中心とする一〇〇万を超える人びとの命が、三点式シートベルトで救われた。ボーリンの特許は認められてから約二〇年後、この一〇〇年で「人類にとって最も重要な」[*10]八つの特許のひとつに選ばれている。

GMの卑怯な嫌がらせ

しかし、明らかな死者減少記録と特許無償公開にもかかわらず、アメリカの三大自動車会社は、一九六〇年代前半、自社の車の設計で安全性を優先することに抵抗し続けた。結局、彼らにやり方を変えさせたのは、卵落とし実験やロケットそりではなく、ジャーナリストで弁護士のラルフ・ネイダーである。二〇〇〇年の大統領選挙で妨害候補者役を演じるまで、ネイダーの名を広く知らしめていたのが、一九六五年のベストセラー『どんなスピードでも自動車は危険だ』（ダイヤモンド社）である。この本の冒頭で、社会に対する車の影響が冷徹に評価されている。「半世紀にわたって、自動車は何百万もの人びとに、死、負傷、そして計り知れない悲しみと喪失をもたらしている」[*11]。同書のなかでネイダーは、デヘイヴンとスタップの先進的な実験を称賛し、「既存の設計と達成可能な安全性のずれ」を無視する自動車会社を非難する。そして最初の章では、GMのシボレー・コルベアにねらいを定め、「自損事故」の傾向をあからさまに冷笑している（工学的設計がおそまつなサスペンションシステムのせいで、運転手はコントロールを失いやすく、別の車とまったく接触しなくても、ひっくり返ってしまう事故が数え切れないくらい起きていた）。

本が出版される前から、GMはネイダーのスキャンダルを掘り出すために私立探偵を雇っていた。夜中に妙な電話がかかってきたり、コーヒーカウンターで女性が誘惑してきたり、さらに友人や同僚は、ネイダーの採用を検討しているという口実で質問され、性生活や左翼の政治団体との関与を訊かれた。やがてGMのジェームズ・ローチは上院の委員会に呼ばれ、若い活動家に対するいやがらせキャンペーンについて、公式の謝罪に追い込まれる。これがさらにネイダーの本の売れゆきを後押しした。

この件が世論に、そして実体経済と政府内部に与えた影響は、数年前のサリドマイド禍のあとの急転換とそっくりだ。GMのいやがらせキャンペーンに関する公聴会を指揮したエイブラハム・リビコフ上院議員は、交通事故は「危機と動乱ではなく富と豊かさから生じる新しいタイプの社会問題」だと言明した。[*12] 一九六六年九月、リンドン・ジョンソン大統領の支持を得て、議会は国家交通自動車安全法を制定する。その目的は「交通事故と事故で生じる死亡、負傷、そして物的損害を減らすために、州際通商における自動車の組織的かつ国家的な安全性プログラムと安全性標準の確立」だった。法律は自動車業界に対する政府の規制監督を大幅に広げ、広範かつ複雑な影響をおよぼした。それがやがて運輸省の設立につながる。しかし最も重要なことはたやすく理解できる。アメリカで初めて、販売される新車すべてにシートベルトの装備が義務づけられたのだ。わずか一〇年前、シートベルトはばかばかしくて不便だと片づけられ、もっと悪いことに、それ自身が脅威になりかねないとさえ言われていた。それがいまや法律になった。

シートベルトに消極的だった自動車業界

一九六六年の法律が成立した直後、下院議長のジョン・マコーマックは、法律制定の成功は「自分が何かできると信じた一個人……つまりラルフ・ネイダーの改革精神」の功績だと述べている。[*13] ある意味で、ネイダーは初期の不正暴露記者《マックレーカー》――ジェイコブ・リースやアプトン・シンクレア、さらにはチャールズ・ディケンズ――までさかのぼる戦略にしたがっていた。つまり、決定的な社会問題に対する世間一般の態度を変えるために、ジャーナリズムの力を使ったのだ。ネイダーが起こした真のイノベーションは、焦点を労働者から消費者に移したことである。シンクレアとその仲間は、工場や食肉処理場など、工業化時代の労働現場の仕事環境にねらいを定めていた。もし彼らがデトロイトと議論をしたなら、組み立てラインの労働者を中心に展開し、その賃金、就労時間、職業上の危険を非難しただろう。一方、『どんなスピードでも自動車は危険だ』は、車を製造する人ではなく、それを買う人を守るのが目的だった。ネイダーのおもな貢献は、まったく新しい種類の政治活動家、言ってみればテレビ時代のフランク・レスリー（第4章参照）を生み出したことにある。それは消費者の擁護者であり、メディアと法廷を利用して、民間企業に安全な製品をつくらせたのだ。

しかし一九六六年の法律にとってはネイダーが重要だったにしても、「シートベルト着用」の動きには、もっと幅広い参加者が必要だった。例によって、主役の経歴は多様である。型破りな発明家、命知らずのパイロット、航空技術者、扇動的な法律家、そしてアメリカ議会だ。彼らは卵落としとロケットそり、スタントのドライバーとベストセラー本など、さまざまなツールを利用して、自動車の安全性は向上できると主張した。この点で、彼らは本書のこれまでの章で繰り返し見てきたパターンにしたがっている。真の変化を起こすには、既存の問題は避けられないものではないと、人びとを説得するところから始めなくてはならない。そして解決策を考え出すには、互いに互いの成果を利用し合う、多様な才能のネットワークが求められる。

それにしても、車の安全性の物語で最も衝撃的なのは、シートベルトの主要提唱者リストから、ある集団がほぼ完全に漏れていることだ。それは自動車業界そのものである。シートベルト着用はいまや人びとの習慣になっているが、その流れに貢献した出来事のうち、ニルス・ボーリンとボルボは例外として、自動車業界が起こしたものはひとつもない。消費者に論理的に訴求するからという理由で安全な製品をつくるイノベーションを、民間企業が実現できたから、進歩が「自然に」起こったのではない。そうではなく、むしろ自動車業界の部外者が進歩のために闘わなければならなかった。支持を主張するために抵抗勢力と闘わなくてはならなかった。そうした抵抗勢力のなかには、物理学の問題もあれば、ゼネラル・モーターズが私立探偵を雇うというものもあった。

もちろんシートベルトは、現在の自動車環境の標準となっている一連の安全イノベーションのひとっくにすぎない。『どんなスピードでも自動車は危険だ』出版から数十年で、自動車会社はたしかに、安全イノベーションの推進に傾倒するようになった。ただし、進歩は引き続き部外者によっても促進されていった。もともと一九五〇年代に発明されたエアバッグは、大勢の技術者によって磨きをかけられ、最終的に一九八九年に義務づけられた。航空産業が先駆けとなったアンチロックブレーキは、一九九〇年代に車で標準になった。ラルフ・ネイダー流に動いていた活動家たちは、変化を促し続けた。飲酒運転事故で娘を失うという悲劇を経験したキャンディス・ライトナーは、一九八〇年、飲酒運転根絶を目指す母の会（ＭＡＤＤ）を結成せずにはいられなかった。それがアルコールがらみの事故の激減につながる。有名人の死もひと役買った。ダイアナ公妃がメルセデスの後部座席でシートベルトをしていなかったときに亡くなったあと、後部座席のシートベルト着用率はイギリスで五倍、アメリカで二倍以上に増えている。

自動運転車で事故を無くせるか

こうした発明と介入すべての総合的な影響は何だったのか？　あなたがいま自動車を運転するなら、自動車が初めて生活の一部になった頃と比較して死ぬ確率は一〇分の一である。ジェームズ・ディーンがポルシェ・スパイダーに乗り込んだとき、自動車事故は死因第三位だったこと

図表7-2｜アメリカの自動車走行距離10万マイル当たりの死者数

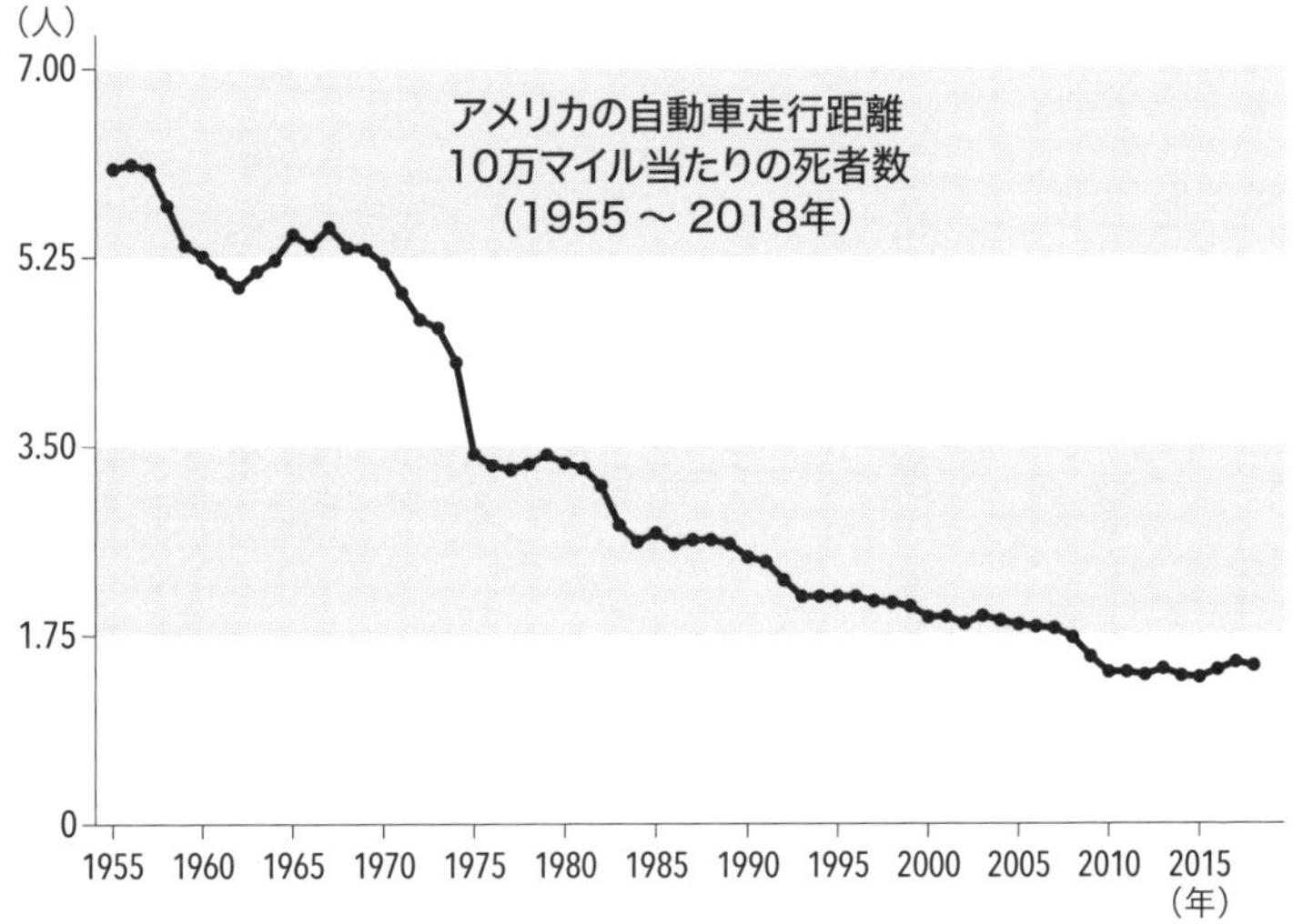

を思い出してほしい。いまでは一〇位以内にも入っていない。

　図表7-2に示したグラフについて考えてみよう。アメリカでは、走行距離一〇万マイル当たりの死者数が、一九五五年から現在までで減っていることを示している。[*14]

　最も目立つ死者数減少は、一九六六年の法律制定後の五年間に見られる。シートベルト着用がしだいに一般的になり、最高速度制限が全国的に時速八八キロに引き下げられた。しかしこのグラフで最も印象的なのは、それ以降の三〇年で起こった、少しずつだが着実な安全性の向上だ。突然の劇的な向上はない。二、三の例外はあるが、毎年、前年より少しだけ安全になっている。このグラフが表わしているのは、天才発明家や劇的なブレイクスルーによって生まれる進歩でなく、それぞれ異なる角度から問題に取り組んだ何千人もの努力から生まれた進歩だ。たとえば消費者を擁護する者、工業技術者、政府の規制機関、悲しみに暮れる母親。一年ごとに見ると前年よりほんの少し良いだけなので、その改善については報道されない。有名人の死などの悲劇的な事故は新聞ネタになり続けるが、救われた命が一面を飾ることはない。なぜなら、一年ずつの変化は小さいからだ。しかし自動車誕生からの一世紀にわたって積み重ねていくと、驚異的な結果として示される。

こうしたイノベーションと法的改革の目指すところはすべて、最終的にひとつ。衝突が起きたとき、どうすれば人びとを安全に守ることができるのか、だ。技術は変化しても、問題の本質は、ヒュー・デヘイヴンが一九一七年、若い士官候補生のときに死にかけた事故をきっかけに取り組み始めた初期のものと同じである。しかし近年、新たな可能性が浮上した。一九四〇年代にデヘイヴンが主張した、人は事故で死ぬとはかぎらないという意見と同じくらい急進的なものだ。事故をすべて回避できる車を設計できるのか？　これは自動運転車への夢であり、変化する複雑な道路状況を人間よりはるかにすばやく査定する助けになる、機械学習アルゴリズムと精巧なセンサーを装備した車だ。シートベルトによって安全性が劇的に強化されたのは、衝突の物理的性質が理解されたからであった。自動運転革命は、提唱者の考えによると、データを中心に展開する。十分にスマートな車――そしておそらく車どうしのデジタル協調――があれば、近年の飛行機墜落事故のように、事故そのものがまれになる可能性がある。意外ではないだろうが、この新しいパラダイムを推進するのに主役となる本拠地はデトロイトではなく、シリコンバレーのグーグルやテスラのような会社である。

この将来性ある安全革命には、現実世界の運転条件が変わりやすいことから考えると、大がかりな訓練セットが必要だ。さらに、アルゴリズムによる意思決定も必要だ。あなたを守る「パッケージング」は、もはやただのエアバッグや朝顔型ハンドルではない。適切なときに適切な選択をする車の能力である。すでにテスラが製造した車は、全走行距離とハンドルを握っている人間を監視し、起こることすべてを記録し、そこから学ぶ。車は走行中、運転手が行う選択を分析する。たとえば歩行者を避けるために急ハンドルを切り、後ろの車にバックするよう合図するためにブレーキを軽くトントンと踏み、霧が深いときには減速する、といった具合だ。そのあいだもずっと、静かに独自の決断をシミュレーションし、その仮想上の運転と実際の運転手の行動を比較する。この種の研究によって徐々に、機械学習が車を人間よりもはるかに優秀な運転手になるよう訓練するのだと、提唱者は信じている。

車自身が命の選択を迫られる

このシナリオが実現するとしても、運転時の決断をアルゴリズムに引き渡すことは、奇妙な倫理上のジレンマを生み出す。運転手の命を危険にさらすか、二人の歩行者を轢くか、どちらかの可能性を車が選ばなくてはならない状況に直面したら、どうなるのだろう？　どちらの命を尊重するようにプログラムされるべきなのか？　自動運転革命が起こったら、走行距離一〇万マイル当たりの死者数はゼロ近くまで下がる可能性は高い。しかしその途中で、何か奇妙なことが起こる。車が道徳規範のようなものをもたなくてはならないのだ。設定が比較的強引で、リスクを受け入れる車もあれば、ほかの運転手よりも歩行者の安全を優先するようプログラムされる車もあるかもしれない。これは自然な進化なのだろう。私たちは以前、テールフィンのデザインや発進加速性能の設計にもとづいて車を選んでいた。しかし将来的には、倫理観にもとづいて車を選ぶ人もいるかもしれない。

その自動運転の未来には、無理な決定のひとつとして、ある人か別の人のどちらを殺すかの選択を自動車が行わなくてはならない、ぎりぎりの状況があるのはまちがいない。たとえアルゴリズムの運転手によって人間の死者数合計が大幅に減ったとしても、そうした事件はまちがいなく新聞ネタになり、激しい怒りを引き起こす。このような事件は、何世紀も前から人間が自分たちの発明する機械に殺されてきた歴史の節目にもなる。メアリー・ウォードがアイルランドで、あの蒸気動力道路機関車に押しつぶされて死亡して以来、そのような死は事故に分類されてきた。しかし、機械が自身の判断で人間を殺すとき、あなたはそれをどこに分類するだろう？

第8章

土とヒヨコの力で世界を養う方法

飢饉の減少

遠いようで実は近い「隣接可能領域」

およそ三〇年前、生物学者で複雑系理論家でもあるスチュアート・カウフマンは、自然と文化両方の体系で、意味ある変化がどういうふうに起こるかを表わす言葉を生み出した。たとえば二足歩行の進化や印刷機の発明など、新しい変化それぞれは、ほかの変化の可能性に通じる新たな扉を開ける。私たちの祖先は二足歩行をし始め、そのおかげで自由になった両手を、ほかの活動に使うことができるようになり、親指がそれ以外の指と向かい合わせに形成される進化につながった。印刷機は科学的洞察を保存し共有する可能性を生み出し、それがページ番号や脚注のような新しい引用システムの発明につながり、最終的に何世紀もあとになってハイパーリンクのアイデアにつながった。カウフマンはそうした変化の副次的効果に記憶に残る名前をつけている。「隣接可能領域」だ。[*1] 新しい科学的ブレイクスルーが世界を変えるのは、既存のものに新たな機能が導入されるからだけでなく、隣接可能領域が広がるからでもある。ブレイクスルーが生み出す側面的な効果によって、突然、新しいアイデアが考えられるようになるのだ。製薬会社に対して新薬の有効性の証明を求める業務を任っている食品医薬品局は、一九三七年、エリキシール・スルファニルアミド危機のときには隣接可能領域に入っていなかった。無作為化対照試験（ＲＣＴ）がまだ発明されていなかったからだ。しかし、フランシス・オルダム・ケルシーがサリドマイドについて調べ始めたころには、実際、彼女と同僚は有効性の確認に、それ以前よりもっと厳しい基準を利用できた。オースティン・ブラッドフォード・ヒルとリチャード・ドールのおかげである。ＲＣＴの発明は、実験設計の新しい定型を生み出したが、新しい種類の規制介入も可能にしたわけだ。同様に、抗生物質は致死的な感染症のリスクを大幅に減らすことによって、たとえば美容整形手術など緊急性のない手術を、本人が選択できるような新たな扉を開いた。

隣接可能領域の不思議な点は、イノベーションそれぞれによって開かれる新しい扉が、一見、隣接しているように見えるとはかぎらないことだ。ある分野の新しいアイデアが無関係に思える別分野の変化を引き起こすからこそ、社会に大きな変化が生まれることも多い。理由は理解できるが、文化史はこのような因果の跳躍を過小評価しがちである。科学史は科学者に焦点を合わせ、疫学史は疫学者に焦点を合わせるせいだ。しかし実際には、こうした分野に取り入れられた新しいアイデアは、分野の境界を飛び越える傾向がある。グーテンベルクがつくった印刷機は技術の重要な部分を、ブドウをつぶすネジプレスと呼ばれるものを開発していたワイン醸造家から借用した。ワイン醸造家は自分たちが出版革命の隣接可能領域を広げているとはまったく知らなかったが、結果的には、彼らの技術はまさにそれをやっていたのだ。

人間の平均寿命の話は、統計学、化学、政府による新しい監督様式など、じつにさまざまなイノベーションと結びついているので、ありそうにない因果関係がたくさん出てくるのも意外ではないはずだ。人間の健康にとって、ワイン醸造家が意図せずグーテンベルク時代の幕開けを助けたように、人間の健康を思わぬ方向から増進するものがあったのだ。次の問題について考えてほしい。一九世紀に発見された新しいアイデアや技術のうちのどれが、二〇世紀の平均寿命に最も大きな影響を与えたのか？　いくつか明らかな候補が思い浮かぶ。そのなかには、ファーの調査と統計学革命、水を媒介とする病気という概念など、すでに本書で探ったものもある。しかし最大の影響をおよぼしたのは、もっとはるかに意外な場所から生まれたとも言える――それは、土が生きていることの発見だ。

その理解にたどり着いた経緯は複雑だが、おもに一九世紀半ばに急に起こった学際的活動のおかげだ。土はたんなる不活性で変化しない細かくなった石の山ではないと、科学者たちは気づき始めた。土には代謝作用がある。エネルギーを投入し、老廃物を管理する必要がある。適切な環境では驚くほど肥沃になりうるが、環境が悪ければ生命力を欠いたちりになってしまう。土にはごく小さい生命体がたくさんいて、それぞれがいわゆる窒素循環にきわめて重要な役割を果たしている。

この循環で最も重要とされるのは、窒素を「固定」する段階である。大気窒素から植物が栄養として使うアンモニア態窒素に変換するのだ。窒素は、気体の形で大気中に豊富にあるのに、その標準状態ではほかの元素と結合しにくいことが問題だった。何十億年にわたる進化によって、土の生態系はその限界を、ジアゾ栄養生物と呼ばれる微生物の献身的な働きで克服するようになった。この微生物は、窒素を植物の生長の燃料として使えるアンモニアに変換する。動植物を分解して、アンモニアを放出することに特化している微生物もいる。この新たな視点から見ると、突然、土が化学製品工場のように見えてくる。数え切れないほどたくさんのごく小さな労働者たちが窒素を生産するために働いている。文字どおり、大気から取り出しているのだ。戦争に勝つために抗生物質を大量生産する方法を必死に考案しようとしていた微生物学者、化学者、農学者のチームの人々はその知見が自分たちの研究にとってきわめて重要だと気づいた。

抗生物質革命には、役に立つ可能性は高いがわからないことが多すぎるカビを世界的な特効薬にするための、決定的なブレイクスルーがいくつか必要だった。そのひとつが、現代の土壌科学の進展だったことはまちがいない。人間の足の下に広がる目に見えない世界を調べていた研究者は、自分たちが二〇世紀の最も重要な医療イノベーションの基礎を築いているとは思いもしなかった。彼らに訊いても、自分たちの研究は医学とはまったく関係がないと言っただろう。しかし、隣接可能領域とはそんなふうに作用するものだ。開かれた新しい扉が思いがけない場所に通じていることもあり、それが建物の反対側の翼棟ということもありうる。

何のへんてつもないように見える土に複雑な代謝作用があるという発見は、平均寿命に対して、もう少し見当がつきやすい影響もおよぼした。土は生きていると理解することは、感染症を撃退するのに役立ったが、これとはまったく別の不吉な脅威を撃退するのにも役立ったのだ。それは飢餓である。

第一次大戦が引き起こした食糧問題

一九一五年五月二〇日、第一次世界大戦初期の戦闘がヨーロッパと中東で繰り広げられているころ、ラルフ・G・バーダーというテヘラン駐在のアメリカの外交官が、本国宛に公式文書を書いて、当時中立国だったペルシアが世界戦争の勃発にどう反応しているかを報告した。それによると、ヨーロッパからの輸入品の値段が急激に上がったが、現地の食糧供給はほとんど影響を受けていなかった。「マトンと米と全粒コムギからつくられるパンを主食とする地元住民にとっての生活費は、ほんの少し上がっただけである」。しかし一〇月には、ロシアとトルコとイギリスがこの国の支配権を求めて戦っており、不吉な兆しが現われ始めた。アメリカの代理大使ジェファーソン・キャフェリーが、パンの配給を求める人の列がテヘランの街角のあちこちにでき、砂糖の価格がものの数カ月で一キロ二〇セントから二ドル以上に跳ね上がったと報告している。

外国の侵略者によって引き起こされた通常の食糧流通網の乱れが、翌年には広大なペルシア全土で起こった深刻な干ばつで、さらにひどくなった。その時期、ペルシアのアメリカ大使はカンザス生まれの弁護士ジョン・ローレンス・コールドウェルだった。一九一七年、彼は暴動が起きたことを報告している。そして「この冬は死者と飢餓が倍増することは疑いようがない」と警告した。のちにコールドウェルが送った電報は、物価の急上昇を記録している。コメなどの主食が、一キロ一〇セントから四ドルまで上がったのだ。現代のスーパーマーケットで牛乳一リットルが五〇ドル（約五七〇〇円）で売られているようなものだ（興味深いことに、コールドウェルによれば最大の問題は食糧の価格であって、その不足ではないようだった。「コムギの価格は一ブッシェル（約二七キロ）一五ドルから二〇ドル。ただしこの価格で相当の量が手に入る」）。ペルシア国民の主食のニーズは事実上満たされず、壊滅的な飢餓が国中に広がった。アメリカン・カレッジの教授が一九一八年に本国に次のような電報を送っている。「テヘランだけで四万人の貧困者。人びとは死んだ動物を食べ、女性は自分の赤ん坊を捨てている」[*2]

イギリスのライオネル・ダンスターヴィル少将がこのころペルシアに到着し、その後三年続くことになるイギリス軍による占領を開始したとき、彼が直面したのは完全に崩壊寸前の国だった。のちに彼が書いたこの経験の回想は、人々の被害に純粋に狼ばいする思いと、「典型的な」東洋人に対してのばかげた固定観念が、自然に入り交じっている。

飢饉に陥っていることは悲惨なほど明確で、町を歩くととくにひどい光景に遭遇する。東洋人の驚異的な無関心、すなわち「神の意志だ！」という発想を持ちえなければ、こんな光景には耐えられないだろう。人が死んでいくのに誰も助ける努力をせず、何らかの埋葬できる場所を見つけなければならなくなるまで、特に関心をもたれることもなく道路上に横たわっている。私は大通りで、その日に亡くなったと思われる九歳くらいの少年の死体のそばを通り過ぎた。顔を泥のなかに突っ込んで横たわっているのに、まるでよくある道路の障害物にすぎないかのように、人びとはその脇を通り過ぎていた。*3

「東洋人の驚異的な無関心」というダンスターヴィルの認識に見られる何気ない人種差別もひどいが、さらにひどいことに、飢餓のきっかけになった物価上昇はおもに、イギリス軍が中東全域にいる軍隊を養うために、大量の備蓄食料を買い上げたせいだったことが明らかになっている。帝国主義的考え方のダンスターヴィルにとって、ペルシアの都市や田舎の飢餓の「ひどい光景」は、この国が自国を運営できないことのはっきりした裏づけに見えた。しかし現実には、ダンスターヴィルが「救おう」としていたペルシアの危機は、イギリス人自身が発生を促したのである。

一九一六～一八年のペルシア大飢饉による人命の最終的損失は、いまだに議論の的である。テヘランの人口は飢餓の最盛期に、四〇万人から二〇万人に半減したようだ。歴史学者のなかには、全国の死亡率も五〇パーセントと、テヘランと同じくらい劇的だったと主張する者もいる。この三年間で人口の二〇パーセント近くが餓死したと考える人もいる。

人口半減の飢饉は〝予兆〟にすぎなかった

ペルシア大飢饉がその地域の人びとにとって壊滅的だったとはいえ、それはその後の一〇年に世界中を席巻した最悪の飢饉の第一波にすぎなかった。この時期の飢餓による死者数が、戦争中の軍事衝突で失われた命を上回ったことはほぼ確実だ。それ以上の損失を与えることができたのはインフルエンザだけである。五〇〇万を超える人びとが、一九二〇年代の飢饉で死亡した――異常な気象パターンが引き金になったものもあれば、戦争による食糧配給の混乱によるものもあり、さらには新生のソビエト連合で始まった中央計画の悲惨な初期実験によって起こったものもあった。

こうした数字は現在の私たちには驚異的に思えるが、その一〇年に餓死した人の総人口に対する割合は、それまでの人類史が遭遇した食糧危機とくらべて特異なものではなかった。一八四〇年代末に起きた有名なアイルランドのジャガイモ飢饉では、人口のおよそ八分の一が命を落とし、さらに人口の四分の一が食糧を求めて、アメリカをはじめ世界各地に移住せざるをえなかった。一三〇〇年代のいわゆる小氷河期の始まりは、北ヨーロッパに洪水と異常な寒波をもたらし、起こった飢饉で人口の三分の一が死亡した可能性もある。マヤ文明の不可解な崩壊の原因は、一〇二〇年から一一〇〇年の極端な干ばつが大凶作につながったことにもあり、最終的に高度なメソアメリカ文明が事実上一夜にして消えることになったと、現在の学者は考えている。ナイル川に浮かぶ島で発見された象形文字文書には、紀元前三〇〇〇年、エジプトのファラオ、ジェセルの統治時代に、七年の飢饉が混乱と政治不安をもたらした話が綴られている。

大飢饉は農業社会にとってほぼ避けられない必然の結果である。徹底して集計すれば、人類史上、戦争よりも多くの命を奪ってきた可能性が高い。死者数をかなり正確に推定できる近代においても、飢饉のほうが致死的な力があったようだ。一八七〇年から一九七〇年まで、世界中で飢饉により死亡した人は一億二〇〇〇万を超えるとされ、軍事衝突による死者数より二、三〇〇〇万多いと推定される。

慢性的な食糧不足はたとえ大量死の原因にならなくても、関連性がわかりづらい別の代償をともなう。経済学者のロバート・W・フォーゲルが述べているように、一八世紀から一九世紀初期にかけてのヨーロッパ人の食事は、一九七〇年代のルワンダやインドのような、人口の大部分が慢性的な栄養失調に苦しんでいた国の食事と同程度だった。このように食べものが制限されていると、市民ができる労働の量も限られてしまう。「一八世紀末のイギリスの農業は、輸入品によって補われていたときでさえ、潜在的労働力の八割以上に、まともな肉体労働をするためのカロリーを提供できるだけの生産性がなかった」[*4]とフォーゲルは書いている。こうしたカロリー不足は、健康全体にも実質的な影響を与えた。トーマス・マキューンは画期的著作『現代の人口増加（The Modern

Rise of Population)』で、一九世紀に平均寿命が延びたのはおもに食事の改善のおかげであり、アンガス・ディートンの言う「大脱出」の最初の流れを引き起こしたのは、医療の改善ではなく農業の改善だったと主張している。「一七世紀末から一九世紀半ばにかけて、ヨーロッパでは食糧供給量が大幅に増え、イギリスでは輸入にそれほど頼ることなく、三倍に増えた人口を養うことができた」[*5]

農家が成し遂げた「エネルギー革命」

マキューンはその言葉を使っていないが、彼が表現していたのは事実上「エネルギー革命」である。この場合測定されるエネルギーは、消費カロリーであって蒸気動力ではない。たとえ大量飢餓を避けることができても、基礎代謝機能を維持するのに十分なエネルギーを摂取できず、飢餓寸前で生きている人びとは、日和見感染症【訳注　宿主の抵抗力が低下したときに、通常なら病気を起こさない病原体によって起こる感染症】に弱い。一九世紀のエネルギー革命について話すとき、蒸気動力の工場制度が自然に思い浮かぶが、マキューンのモデルでは、一番の推進力は「土地利用の拡大、施肥、冬期飼料、輪作など、従来の手法を効果的に応用することであり、工業化を連想させる技術的・化学的手法ではない」[*6]。言い換えれば、私たちが長生きするようになったのは、医者が優秀になったからではなく、農家が優秀になったからなのだ。

その時期には、一般人の日常の食事を記録するウィリアム・ファーのような人がいなかったことを考えると、二世紀以上前に生きていた人びとのカロリー摂取を評価しようとする試みは、人口動態史学者にとって難題だ。しかし子ども時代の栄養レベルを評価できる主要な尺度のひとつは、成人してからの身長である。子どもが慢性的に栄養失調の社会は、子どもが栄養十分な社会よりも、大人の身長がはるかに低い。世代間で成人身長に急速な変化が見られるとき、その理由は必ず幼少期の食事の変化だと言っていい（たとえば、平均的な日本のミレニアル世代は、第二次世界大戦後の食事改善のおかげで、祖父母よりほぼ頭ひとつ分、背が高い）。マキューンの主張にもとづいて、フォーゲルはイングランドの平均身長が一七五〇年から一九〇〇年のあいだに、約五センチ伸びた証拠を示した。その時期、食事が大きく改善したと思われる。

ただし、その期間に成し得た農業の改善のレベルでは、ヨーロッパが大量飢餓という古来の脅威から逃れるには、十分とは言えなかった。一七八〇年代末のフランスの飢饉は、フランス革命の一因だった。一八〇〇年代末には、北欧を何度か襲った飢饉が数十万人の命を奪った。そしてもちろん、アイルランドのジャガイモ飢饉は一〇〇万人以上の犠牲者を生んだ。世界規模では一九七〇年代まで、飢餓が人間の平均寿命をかなり押し下げ続けることになる。

ところがその後、ほぼ一夜にして、昔から人間社会に課されてきた飢饉の抑圧は解かれた。一九八〇年から現在までに飢饉で死亡した人は五〇〇万人程度だが、その前の四〇年では約五〇〇〇万人だった。その期間の地球の人口増加を考えると、その現象はさらに顕著だ。人口当たりで計算すると、餓死者はペルシア大飢饉が起こった時点の一〇万人当たり八二人から、この五年の一〇万人当たり〇・五人まで減っている。[*7] たしかに小規模な飢饉はいまだに起きている。さらに生態系の変化と人口移動による混乱を引き起こすという意味で、気候変動による根深い原因で、これからの数十年でさらに増えると考えることもできる。しかし少なくともこの四〇年の傾向は、このうえなく明るい材料だ。私たちは結核による死者数を減らしたのと同じような効率の良さで、飢饉による死者数を減らしてきた。差し迫る脅威、世界中の多くの社会にとって避けられない事実だったものが、いまやまれな出来事、世界人口のわずか一パーセントだけが心配すべきものにまでなった。[*8] これはつかのまの平和にすぎないかもしれないし、この先海面がかなり上昇すれば、大量飢餓を促す力が再び猛威を振るうかもしれない。しかし、今のところ一時休止は四〇年間どうにか続いていて、終わる兆候はない。皮肉なことに、飢饉という宿敵との和平を実現したのは、これから見ていくように、少なくともある程度までは戦争のための技術だった。

コウモリの糞が爆弾に？

何十億年ものあいだ、硝酸アンモニウムは世界中の植物によって、生長を支える自然の肥料として使われていた。しかしその物質の新しい用途が、約一〇〇〇年前に開発された。それは、化学的に近い親戚である硝酸カリウム——またの名を硝石——が持つ爆発力を、中国人が初めて火薬の主材料として実験し始めたときだ。窒素そのものが初めて単離され、命名されたのは一七七〇年代、科学が急速に進歩した時期だった（酸素も窒素の発見から一年以内に特定された）。一九世紀までに、硝酸塩は植物の生長を促すのにも、物を吹き飛ばすのにも使えることが明らかになっていた（硝酸アンモニウムはいまだにテロリスト集団に利用されており、とくに悪名高いのは一九九五年のオクラホマシティ爆破事件だ）。しかしこうした硝酸塩を製造する能力は、まだ隣接可能領域に入っていなかった。使う場面が戦争であれ菜園であれ、硝酸塩を利用したいと思っていた人間にとって唯一の道は、この化学物質が自然に蓄えられている場所を突き止めることだった。そういうわけで、海鳥とコウモリの糞便が一九世紀屈指の貴重な産物になったのである。

一〇〇〇年以上にわたって、ペルー海岸の先住民は近くの島々の岩だらけの地形から、鳥糞石《グアノ》と呼ばれるものを削り取るために、定期的に船を出していた。海鳥の排泄物が、不毛の砂漠だった土地を肥沃な土壌に変えたのだ。インカ帝国は作物の収量を上げるために、南米全土にグアノを出荷した。何世紀ものあいだ、コウモリと海鳥の糞便堆積物より南米の金や銀に注目していたヨーロッパ人が、一九世紀初め、とうとうグアノの商業的価値に気づく。そして一八四〇年、ペルーの南大西洋岸沖のチンチャ諸島を探索していたペルー人が、伝説のエルドラドに匹敵する発見をした。固まって高さ四五メートル以上の山になったグアノ、これまで発見された最大埋蔵量の硝酸塩だ。この時点で、世界はまさに狂乱状態におちいった。地域全体が植民地化され、自然の生態系が乱され、戦争が起こる。世界中の農家が土の肥沃度を高めるために、ペルー産のグアノを使った。アメリカの洞窟から採取されるコウモリのグアノは、アメリカ南北戦争中、南部連合軍にとって火薬の主要な資源だった。[*9]

しかしグアノブームがやがて破綻することは必然だった。コウモリや鳥は需要に追いつくほどの排泄物を出さない。第一次世界大戦勃発前の数年間、ドイツはヨーロッパの敵国と戦うのに十分な爆弾を生産する能力があるかどうか、しだいに懸念するようになった。阻害要因は、もともとグアノを原料としていた硝酸塩の供給が減少していたことだ。ドイツ人化学者フリッツ・ハーバーは、実験室で硝酸塩を合成する方法を調べ始め、一九〇八年には、ジアゾ栄養物にも海鳥にも頼ることなく、硝酸アンモニウムをつくることができるシステムを完成させていた。それは一流の錬金術である。なにしろ、ただの空気と熱（および鉄の触媒）から、貴重な産物をつくり出すのだ。その後、化学者で実業家のカール・ボッシュが、ハーバーの工程を大規模に再現できるシステムと、硝酸アンモニウムをトン単位で製造する工場を設計した。ハーバーとボッシュがチームを組んで、人工的に窒素を「固定する」手法を発見し拡張していなければ、大戦中にどれだけ多くの人が死なずにすんだかは定かでない。しかしその数は数十万人かそれ以上だった可能性がある。

窒素の皮肉な二面性

それでも、窒素には例の不思議な性質があった。爆弾メーカーにとってのそれと同じくらい、農家にとっても有益なのだ。工場で硝酸塩を生産できれば、農業の世界は、もともと肥沃な土壌やコウモリのグアノに依存しなくてすむ。微生物がいない畑でも、硝酸塩を補って、土壌生態系を活性化させることができる。たくさんの爆弾をつくる方法を見つけ出すことが、結果的に、化学肥料というまったく新しい概念を考え出すのに役立った。それは考え方の小さな飛躍だったが、二〇世紀におよぼした影響という点では匹敵するものがないだろう。ハーバーの人工アンモニアほど、爆発的な人口増加に影響を与えた発見はない。ハーバーが初めて実験を始めたとき、地球上にはおよそ二〇億人が暮らしていた。いまや七七億人だ。その爆発的な人口増加にもかかわらず、飢餓と慢性栄養失調の割合は急落した。かつて一年に数千万の命を奪っていた大規模飢饉は、すっかり撲滅されている。ハーバー=ボッシュ法——およびその後の緑の革命と呼ばれるイノベーション

――が、農業生産性の異例の増大につながり、マルサスから一九六八年にこの世の終わりの予測『人口爆弾』（河出書房新社）を書いたポール・エーリックまで、批評家たちの気をもませた人口の限界を打ち破った。現在、農地が占める割合は地表のおよそ一五パーセントである。もし作物収量が一九〇〇年のレベルにとどまっていたら、地球上の氷結しない土地の半分以上を農耕に充てなくてはならないだろう――その多くが、化学肥料なしでは集約農業を支えられない土壌だ。さらに、天然痘撲滅の物語と同じように、世界的機関も重要な役割を果たしてきた。戦闘地帯や自然災害の現場で一時的な食糧不足が起こると、二〇二〇年にノーベル平和賞を受賞した世界食糧計画のような組織が介入して、一〇〇年前にペルシアで勃発したような規模の壊滅的飢饉を防ぐ。

鶏肉普及のきっかけはヒヨコの注文ミス

とはいえ、二〇世紀の飢饉や大量飢餓との闘いの舞台は、土のなかだけではなかった。物議を醸す畜産革命もかかわっている。批評家が現在「工場式畜産場」と嘲笑しているものだ。この革命の広大な規模を最も具体的に示している動物はニワトリである。鶏肉がアメリカのファストフードのメニューで注目されて広がり、世界中の主要な食料になっているこの時代に想像すると妙に思えるが、二〇世紀初頭までニワトリは、おもに肉ではなく卵を生産するために育てられていた。多くの家庭に鶏小屋があって、卵をあまり産まなくなった一羽が処分されたときだけ、夕食のテーブルに鶏料理が並んだ。

私たちの食事にニワトリが果たす役割を変えた最初のきっかけは、単純なタイプミスと偶然生まれた起業家だった。一九二〇年代初頭、デラウェア州サセックス郡で、セシル・スティールという若い女性が、家庭農場で卵を産むニワトリを飼っていた。おもに家族用の卵だが、副収入のために余分な卵を売ることもある。毎年春、彼女は地元の孵化場に追加のヒヨコを五〇羽注文する。しかし一九二三年の春、孵化場のミスで彼女の注文に余計なゼロがついてしまった。いきなり五〇〇羽ものヒヨコが届けられて、スティールは驚いた。起業家精神のない客なら、単純に余分を返品しただろうが、たくさんのヒヨコを目にして、スティールの心にあるアイデアが浮かんだ。製材業者が五〇〇羽を収容できる大きな新しい小屋を建てるまで、彼女はヒヨコを空の道具箱に入れておいた。そして新しく発明された補助飼料でヒヨコを太らせ、一キロほどに達したとき、三八七羽を一キロ一三六セントで売り、かなりの利益を上げた。翌年、彼女は意図的に注文を一〇〇〇羽に増やし、農場の設備を拡張し始める。そのころまで、レストランや食料品店チェーンが買うニワトリのほとんどは年とったメンドリで、シチューの材料だった。しかしスティールのニワトリは若く、つまり肉が柔らかくて揚げ物に適していた。

五〇〇羽のヒヨコが配達された運命の日から五年後、スティールは工場式養鶏場の先駆けを構築し、一年に二万六〇〇〇羽を育てて売っていた。二、三年のうちに、その数は二五万まで増えた。

すると地域の多くの農家がスティールの成功に注目し、彼女をまねた養鶏場を始めた。彼らは、いわゆるブロイラーのほうがウシやブタよりも効率的にタンパク質を産生できることに気づいたのだ。必要とするスペースははるかに少なく、市場に出せる大きさに成長するまでに、ウシが一年以上かかるところを、数週間ですむ。

一九五〇年代までに養鶏業界は、抗生物質を強化したビタミンDの補助飼料を与えると、ニワトリは日光に当たらなくても屋内で生きられることを発見した。やがて工業規模の養鶏場では、三万羽ものニワトリが、羽を広げる余裕もないほど小さな金網のおりに押し込められた。その結果、鶏肉生産の効率が劇的に上がる。牛肉一キロには穀物七キロが必要なのに対し、一キロの鶏肉をたった二キロの穀類で生産できる。その効率は、ある歴史学者が「〝胃袋〟の供給側《サプライ・サイド》を重視する経済学における壮大な国家的実験」[*10]と呼んだものを生み出した。市場には安価なニワトリがあふれ、それに合わせて食事はあっというまに変化した。ケンタッキーフライドチキンのようなファストフードチェーンが急増し、マクドナルドは一九八三年に世界中のメニューにチキンマックナゲットを追加している。心臓病と脂肪の関係についての懸念から、栄養に関する上院特別委員会が、アメリカ人は「獣肉の摂取を減らして鶏肉と魚の摂取を増やす」べきだと推奨した直後のことだ。現在、アメリカ人は年間平均四〇キロ以上の鶏肉を食べている。工業的養鶏は世界中で爆発的に増える人口を養うのに、きわめて重要な役割を果たしてきた。一九七〇年、ブラジルのブロイラー肉生産量は二一七トンだったが、現在、およそ一万三〇〇〇トンである。中国でもインドでも、鶏肉の生産は過去二〇年で一〇倍以上に増えた。[*11]

しかし、この変化の規模をもっとわかりやすく示すデータがある。世界中のニワトリの総数だ。地球上で最も数の多い野生の鳥はアフリカのコウヨウチョウで、生息個体数は一五億羽と推定されている。一方のニワトリは、つねに二三〇億羽ほどが生存していて、人間は毎年六〇〇億羽以上を食べている（後者の数字のほうがこれほど大きいのは、ニワトリは生まれてわずか二、三カ月後に処理されるからだ）。現在、地球上にはほかの種の鳥すべてを合わせたより多くのニワトリがいる。ニワトリの個体数増加率は、過去一世紀にわたる人間のそれをはるかに上回る。しかしもちろん、二つの増加率は根本的につながっている。私たちが地球上の七〇億人を養える理由のひとつは、毎年六〇〇億羽の食べられるニワトリがいるからだ。

実際、地球上のニワトリの個体数はあまりに膨大なので、数千年後の考古学者が人新世《じんしんせい》と呼ばれる時代——人間が地球に影響をおよぼすようになった時代——の遺跡を発掘するときには、ニワトリの遺物を、その期間の重要な標識として使うだろうと、現在の学者は考えている。生物分解が不可能なプラスチックや埋もれた都市など、人類文化のほかの証拠にも遭遇することはまちがいない。しかし残っているホモサピエンスの骨格の痕跡は、将来の考古学者にとっては補足にすぎない。この時期の決定的な生物の痕跡は、世界中のごみ埋め立て地でミイラ化しているニワトリの骨だろう。

大勝利の大きな代償

土壌の肥沃度の向上といい、大量のニワトリを世界にもたらした工場式畜産技術といい、二〇世紀の農業革命の影響は圧倒的だ。専門家の考えでは、こうした農業革命が地球の収容能力を倍増させた。つまり、そうしたブレイクスルーがなければ、現在生きている七七億人の半分は生まれなかったか、ずっと前に餓死していただろう。生きてはいても、代謝能力が最低レベルでほぼ機能しない状態の人間も無数にいただろう。五〇年前、開発途上国で暮らしている人の三分の一以上が、慢性的に栄養失調だった。現在、その割合は一〇パーセントあまりだ。

ロバート・フォーゲルの主張が何年も説得力をもちつづけているように、栄養摂取の増加は「テクノフィジオ進化」【訳注：科学技術と人間の生理機能の相乗的進歩】の好循環をつくり出せる。新しい科学的ブレイクスルーが人間のカロリー摂取量を増やし、そのおかげで人間にとって仕事や経済生産性のためのエネルギーが増え、それがさらにカロリー摂取量を増やすイノベーションにつながる。第二次世界大戦以降、最も目覚ましい成長率を誇る――アジアを中心とする――地域の多くは、カロリー摂取量が飢餓ぎりぎりから現代ヨーロッパ人に匹敵するレベルまで上がった場所であることは、偶然ではない。

図表8-1｜1970年以降の発展途上国における栄養不良有病率

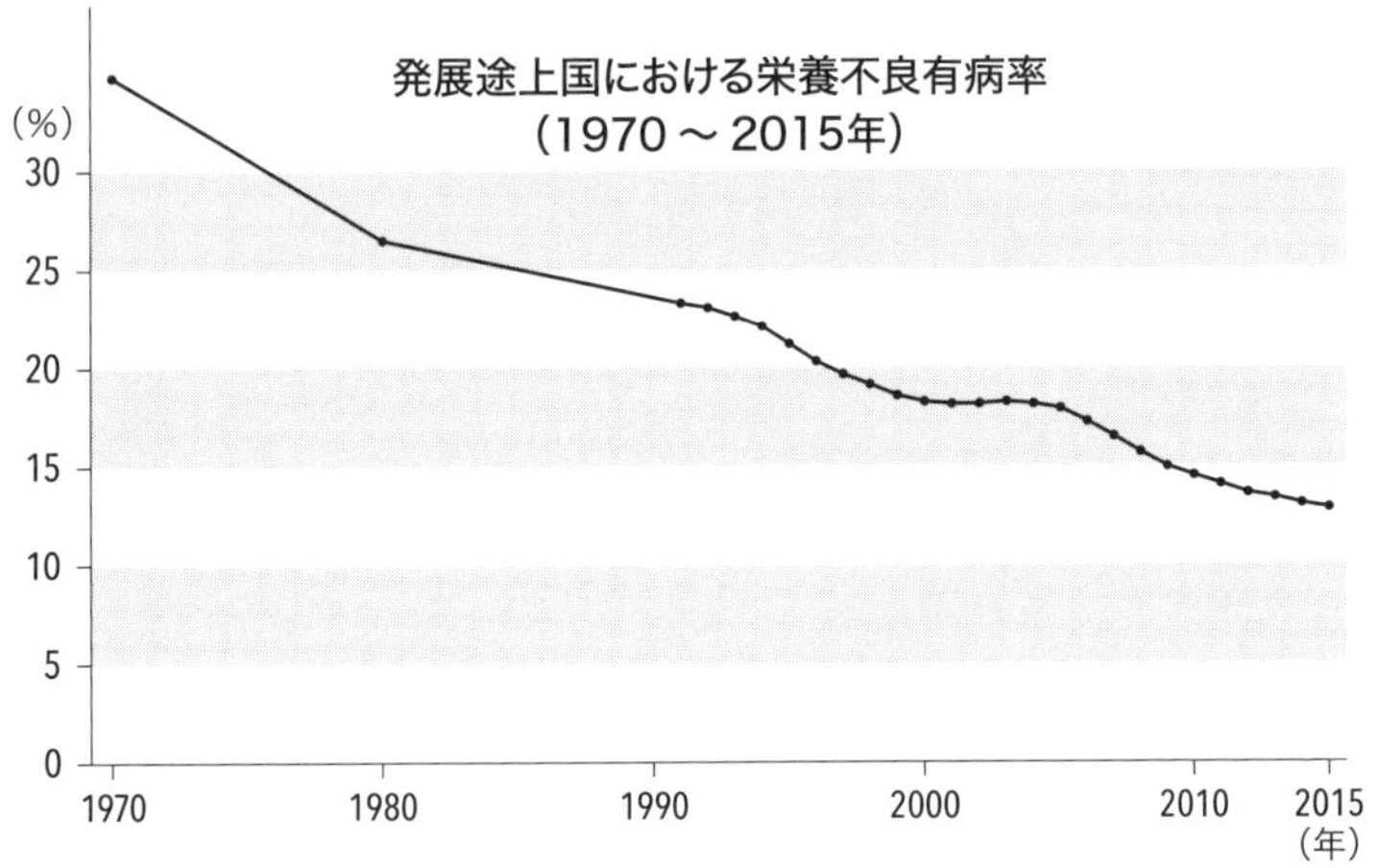

これはFAOの主要な飢餓指標。摂取カロリーが活動的で健康な生活に必要なエネルギー必要量（最低食事エネルギー必要量によって定義される）に足りない人の人口に占める割合。1990年以降のデータはFAO推定値の範囲内で確定されている。1970～1989年の推定値はかなり不確かである

出典：FAOとESS指標

飢餓からの脱出は二〇世紀の大勝利のひとつだが、代償をともなわなかったわけではない。化学肥料の生産は、世界の天然ガス供給量の五パーセントも消費し、農地から流れ出す化学肥料は、三角州近くに大規模な「死の海域」をつくり出す。海洋生物が生き延びるのに十分な酸素を、窒素が奪ってしまうのだ。これを書いているいま、メキシコ湾の二万平方キロ以上の区域に、まったく生物がいないと考えられている。記録されたなかでもとりわけ大きな死の海域である。地球上に二三〇億羽のニワトリがいるということは、鳥インフルエンザの新しい株をうかつ

に繁殖させる、前代未聞の大規模実験を行っているも同然だ。二〇〇七年に世界的なパニックを引き起こしたH1N5ウイルスは、ニワトリによっても伝染した。これから先、COVID-19よりもさらに壊滅的な影響力のあるパンデミックが起こるとしたら、地球上の膨大な数のニワトリ――そしてそれを生産する工場式畜産場体制――が、集団発生の起点になりそうだ。

たとえ現在生きている七七億人が新しい病気にかからなくても、その存在は環境破壊という意味でも、温室効果ガス放出という意味でも、地球に余分な負担をかける。いま直面している気候変動の世界的危機の原因は、私たちが工業に頼るライフスタイルを選んだことだけでなく、人びとが大量飢饉で死亡したり、飢餓寸前の生活をしたりするのを防ぐために、新しい技術を考え出したことにもある。そうした技術のなかには、コウモリの糞便や爆弾製造、偶然のヒヨコの誤発注など、縁のなさそうなところに端を発しているものもあるが、その究極の影響は、なかなか理解しがたい。何十億という命が空腹と飢餓から救い出されたが、惑星はその急成長の副次的影響をどうにかしようと四苦八苦しているのだ。

終章

寿命を縮める「災禍のリスト」

縮まりつつある格差

本書は二つの単純なグラフで始まった。一方は、過去四世紀にわたる無数の人間の命をたった一本の線に集約しており、もう一方は、この二世紀にわたる子どもの死亡率の驚異的な下落を追っている。

しかし、このグラフが語るのは平均であって分布ではない。不均等な状況、つまり寿命の平均でなく勾配を見ると、このデータはどれだけ明るい材料なのか？　一八七五年、イギリスの労働者階級において平均寿命の天井を破る「大脱出」が起こり始めていたとき、最も裕福なイギリス市民とそれ以外の人びととの寿命の格差は、じつに一七年もあった。いまもその差は存在するが、以前にくらべればわずかで、たった四年である。アメリカの健康データも同じようなことを語っている。白人とアフリカ系アメリカ人の平均寿命の差は、過去一世紀で四年未満に劇的に縮まった。一九〇〇年、W・E・B・デュボイスが初めて健康状態に対する人種差別の影響を記録した直後、その差は一五年近くあった。

しかしおそらく最も明るい傾向は、最近七〇年を拡大した次ページのグラフに示されている（図表C–1）。

図表C-1｜出生時平均余命

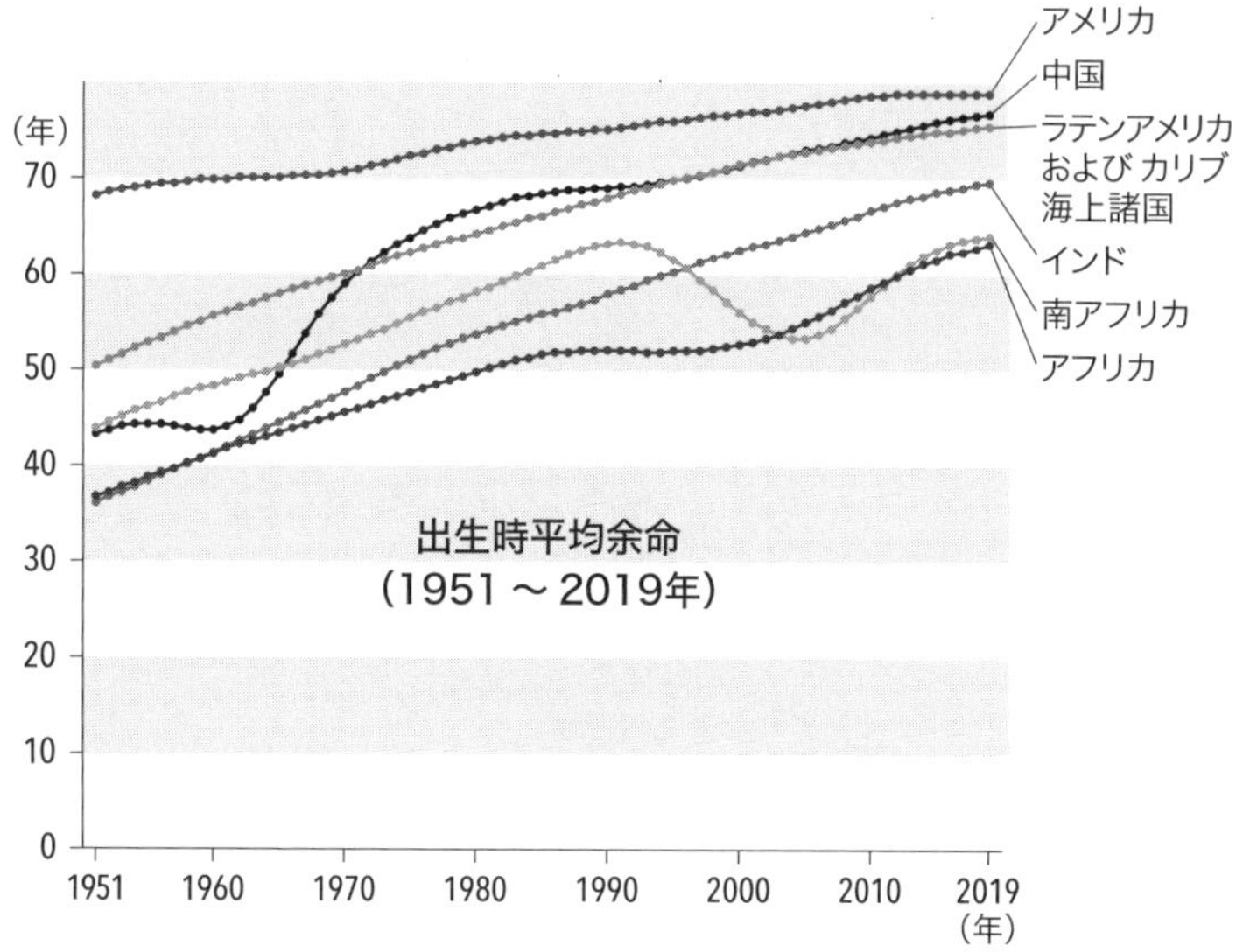

出典：Our World in Data

かつて工業国と前工業国と呼ばれ、いまでは一般に西側諸国とグローバル・サウスと表現される地域の格差は、この三〇年間に、人口動態史上これまでなかったテンポで縮まっている。スウェーデンが子どもの死亡率を三〇パーセントから一パーセント未満に減らすのに一五〇年かかった。戦後の韓国はわずか四五年で同じ成果を上げた。第二次世界大戦が終わったとき、インドの平均寿命は長らく三五年の天井に抑えられたままだったが、いまでは七〇年を超えている。一九五一年、中国とアメリカの差は二〇年以上あったが、いまではたった四年だ。西側諸国の多くの住民は、この二、三〇年を格差急拡大の時代と考えており、実際、アメリカをはじめ西側諸国の国内では、とりわけ経済的成果が勝者総取りの状況になっている。しかし世界の全体像を見ると、イメージは逆転する。むしろ格差縮小の時代であり、勾配は小さくなっている。

格差縮小は、健康状態と所得の両方に当てはまる。[*1] グローバル・サウスは、アメリカやイギリスが最初の工業化の波で実現したときより短期間で、より裕福になりつつある。中国――そして規模は比較的小さいがインド――がそうした発展を牽引しているが、この一〇年、HIV禍が鎮まり始めるにつれ、アフリカが有望な回復力を見せている。西側諸国とグローバル・サウスを隔てている勾配は、一種の世界的なゼロサムゲームの上に成り立っていると疑う人が多かった。西側諸国の豊かさと長寿は、地球の半分が赤貧の暮らしをする世界体制によってのみ実現されうる。「先進」国の成功は、「後進」国の資源と労働力の搾取に依存しているというのだ。実際、奴隷貿易と植民地主義の最盛期には、そうした力関係もあったかもしれないが、もはやそうではないようだ。

グローバル・サウスにおける経済発展と健康改善の関係は、ほぼ確実に共生関係である。この点で、こうしたそれほど裕福でない国々は、ノーベル経済学賞受賞者のロバート・フォーゲルが一九世紀のヨーロッパ社会に認めた、テクノフィジオ進化を経験している。人口のあらゆる層を、飢餓と慢性疾患による衰弱状態から解放すると、経済に貢献するのに十分な代謝エネルギーを初めて与えられた新たな労働力が生まれる。それが次にコミュニティの生活水準を上げるので、健康状態が改善され、所得を生み出す労働に使えるエネルギーがさらにつくり出される。

「二〇世紀を過去から切り離す何かがあるとしたら、それは下層階級の寿命の大幅な延びである」[*2]とフォーゲルは述べている。この寿命の延びほど明白な形の進歩は少ない。ほかに社会が進歩した証だとされているものは、冷静に判断する人たちに否定される可能性がある。ポケットに入るスーパーコンピューターで、ほんとうに私たちの暮らし向きが良くなるのか？　たとえ安全なものであっても車を中心とする文化は、ほんとうに二〇世紀の工業化前の徒歩圏コミュニティより良くなったのか？　しかし、子どもが二歳で天然痘に命を奪われたり、二〇歳で自動車事故死したりすることがなくなったとき、その進歩を否定するのは難しい。それでも、そうした進歩は見過ごされやすい。なぜなら、長年にわたって少しずつ積み重ねられたもので、ジェファーソンの「災禍のリスト」から項目を抹消するために行われた、さまざまな介入の総体的効果だからである。この種の進歩が気づかれにくいのは、進行が遅いからだけでなく、本質的に、何かが実際に起こらないことだからでもある。つまり一世紀前には死亡していた人が死亡しなくなることが進歩なのだ。しつこい感染症を撃退する抗生物質を服用するたび、あるいはアンチロックブレーキシステムが作動するおかげで自動車事故が避けられるたびに、私たちの人生は続くわけだが、そのとき何が起こったかを記録することさえしない。しかし、もしもその防御策がなかったら、私たちは存在しなくなっていただろう。

「災禍のリスト」はつづいていく

そうした介入が重要で評価に値するものだったにしても、これから先、ただ何もせずに進歩が続くにまかせておくための言い訳として、引き合いに出すべきではない。「災禍のリスト」には残りのページがたくさんある。数年前、ニューヨーク大学のランゴン公衆衛生学部が、アメリカのさまざまな国勢調査地域の平均寿命を比較できるオンラインツールを開発した――ウィリアム・ファーがロンドン、リヴァプール、サリーのために構築した例の生命表のデジタル版のようなものだ。[*3] ブルックリン区内で私が住んでいる場所の平均寿命は八二年で、全米平均より少し長い。しかしわずか二〇ブロック離れた、比較的貧しくておもにアフリカ系アメリカ人が住むブラウンズヴィルでは、平均寿命は七三年だ。これは想像できる最も基本的な形の不平等である。あるコミュニティが享受するほぼ一〇年を、近くの住民は享受できない。一世紀以上前にウィリアム・ファーとW・E・B・デュボイスが初めて地図にした不平等である。COVID-19パンデミックは、アメリカに存在する健康格差の明白な証拠を新たに示している。ニューヨークでは、アフリカ系アメリカ人のほうが白人より、この病気で死亡する確率が二倍高い。シカゴでは、アフリカ系アメリカ人は人口の二九パーセントなのに、COVID-19関連死者の七〇パーセントを占める。アメリカ以外に目を向けると、二〇一四年の西アフリカにおけるエボラ集団発生は、世界の最貧困国や戦争で荒廃した国の多くがいまだに、パートナーズ・イン・ヘルスの創始者であるポール・ファーマーの言葉を借りると、「病床砂漠」――人工呼吸器、透析装置、輸血能力といった支持療法の基本的インフラがない地域――であることを、あらためて人びとに思い知らせた。マルティン・ルーサー・キング・ジュニアは一九六六年のスピーチで、「あらゆる形の不平等のなかで、健康格差が最も衝撃的で最も非人道的だ」と述べている。半世紀以上たっても、いまだに私たちはその不平等と闘っている。

ということで、健康であれ何であれ進歩について考えるとき、きわめて重要な課題は、データを二つの角度から同時に見ることである。何が役立ったかを知るために過去の傾向を研究し、その過程で成功からヒントを得る必要がある。しかし、現時点での私たちの潜在力を考えると、現状がうまくいっていない面にも、目を光らせる必要がある。現在、どんな技術や介入が隣接可能領域にあって、これからさらに死亡率を減らすことができるだろう？　たしかに、ブラウンズヴィルのブルックリン区民は、一九七〇年代には平均寿命がさらに一〇年短かっただろう。したがって、それ以降にコミュニティが経験している進歩を称賛すべきだ。しかし、私の近所と彼らの近所を現在隔てている格差――いまわしい平均寿命一〇年の差――を、ぬぐい去ることにも重点を置くべきだ。進歩が可能だと単純に自分に言い聞かせるだけでは足りない。さらに何をすべきか見つけ出すことも、同じくらい重要である。

イノベーションに欠かせない公的な力

本書の大半は、健康状態が改善してきた一つひとつの原因の裏にある具体的な物語にあてられており、そうした改善を世界にもたらしたネットワークの部分まできちんと描いてきた。しかし、主要なブレイクスルーをまとめて見るとどうだろう？　序章で示した命を救うイノベーションのランキングを思い出してほしい。

〈数百万の命を救ったイノベーション〉

エイズ・カクテル療法
麻酔
血管形成術
抗マラリア薬
CPR（心肺蘇生法）
インシュリン
腎臓人工透析
経口補水療法

ペースメーカー
放射線医学
冷蔵
シートベルト

〈数億の命を救ったイノベーション〉

抗生物質
二又針
輸血
塩素消毒
低温殺菌

〈数十億の命を救ったイノベーション〉

化学肥料
トイレ／下水道
ワクチン

この殿堂を眺めて最も印象に残るのは、民間企業で生まれたものがいかに少ないか、である。最初のブレイクスルーそのものを見るかぎり、営利企業による特許で守られた進歩として成されたものはほとんどない。ひとつ注目すべき例外は、ボルボのためにニルス・ボーリンが設計した三点式シートベルトである。しかし本書で見てきたように、シートベルトが成功した理由のひとつは、ボルボが公開特許として世界に発表したことだ。そして知ってのとおり、シートベルトを全車種の標準オプションにするには、大騒ぎして抵抗する大半の自動車会社を無理矢理引きずりこむ必要があった。この「ありがたいもののリスト」に並ぶ項目のほとんどは、民間企業以外で生まれた。つまり学術研究（たとえばアレクサンダー・フレミングとオックスフォード大学ウィリアム・ダン病理学研究所）、または進取の気性に富む医者の仕事（たとえばエドワード・ジェンナーと酪農婦）、あるいは危機の真っ最中に解決策を見つけようと奮闘するフィールドワーカーの必死のイノベーション（たとえばディリップ・マハラナビスとバングラデシュのコレラ集団発生）である。

こうした例の多くで、もとは公共部門の調査から出現したイノベーションを展開するのに、民間企業が力を貸したことは事実だ。学術科学者とアメリカ軍が謎のカビからペニシリンを抽出して有効な薬にした一方で、メルクとファイザーはそれを大量生産するための手法に磨きをかけるのを助けた。この二社——およびほかの数社——は、ペニシリンに続いてほかの抗生物質も発見し、大量生産している。インシュリンの物語も同様の教訓を示している。この薬は当初、トロント大学の科学者グループによって糖尿病の治療薬として発見・応用されたもので、ボルボのシートベルトと同様、公開特許のもとで世界中に発表された。しかし糖尿病患者の大部分が使用している合成インシュリンは、シティ・オブ・ホープ全国医療センターと、民間製薬会社ジェネンテックの研究科学者との共同研究で開発された。このパターンはますます一般的になっているようだ。いまや大手製薬会社がパーク・デービスのカタログにあった怪しげな薬ではなく、まっとうな薬を売っているからだ。寿命を延ばすための核となるアイデアは、学術研究者とつながる公共部門から生まれ、ほかの分野に端を発するアイデアの影響を受けることも多いが、そのアイデアが広く採用されるかどうかは、民間による生産と流通の基盤しだいである。

昨今、健康の向上には公共と民間の協力が欠かせないものになってきているとしても、私たちの人生が二万日増えたことは、その大部分が市場と無縁のイノベーションのおかげであることに変わりはない。イノベーションがリスクをいとわない起業家の行為や自由市場の発想力と結びつけられることが非常に多い時代にあって、平均寿命の歴史はその考え方に重要な修正を提示する。私たちが過去二、三世紀にわたって経験してきた、最も根本的で議論の余地のない進歩は、大企業やスタートアップ企業から生まれてはいないのだ。それをもたらしたのは、改革のために悪戦苦闘する活動家であり、大学を拠点として発見をオープンソース式に共有する科学者であり、新しい科学的ブレイクスルーを世界中の低所得国に広める非営利機関である。これから数十年で、民間部門の企業が免疫療法への新しいアプローチを探り始めたり、機械学習を創薬に応用したりすれば、比率は変化するかもしれない。しかし、二倍になった平均寿命の歴史を参考にするなら、私たちはつねに公共部門を味方につける必要がある。

地味なイノベーションの六つのカテゴリー

ファーの死亡報告やヒルの無作為化対照試験（RCT）など、それほどの華々しさのないイノベーションも無視してはいけない。私はこうしたイノベーションを六つの主要カテゴリーで考える。

ものの見方のイノベーション

顕微鏡と医用画像技術のおかげで、私たちは人の命を奪う病原体や変異細胞を直接見ることができる。見ることができるからこそ、反撃する新しい方法を考え出すことができる。しかしジョン・スノウによるブロードストリートの地図も同じ役割を果たした。ウィリアム・フェイギがリベリアで臨機応変に発明したワクチン包囲接種法もそうだ。集団発生が地理的にとるパターン——鳥瞰図——を見ることは、顕微鏡のレンズの焦点をぴったり合わせることと同じくらい重要だったのだ。

ものの数え方のイノベーション

ウィリアム・ファーは医者としての教育を受けたが、彼が救った命の大部分は数字にまつわる仕事の成果によるものだ。都市の人口密度と死亡率の因果関係を追跡・記録したのだ。彼が集めたデータは、スノウがミアズマ説を打破するのに役立った。

試験方法のイノベーション

RCTを科学博物館に展示することはできないが、この手法は人類に、特効薬やfMRI装置と同じくらい革新的な超能力を与えた。にせの治療薬と本物を区別する能力だ。その後、政府の規制機関はRCTを利用して、市場に入るものを本物の医薬品だけに制限し、詐欺師を商売から追い出すことができた。これらは新しい統計学手法によって推進されたブレイクスルーだが、FDAのような新しい制度や規制機関の発明も関与していた。

つながり方のイノベーション

ネットワークの拡大は、つねに平均寿命にプラスに働くとはかぎらない。コロンブス交換【訳注：コロンブスの新大陸発見以降にアメリカ大陸とヨーロッパ間で物や文化の往来が生まれたこと】の時代の、天然痘による悲惨な死者数について考えてほしい。しかし、メアリー・モンタギューが幼い息子の腕に人痘接種を受けさせてコンスタンティノープルから帰ったときの、アイデアの国際交流のことも考えよう。あるいは、ペニシリンにまつわる国境を越える移動を考えよう。フローリーとヒートリーは一九四一年二月一二日、初めて二〇〇ミリグラムのペニシリンをアルバート・アレグザンダーに投与した。七月には、ウォーレン・ウィーヴァーとロックフェラー財団のきずなのおかげで、二人はニューヨーク行きの飛行機に乗っていた。それからまもなく彼らはイリノイのトウモロコシ畑にいて、発酵中のコーンスティープリカーの大樽を利用しようと研究していた。彼らのアイデアがそれほどのスピードで、それほどの的確さで移動できていなかったら、薬の開発は戦況を変えるのには間に合わなかっただろう。

発見方法のイノベーション

抗生物質革命は、フレミングが偶然にペニシリンを発見したことと、それを製造するための国際協力で始まった。しかし最終的には、命にかかわる細菌と効果的に闘えるほかの分子を探し出すため、軍と製薬会社によって集められたたくさんの土の標本が必要だった。二〇世紀に大手製薬会社が設立した開発研究所はそれに匹敵する調査力を、医学にもたらした。たくさんの興味深い化合物を使った実験によって、混合物のなかに特効薬を探し求めたのだ。

展開方法のイノベーション

ワクチンは一八世紀には医療介入における役割を果たしていたが、そのことを庶民にわかってもらうには、ディケンズの週刊誌『ハウスホールド・ワーズ』のような大衆向けメディアを使って喧伝する必要があった。ルイ・パスツールは、一八六〇年代に牛乳の安全性を確立するための信頼できる科学的手法を思いついていたが、低温殺菌牛乳を普及させるには、ネイサン・ストラウスの牛乳デポと宣伝の才能が必要だった。

COVID-19のメタ・イノベーション

このようなイノベーションが称賛されにくい要因はいくつもある。一六六〇年代にロウソクの明かりで死亡表を研究していたジョン・グラント、密集した都会での生活が死亡率に与える影響を可視化する方法を考え出したファー、臨床研究における無作為化の重要性を把握したオースティン・ブラッドフォード・ヒルとリチャード・ドール――彼らが生み出したのはすべて、データで新しいことをするブレイクスルーだ。輝かしい新たな装置をつくり出したわけでもなければ、発明者のために巨万の富を築いたわけでもなく、日常生活への影響は微妙で間接的だった。しかし長い目で見ると、世界中の何十億という人びとが死を逃れるのを助け、ほかにも数えきれないほどの直接的な保健介入を開発するための基盤をつくり出した。特効薬や新方式の手術やｆＭＲＩ装置で命を延ばせる。しかし、数字を分析したり、新しい処置を支持する立場を明確にしたり、新手の世界的協調を実現する機関をつくったりすることによっても、命を延ばすことはできる。

ＣＯＶＩＤ-19と闘うために、安全で有効なワクチンが開発された前代未聞のスピードは、こうしたあまり目立たないメタ・イノベーションがどのような働きをするのかがわかる絶好の例である。たしかに、最終結果は注射できるワクチンという有形物だが、それを可能にしたイノベーションは、多くの場合、新しい種類のデータの収集と共有を中心に展開していた。いわゆる新型コロナウイルス、ＳＡＲＳ-ＣｏＶ-2ウイルスが二〇一九年末に中国で初めて出現したとき、病原体はものの数週間で特定された（それにひきかえ、ほんの四〇年前にエイズのパンデミックが始まったとき、ＨＩＶの特定に三年かかっている）。そしてコロナウイルスの発見から数日以内に、ウイルスのゲノム配列が決定され、その遺伝子プロファイルが世界中の研究所で共有された。その遺伝子情報から、科学者は約四八時間でCOVID-19ワクチンのための基本構造を構築することができた。最初の情報共有の驚異的スピードのおかげで、モデルナやファイザーのような会社が、二〇二〇年末までに有効なワクチンを出荷することができたのだ。最も楽観的な保健担当官の予想よりも早かった。ウイルスそのものを特定するだけで三年かかったとしたら、COVID-19パンデミックはどうなっていただろう。もしSARS-CoV-2の出現が二、三〇年前だったら、それが現実だっただろう。

平均寿命の物語の〝次章〟

人間の平均寿命の物語で、次の章の方向を決めるのはどのイノベーションだろう？ 低所得国では、ジョン・スノウが二世紀近く前に初めて特定した水が媒介する病気という大敵がいまだに、心臓病に次ぐ死因第二位である。心臓病は必ずと言っていいほど中年期以降に発症する病気だが、水が媒介する病気の死者は幼い子どもが多いので、全体の平均寿命に大きな影響を与える。バザルジェットの下水道のような大規模な排泄物除去インフラを建設する資源がないコミュニティで、とくに期待が寄せられている新しいアプローチは、トイレそのものを考え直すことである。二〇一七年、ビル&メリンダ・ゲイツ財団は、「オフグリッド」で、つまり下水管、水道管、電気といっさいつなげずに、機能するよう設計された新しいトイレの試作品のテストを、インドと南アフリカで始めた。そのトイレは自己完結型で、人間の排泄物を集めてから燃料として燃やし、その過程で生み出されるエネルギーを水の殺菌に使う。装置の運用コストは一日わずか五セントだ。*4

世界の低所得国において、もうひとつきわめて重要な介入はマラリアの撲滅だろう。最も恐怖を覚える生物について尋ねられたら、多くの人が思い浮かべるのはサメやヘビだが、蚊ほど人類史上多数の死者を出した多細胞生物はいない。世界保健機関(WHO)の推定によると、蚊に刺されると伝染するマラリア原虫によって引き起こされるこの病気に、毎年二億人以上がかかり、そのうち五〇万人が死亡するが、そのほとんどが幼い子どもである。*5 しかしこの病気は現在、ごく少数のアフリカの国だけに集中していて、新しい抗マラリア薬だけでなく、殺虫剤処理した蚊帳を採用したおかげで、死者はすでに大幅に減少している。蚊はウイルスにくらべて長い距離を移動できるので、天然痘撲滅につながったワクチン包囲接種法はマラリアの問題には生かしにくい。科学者は現在、遺伝子ドライブ技術をもとに、撲滅への徹底した新しいアプローチを探っている。この技術は、特定の対立遺伝子が子孫に伝えられる確率を変えることによって、ある形質が個体群に広がるようにする、新しい形の遺伝子操作である(通常の生体内では、各対立遺伝子が受け継がれる確率は五〇パーセントだが、その確率を高めると、とくに繁殖サイクルが数日の生物では、問題の形質が迅速に個体群に広がる)。とくに物議を醸しているアプローチは、次世代に無生殖を誘発する形質を伝えることによって、自然界の蚊の全数を、根絶させないにしても劇的に減らすことをねらうものだ。[*6] もうひとつのアプローチは、蚊をマラリア寄生虫耐性にする突然変異を広げることである。

新しい免疫療法とがん治療

高所得国では感染症があまり見られなくなるにつれ、主流の死因は高齢人口の心臓病やアルツハイマー病といった慢性疾患に変わっていった。一九〇〇年、がんは死因の第八位だった。それよりはるかに上位だった胃腸感染症や結核は、いまでは二〇位までにも入っていない。これから二、三年のうちに、アメリカではがんが心臓病を初めて抜いて、死因第一位になるだろう。それでもこの二、三年は、長くもどかしいがんとの闘いの歴史で最も心躍る時期だった。新しい免疫療法技術が出現したのだ。

　がんはコレラや天然痘のような一九世紀の主要な死因とちがって、外部の生命体が人の体に侵入して起こるものではない。ウイルスがきっかけになるように思われるがんもあるが、がん細胞は本人の細胞である。侵略者がはっきりした進化の目的をもって、細胞を乗っ取るわけではない。がんがやること――細胞分裂によって自己増殖すること――は、あらゆる細胞のライフサイクルの一部だ。遺伝指令内の暗号化されたコードのせいで、がん細胞が分裂をやめることを拒否して暴走するだけである。ほぼ一世紀前から、こうした頑固に分裂する細胞の急成長については知られていた。気づかれていなかったのは、細胞がその「是が非でも自己増殖する」モードに入ることが、じつはよくあることだという点である。現代の免疫学でわかったことだが、がんと呼ばれるものは人の体内で年中発生しているが、そうした反抗的な活動を免疫系の初期対応がつねに封鎖している。ほとんどの場合はそれが功を奏する。細胞は死ぬのを拒み、免疫系は細胞が命令に従うように集中攻撃する。

しかし、細胞が免疫系のT細胞に、すぐに撤退しろという信号を発することによって、免疫系の攻撃を阻止してしまう場合がある。細胞は傷から回復するとき、たいていがんのようなスピードで成長する。修復を必要とする組織が細胞に、通常時より速く、しかも長い時間、分裂するように強いるのだ。細胞がそんなふうに急成長するのを免疫系が許すのは、細胞がT細胞上のCTLA-4と呼ばれる分子を活性化する信号を発するからである。[*7] そしてがん細胞は、CTLA-4を活性化することによって、実質的に抗体にメッセージを送っている。「私はここでふつうに増殖して、傷ついた組織を回復させているだけです。私を停止させる必要はありません」。突き詰めると、わざと誤った意味の信号を伝えることが、がんの最強の手口なのだ。言ってみれば、人ががんで命を落とすのは、細胞がうそのつき方を学習するからである。

生命体としての私たちは体内で成長するがんと密接なつながりがあり、がんは実際に私たちの一部であるにもかかわらず、私たちは最初から、腫瘍を是が非でも排除する必要のある侵略者として扱ってきた。まず、細菌論の知識もなく、とにかく野蛮に切り取った。次に、もっと衛生的な手術法を開発した。そしてさらに、化学療法と放射線で爆破するようになった。免疫療法が本来約束するのは、世界最先端の生化学を活用しながら、これまでよりはるかに精密なツールを使って、免疫系ががんそのものを制御するのを助けることだ。

免疫療法はどうやってそれをうまくこなすのか？　その方法とは、CTLA-4信号にスクランブルをかけるのだ。悪性細胞は分裂を続けようとするが、T細胞はその「私を気にしないで」というメッセージを拾わないので、暴走細胞に襲いかかって切り離す。本来はそうなるべきなのだ。考え方として、がんに対する免疫療法のアプローチは、麻酔が利用できなくても腫瘍を切り取る野蛮な外科医の治療とはちがうが、放射線や化学療法ともまったく異なる。体の自然な防御システムに仕事をさせることができるのに、なぜ、細胞を破壊する危険レベルの放射線を病人に浴びせるのか？

免疫療法は、めぐりめぐって元にもどった感がある。寿命倍増の物語における最初の大きな進歩も、当時は生化学が科学としてほとんど存在しなかったにもかかわらず、同じような基盤のうえに成り立っていた。ワクチン――およびその前の人痘接種――も、免疫療法に匹敵する細胞マジックによって作用する。すなわち、脅威を撃退するための新しい抗体を免疫系につくらせるのだ。一方の抗生物質はいったん循環系に入ると、みずから汚れ仕事を行う。侵入してきた細菌は、人の血流に入り込んだペニシリンのような化合物と、直接接触することで死ぬ。免疫療法は頼る回路がワクチンとちがう。外から爆弾を落とすのではなく、既存の防御手段で武装する。これが医薬品の未来かもしれない。特効薬はしだいに、体がみずから治癒するような設計になってきている。

COVID-19はイノベーションを加速させるか

メタ・イノベーションはどうだろう？　ブラッドフォード・ヒルのRCTやウィリアム・ファーの死亡報告と同じくらい重要な、方法論的ブレイクスルーの兆しは見えているのか？　コロナ禍で新たに展開され、勢いづいている非常に有望なアイデアもあり、データの収集と分析における複数の新しい実験を促進している。それはパンデミック中に何千もの命を救った可能性のある実験であり、将来のパンデミックが起こることを未然に防ぐかもしれない。

ＣＤＣやＷＨＯのような組織の存在を考えると、ありえないように聞こえるかもしれないが、コロナウイルスが広がり始めたばかりのころ、わかっている症例すべてに関する情報を、公衆衛生の担当官や研究者が入手して分析するためのデータベースは存在しなかった。しかし集団発生が始まったころ、ファーの死亡報告の二一世紀版を作成するために、世界中の学者による特別な組織が結成された。世界のあらゆる場所で記録されたＣＯＶＩＤ-19症例すべてを一カ所に集めた、オープンソースのアーカイブだ。二月初めまでに、オープンＣＯＶＩＤ-19データワーキンググループと呼ばれるようになり、一万の症例に関して詳細な記録を集めていた。[*8] 二〇二〇年夏までに、大勢のボランティアからなる非公式なネットワークが、世界一四二カ国における一〇〇万以上の症例の記録を集めた。これは全人口へのウイルスの広がりを最も正確に表現しているだろう。

もちろん、その種のデータセットの最大の価値は、将来的な病気の経路と、その経路をどうすれば遮断できるかについて、手がかりを与えてくれることにある。しかし、こうしたモデル構築の仕事は、世界中のごく少数の学術機関で組織化される、即興の取り組みという形をとっている。ジョンズ・ホプキンス大学の疫学者ケイトリン・リヴァーズは、コロナウイルスのパンデミックによって、私たちに必要不可欠なイノベーションは新しい種類の公共機関をつくることだと明らかになった、と主張している。リヴァーズはそれを流行予測センターと呼んだ。それでも、予測はその裏づけとなる基本データしだいであり、病気の集団発生の場合、データ収集の大半は——オープンCOVID-19データワーキンググループによって集められるもののような包括的アーカイブでさえ——重大な障害に悩まされる。情報の入手が遅すぎるのだ。入院患者や死者の数はたしかに不可欠な統計だが、その数字が確認しているのは病気がたどる経路の最終段階だ。COVID-19の場合、平均的な人が病院に行くまでに、ウイルスとの最初の接触から一〇日ほどが経過している。

発症前と無症状の保菌者がウイルスを広げる可能性のあるCOVID-19のような病気では、報告の遅れが急速な集団発生と効果的な封じ込めの差を生みかねない。死亡で終わるCOVID-19の典型的な症例は、次のような時間軸をたどる。その期間は三〇日以上になる可能性がある。

感染↓潜伏期間↓発症前拡散↓発症と拡散↓診察↓入院↓集中治療↓死亡

標準的な体制では、最良のシナリオでも、データ収集は医者の診察が行われる一〇日目まで始まらない。ＣＯＶＩＤ-19では、この時間軸のもっと早い段階でデータ収集を始動するように設計された実験が、急いで始められた。その一部には、いわゆる定点観測調査が関与する。ウィリアム・ファーの死亡報告、あるいはジョン・スノウによるブロードストリートのコレラ集団発生の地図では、どちらも死者を確認していたことを考えると、集められたデータは流行時間軸の一番下に位置する。現在、時間軸の真ん中あたりから、つまり検査や入院のために診療所を訪れるほど具合が悪くなったあたりから、データをとらえるようにシステムが整えられている。しかし、定点観測調査はもっと早期の段階をとらえる。そのために症状を発する前に、一般市民の代表サンプルを検査するのだ。このアプローチの一例が「シアトル・インフルエンザ調査」である。二〇一九年に始まった取り組みで、簡易検査所を設置したり、病院からのサンプルを分析したり、さらには全市民の幅広い層の家庭に鼻用綿棒を配布して、呼吸器感染症の症状が出たらサンプルを送るように依頼する。事実を明かすと、このプログラムはアメリカで初めて、ＳＡＲＳ-ＣｏＶ-2の市中感染を見つけるためのものだった。

人間よりニワトリを研究せよ

テクノロジーも時間軸をさかのぼるのに役立つ。サンフランシスコを拠点とするスタートアップ企業のキンサ社は、二〇一四年以降、インターネットにつながる体温計を販売している。消費者の立場からすると、キンサの体温計の扱いはかなり単純だが、この装置は水面下で、利用者の地理的位置を含む匿名の情報をキンサのサーバーに送る。その新しいデータストリームによって同社は、郡ごとに報告される異常な発熱に関するリアルタイムのデータが把握できて、全国「ヘルスウェザーマップ」なるものを維持管理できるのだ。[*9]

二〇二〇年三月四日、ニューヨークが完全な都市封鎖に入る一九日前から、キンサのマップは同市で統計学的に有意な発熱数の増加を確認し始めた（ニューヨーク最初の症例が報告されたのは三月一日）。三月一〇日には、ブルックリンで体温上昇を記録する人の数は通常より五〇パーセント増えており、公式発表の患者数はまだ二〇〇に届いていなかったにしても、ウイルスがすでに五つの行政区で蔓延していることを示唆していた。

データ収集の時間軸をさかのぼるための最も斬新な――ただし、将来の流行に対する最も意味ある防御となりそうな――手法は、人間を方程式からまるごと削除することを必要とする。ウィリアム・ファーが一八四〇年代に最初の流行曲線を描いたときの基本データは、もっともな話だが、ヒト個体群の出生と死亡のパターンに限られていた。定点観測調査を行えば、人びとが医療機関にかかる前に症状を検知することによって、周期の早い段階で兆候を拾うことができる。しかし、過去二、三〇年に出現したきわめて恐ろしい病気の場合、最初の患者が現われたのは、もっとはるかに長い時間軸の真ん中だった。それはウイルスが動物から人間に飛び移った時点までさかのぼる時間軸だ。疫学者のラリー・ブリリアントは、一九七〇年代の天然痘撲滅に重要な役割を果たした人物であり、時間軸をさかのぼる最も強力な方法は、動物を調査することだと主張した——いまや人間の数より圧倒的に多い六〇〇億羽のニワトリをはじめ、世界中の工場式畜産場における病気の集団発生を追跡するよう設計された、新しいシステムを構築することだ、と。[*10]

　ウィリアム・ファーの生命統計を、動物の病気の領域に応用することで約束されるのは単純なことだ。新たに発生した動物原性感染症を、動物から人間に飛び移る前に止められる。動物調査によって、専門家が昔から最も心配してきたパンデミックの可能性を回避できる。それは一九一八年の鳥インフルエンザのようなインフルエンザの集団発生であり、例の六〇〇億羽のニワトリによる予期せぬ恐ろしい影響だ。公衆衛生データの始まりは、最も基本的な形の計算、つまりこの日、この場所で、何人が死亡したか、だった。しかし生命統計の観点からすると、流行中に人間の死が語るのは過去に起こった感染の話である。一方、一〇〇羽の死んだニワトリは、将来の感染について語ることができる——さらにはその発生を止められるかもしれない。

アメリカ政府は一〇年以上にわたって、まさにこの種の動物調査を行うプログラムに資金を投じてきた。「プレディクト（予測）」と呼ばれるプログラムで、世界中の動物から一〇万以上の生物学的サンプルを集め、その過程で一〇〇〇以上の新しいウイルスを発見した。その期間の運営にかかった費用はわずか二億ドル――連邦政府の予算では丸め誤差――だったにもかかわらず、トランプ政権はプレディクトを二〇一九年秋に停止した。中国武漢での憂慮すべき新しいウイルスの集団発生が、報道され始めるほんの二、三週間前だ。

長寿革命はAIから始まる?

人間の健康の歴史ではよくあることだが、寿命のこれから二、三〇年を方向づけるとくに重要な進歩は、一見無関係の分野から生まれそうだ。一九世紀には、そうしたありそうにないつながりのひとつが土壌学から生まれた。それに匹敵する二一世紀の長寿革命は、コンピューターゲームの研究から出現するだろう。

二〇一七年一二月初め、グーグルの親会社の傘下にあるディープマインド社が、アルファゼロと呼ばれる最先端の機械学習プログラムによる進歩を記録した研究論文を発表した。[*11] ディープマインドはその七年前にロンドンで、デミス・ハサビスという博識家によって設立されていた。彼は二〇代のころ、認知神経科学の研究とコンピューターゲームデザインの二足のわらじをはいており、片手間に世界クラスのチェスもしていた。ディープマインドは設立後の二、三年間は、コンピューターゲーム向けにアルゴリズムを訓練するスタートアップ企業で、ポンからスペースインベーダー、そしてQバートへと、ゲームの複雑さの三段階をゆっくり上っていった。こうした初期のゲームが単純なので、ディープマインドの成果はあまり感動的でないように思えるかもしれない。なにしろコンピューターは一〇年以上にわたって、チェスのようなはるかに難しいゲームで定期的に世界チャンピオンを倒してきた。しかしハサビスと彼のチームは自分たちの研究に、ひとつ決定的な制約を設けていた。アルゴリズムにいかなるカンニングペーパーも渡さなかったのだ。一九九六年にガルリ・カスパロフを負かしたことで有名なチェス・コンピューターのディープブルーには、それまでに行われたゲームの膨大なデータベースと、人間の名人がプログラムした指し手のライブラリーが搭載されていた。チェスの戦略に関する人間の知識と、そのデータベースを活用して、可能な指し手とその効果を超人的スピードではじき出す強引な計算能力との融合体だったのである。一方のディープマインドのアルゴリズムは、まったく無知の状態で、戦略についての情報もゼロでゲームに入った。アルゴリズムが頼っていたのは、AIに対するまったく新しいアプローチであり、Q学習または深層強化学習と呼ばれる。このアプローチは、アルゴリズムが学ぼうとしているシステム――ディープマインドの場合はゲーム――に関する既存のモデルをもたないという点で、「無モデル」と考えられる。その代わり、アルゴリズムはほぼ無限に反復を続け、何十億という異なる戦略を実験することによって、ボトムアップで学習する。ハサビスはそれを「白紙状態強化《タブラ・ラーサ》」と呼んだ。

ディープマインドは研究を進めるうちに、アプローチが少しちがうアルファゼロを開発し始めた。このアルゴリズムは、自分を対戦相手にゲームをすることによって、囲碁やチェスのようなボードゲームで勝つ方法を学ぶのだ。アルファゼロはルールについての基本情報だけで始める。ポーンは一度にひとますしか動けないが、ビショップは斜めにしか動けない、といった具合だ。その必要最小限の知識のほかはまったくの白紙状態で、アルファゼロは初めてのチェスに挑んだ。もちろん、架空のチェス盤の反対側にいるプレーヤーも、アルゴリズムのコピーであることを考えると、同様に無知である。意外ではないが、最初のゲームは驚くほど下手だった。チェスクラブに入ったばかりの小学三年生でも勝てただろう。しかしたった九時間後、アルファゼロは地球上で最も上級のチェスプレーヤーになっていた。それほど多くの知識を蓄積するには不自然なほど短い時間に思えるが、アルゴリズムはその九時間、とても忙しくしていた。たった一日の就労時間中に四四〇〇万局もチェスをしていたのだ。それにくらべて、人間の名人が一生涯に対戦するゲームは、平均で一〇万局程度だろう。

興味深いことに、アルファゼロがその九時間で進化させたプレースタイルには、人間の名人にくらべて、並はずれた積極性があった。ディープマインドがのちの論文で分析している一連の訓練プロセスで、アルゴリズムはトッププラスのプレーヤーが長年使ってきた戦略を、自力で思いついていた。そして二、三〇万局で展開させたあと、アルファゼロはそれを捨てて、より効果的なアプローチを取った（作家でプログラマーのジェイムズ・ソマーズは、ニューヨーカー誌でこの成果について考察し、「人類最高のアイデアがもっと良いものに取って代わられるのを見るのは妙な感じで、少し不安になる」[*12]と述べている）。名人は何世紀もかけてゆっくり、こうした戦略の奥深いパターンを知覚するのに必要な専門知識を集めてきた。アルファゼロはほんの数時間後に自力でそこにたどり着き、そしてさらに先に進んだのだ。

敵はチェスのプレーヤーから病気へ

いまから五〇年後、私たちはこの四四〇〇万局のゲームを、人間の健康史上でブロードストリートのポンプのハンドルが取りはずされた日や、アレクサンダー・フレミングが休暇から帰って窓のそばにカビだらけのペトリ皿を見つけた朝とまったく同じような、重要な節目として振り返るのではないかと思う。チェスをする能力は、人間の知力のごく一部にすぎない。ディープマインドがチェスの名人を半日で育てられるからといって、ホモサピエンスに匹敵する知能全般をもつ機械をつくることができるかどうかについては、ほとんど何もわからない。それでも、アルファゼロのように対戦について制限なく学習するやり方は、とくに健康の生化学に適している（偶然にも、免疫系が前に経験したことのない病原体を攻撃することを覚える方法と似ている)。アルゴリズムはいつの日か、新しいチェス戦略を研究する代わりに、命にかかわるウイルスを破壊したり、がん細胞の急成長を止めたり、アルツハイマー病患者の損傷したニューロンを修復したりするために使える、まったく新しい化合物を探るだろう。実を言うと、ディープマインドが発売したゲームとは関係のない最初の製品は、二〇一八年に発表されたアルファフォールドと呼ばれるアルゴリズムであり、遺伝子配列にもとづいて、タンパク質の三次元構造を予測するように設計されている。この予測は、「誤って折りたたまれた」タンパク質が原因となるパーキンソン病や嚢胞性線《のうほうせいせん》維症《いしょう》のような病気を理解するにも、もっとはるかに幅広い病気と闘う新薬を設計するにも、きわめて重要なプロセスである。

　アルファフォールドとその後継品のようなアルゴリズムが最終的にやることは、言ってみれば、第二次世界大戦の真っ最中に軍の兵士たちが世界中から土のサンプルをもち帰ったり、メアリー・ハントがピオリアのマーケットで生鮮品の通路を歩きまわったりしたことの、デジタル版である。有望な微生物を求めて鉱山の坑道やカビの生えたメロンを探し回る代わりに、ソフトウェアは何十億という組み合わせを探り、私たちの健康を細胞レベルで支配している複雑な三次元の形をつくるために、仮想アミノ酸をつなぎ合わせるのだ。それは発見のメカニズムであり、シミュレーションされた病原体を相手にシミュレーション「ゲーム」を何百万回とプレーすることによって、隣接可能領域の境界を越え、敵を出し抜く有望な新しいタンパク質構造を考え出す。

アルゴリズムが新しい抗生物質を生む

近い将来の深層学習アルゴリズムが、実際にメアリー・ハントとカビだらけのメロンの役割を果たすのなら、とりわけタイムリーなブレイクスルーになるだろう。現在、市場に出ている抗生物質はほぼすべて、一九六〇年より前、ペニシリンの開発に続いて突然活動が活発になった時期に発見された。ところが、抗生物質が過量処方されたり、工業生産の家畜飼料に使われたりすることで、近年、やっかいな耐性が引き起こされている。細菌はこうした特効薬を逃れたり妨害したりするために、新しい戦略を進化させるからだ。[*13] ディープマインドが開拓したもののようなアルゴリズムは、実際に薬の発見プロセスのスピードを上げ、範囲を広げて、新しい化合物を細菌が耐性をつけるよりも速いスピードでつくり出すことを可能にするかもしれない。しかし抗生物質のイノベーションが遅れているのは、ただ新しい発見をするためのツールがないからだけではない。大手製薬会社がこの分野に興味を失ったからでもある。心臓血管病やがんを治療する高額な薬はもうかる。ペニシリンとその後継品のような安価な──投与量が少ない──薬は、営利企業にとって経済的に大きな変化をもたらさない。値上げできるほど他社の薬より劇的に優れた新しい抗生物質をゼロから開発するには、おそらく何百億の費用がかかるだろう。

このように市場メカニズムが働かないおそれがあることから、新しい種類の機関が設立された。既存の抗生物質を生産・販売しながら、おそらくディープマインドで進行中の技術を使って、新しい変異種を開発することに積極的に資金を投じる、一種の世界的ＮＧＯだ（最も近い適切な先例は、ペニシリンを世界に送り出したハイブリッドなネットワークであり、ウィリアム・ダン病理学研究所、ロックフェラー財団、アメリカ農務省、アメリカ軍、そしてメルクやファイザーなど一握りの民間企業が参加している）。そのミッションの一部はすでに、ウェルカム・トラストのような組織からかなりの資金提供を受けている。ウェルカム・トラストは今日まで六億ドル以上を、抗生物質の研究支援に費やしてきた。しかし、単一目的の事業体でも、何百億ドルという財源に恵まれ、世界中に広がる協業ネットワークを利用しているなら、微小な生命有機体と人間集団との関係を次の段階に進められる可能性はある。ディープマインドは私たちに物事の新しい探り方と見方を示している。アミノ酸鎖を記述するデータを分析し、それらが細菌のタンパク質折りたたみと組み合わさる無数の方法を視覚化するのだ。一方、抗生物質にもっぱら焦点を絞っている世界的な非営利団体は、真に新しい展開方法を示してくれるだろう。

平均寿命への誤解

次に、盲点の問題がある。歴史から予測すると、医学界が触れ回っている有力な多数意見のなかには、きっといまから二、三〇年後には根本的に誤りだとわかるものが出てくる。スノウの地図とコッホの顕微鏡に照らされて、ミアズマ説が消滅したのと同じだ。私たちの孫世代は現在の健康に関する通説のどんな核心部分に、当惑させられることになるのだろう？

その疑問に対する答えのなかで最も物議を醸しているのは、医学界とシリコンバレーの超人間主義者の周辺からわき上がってきたものだ。彼らによると、私たちの最大の盲点は、命は終わるはずだという時代遅れの信念だという。老化そのものを「災禍のリスト」から抹消できたらどうだろう？

この思い入れには、単純な統計学的誤解から生じている部分もある。私たちの脳が確率にうまく対応できない最も一般的な状況かもしれない。子どもの死亡率が減少したことの重要性を考慮しなければ、人類はほぼ不死への道を歩んでいるかのように思える。一〇〇年前、平均的な人は四〇歳で死亡していたが、いまや八〇歳まで生きる。この傾向をさらに二、三〇年続ければ、人類という種は人口動態の脱出速度に達する。しかしこれはもちろん、平均寿命が誤解を招いているがゆえの予測だ。一世紀前と比較して最も劇的な変化は、人びとが何百年も生きているのではなく、子ども時代を乗り越えて生き続ける可能性が高くなったことである。

不死の問題を真剣に調べている研究者は、もちろん、こうした人口動態の問題を理解している。老化の時計を逆回りさせる可能性に対する彼らの信念は、前世紀の成果から生まれているのではなく、いわゆるエピゲノムへの新たな理解から生まれている。エピゲノムとは、DNAを活性化してその発現を調整する化学物質の体系である。体内のあらゆる細胞は遺伝子コードのなかに、肝細胞、血球、神経細胞など、人間を構成するさまざまなタイプの細胞すべてをつくり出すための完璧な指示セットをもっている。しかし肝細胞は指示セットのうち、肝細胞の生成に関連する部分しか発現しない。なぜなら、エピゲノムがその発現を調整しているからだ。科学者は現在、老化プロセスそのものが特定のエピゲノムによる指示だと考えている。このシナリオにおける老化は、熱力学第三法則の必然性、衰えの避けられない最終局面ではない。二〇代の人間は年齢にともなう衰えの兆しをほとんど示さない。なぜなら彼らの細胞はまだ、みずからを正常に機能する状態に保てという命令下にあるからだ。しかし人が三〇歳を超えると、なんらかの理由で、そうした自己修復の指示がそれほど厳しくなくなる。進化の観点からすると、老化は特徴であって不具合ではないかもしれない。子孫をつくる時期をうまく乗り切れるように体の細胞を修復し、そのあとは次世代に順番が回るように、日常メンテナンスのスイッチを切る。あるいは、自然選択が単純に、自己修復サイクルを回り続ける方法を見つけられなかったのかもしれない。いずれにせよ、人が老衰で死ぬのは、ただ組織が崩壊するからではない。もはや手間をかける価値がないと、エピゲノムが判断するからである。

ハワード・チャンと山中伸弥

しかし、免疫療法がCTLA-4信号をさえぎるように、私たちがそのメンテナンスのスイッチを入れることができたらどうだろう? 一〇年ほど前、スタンフォード大学の遺伝学教授ハワード・チャンが、NF-kBというタンパク質が放出されると、皮膚組織の細胞で老化プロセスが起こることを発見した。年をとったマウスでそのタンパク質を抑制すると、皮膚が明らかに若返って見えるのだ。[*14] この発見は重大な可能性を示唆した。人間の体はつねに新しい表皮細胞をつくっていて、皮膚細胞の平均寿命は二週から三週にすぎない。それでも、八〇代の人の表皮細胞は、生後二週の赤ん坊の細胞のようには見えない。細胞レベルで、高齢者の新しい皮膚はあらかじめ年をとって生まれる。しかし、ある重要な生物学的事象は時計をリセットする。それは受精卵の生成だ。二人の四〇歳が子どもをつくるとき、それぞれの精子と卵子ははっきりした老化の兆しを示す。エピゲノムの信号が自己修復能力をオフにした結果だ。しかし精子と卵子がつくる接合子は老化の兆しをまったく示さない。生殖プロセスの何かが、老化による着実な衰えを抑えることができ、年をとった体のなかで新しい細胞をつくる。

ハワード・チャンがマウスにNF-kB抑制剤を注射しているころ、日本の生物学者の山中伸弥が革新的な研究を発表した。新たに受精した卵子の時計リセットをつかさどる、きわめて重要な四つの遺伝子を実証したのだ。二〇一六年末、ソーク研究所のファン・カルロス・イズピスア・ベルモンテという遺伝学者が同僚とともに、山中の四つの遺伝子の予備セットでマウスを操作したと発表した。ベルモンテはその遺伝子を活性化するために、外部エピゲノムのようなものをつくり出した。つまりマウスの「山中因子」は、ベルモンテが飲み水に週二回混ぜた薬を飲んだときにのみスイッチが入る。[*15] 山中因子をたえず作動させた初期の実験ではマウスは死亡したが、どういうわけか、たまに自己修復サイクルを始動させるだけにすると、はるかに良い結果が出た。操作されたマウスは対照群より三〇パーセント長生きしたのだ。その命が延びたのは、慢性病を克服したり、侵入する細菌を撃退したりしたからではなく、新しい種類の介入、つまり老化プロセスそのものを遅らせたからだった。

老化の回避と倫理的ジレンマ

老化プロセスがどれだけ複雑かを考えると、細胞の時計をリセットすることは不可能かもしれない、あるいは、まだ何百年も先のバイオテクノロジーかもしれない。しかしここで議論のために、オーブリー・デ・グレイなどの超人間主義者のような擁護者が正しいとしよう。平均寿命の天井が、前世紀に到達した位置よりさらに高く急激なスピードで押し上げられようとしているとしよう。そのような発展が社会全体に対してもつ意味とは何だろう？　すでに手に入れたプラス二万日のおかげで、私たちはこの分野にいくらか経験がある。出生率が下がっても、死亡者の減少が人口の爆発的増加につながりうることを見てきた。その増加が地球環境におよぼしうる損害を見てきた。この惑星の生態系は、何百万年ものあいだ人間とともに進化しているが、その大半の期間、ホモサピエンスの総数は数十万だった。一六六〇年代にジョン・グラントが初めて死者数を数え始めたとき、地球上には五億人しかいなかった。グレート・インフルエンザが最初に襲ってきたときは二〇億人だった。いまでは八〇億人近くいる。人びとが年齢の生物時計を二五歳で止めて、何世紀も生きることを選ぶようになったら、その数はどうなるのか想像してほしい。

老化治療用にRCTテスト済みで発売される初期の製品は、控えめに言っても高価なものになることはほぼ確実だ。投資家のピーター・ティールと発明家のレイ・カーツワイルは真っ先に列に並ぶだろうが、アメリカでさえ中産階級にとっては高価すぎる。ナイジェリアでは言うまでもない。一世紀にわたって不平等が減少してきたのに、死亡表に新たな勾配が始まる。金持ちと貧乏人、不死の人と死ぬ人の格差だ。それだけでも根深い倫理的問題が提起される。銀行預金の残高しだいで、永遠に生きることができる人もいれば、老化によってじわじわと迫り来る衰えと死を強いられる人もいる状況は正しいのか？　最も裕福な国の最も裕福な人びとだけが、その選択肢を検討できるのは正しいのか？

さらに、世界人口への影響の問題がある。わずか一世紀で二〇億から八〇億に急増し、その放物線が上がり続けると仮定すると、恐ろしい線グラフができ上がる。しかし、一八〇〇年代にまっさきに工業化された国々が体験したのと同じ「人口転換」を、グローバル・サウスの社会が体験すると、世界人口の数は次の二、三〇年で落ち着くと考えるのが自然である。このパターンはもともとヨーロッパに現われて以降、世界中で何度も繰り返し観察されてきた。その進行は予測可能だ。子どもの死亡率が減少すると人口が増え、以前は成年に達する前に亡くなっていた赤ん坊が大勢、みずから子どもをつくれる年齢まで長く生きる。それでも各々の家族はそれ以前と同じペースで子どもをつくり続ける。なぜなら、死亡率減少が明らかになるには時間がかかるからであり、それが社会規範に組み込まれるにも時間が必要だ。そして自分たちの子孫がみな大人になるまで生き延びることに気づくころには、戦略転換は遅きに失する。そのため遅れて人口が膨れ上がる。しかしやがて、近代化のおかげで女性も労働力になり、人口密集都市へと移住する傾向になるので、大家族をつくることへの関心は薄れる。工業化にともなう教育と避妊の利用機会増加のおかげで、女性たちは妊娠の回数を減らす新たなツールを手に入れる。まっさきに「人口転換」を経験した社会ではたいてい、出生率は人口置換水準未満まで下がり、一家族の子どもの数は平均で二・一人を下回っている。このパターンは、多くの欧米人には理解できないほど忌まわしい政府の規制もあって、中国に当てはまることは確実に思われるが、グローバル・サウスにも当てはまるとすると、世界人口の増加は二〇八〇年ごろに一〇〇億を超えるくらいで横ばいになるはずだ。そのあと、人間の占有する土地面積はついに再び縮小し始めるだろう。

長生きしたい人は、実は多くない

しかしそれは、私たちが老化を止めなければ、の話だ。

ひょっとすると、人びとが自分は数十年ではなく数百年生きるのだという前提を受け入れた場合にも、家族計画に同様の調整が起こるかもしれない。平均寿命と人口総数の関係を左右する、三つの基本的尺度がある。出生率、死亡率、そして第一子ができたときの両親の平均年齢だ。より長く生き、より多くの赤ん坊が生まれる社会は、親になる平均年齢を先延ばしにすることによって、人口を抑制することができる。平均的な人が七〇歳まで生きて、平均的な親が第一子を二五歳でもうけるなら、世界には大勢の祖父母がいて、曾祖父母もかなりの数がいる。人口総数では、同時に存在する世代すべてが合計される。しかし平均寿命七〇年の社会で、ほとんどの人が子どもをつくるのに四〇歳まで待っていれば、孫やひ孫の数ははるかに少なくなる。ずっと二〇歳かそこらの健康状態で二〇〇歳まで生きることができれば、親になることについての考え方が根本的に変わるかもしれない。私が生まれたとき、女性が初めて母親になる平均年齢は二〇歳を少し上回る程度だった。現在、その数字は三〇に近づきつつある。ひょっとすると不死の人は、子どものいないまま最初のキャリアをすべて経験したあと、六五歳で落ち着いて子どもをつくることにするかもしれない。そうなるとしばらく人口増加は落ち着くかもしれないが、やがて数字は現状に追いつく。

しかし、こうした倫理的ジレンマをあなたがどうとらえるにせよ、否定できないことがひとつある。老化プロセスを終わらせることは、これまで人類に起きたことのなかで最も重要である。事実上、死が自由意志に任される世界で生きることは、すべてを変えるだろう。私たちは地球の環境収容力の範囲内でのみ生きられるのであり、その能力に対して膨大な新しい脅威が迫ってくる。世界の宗教の中心教義は多くが正当性を疑われ、悪質な新しい形の不平等が導入される。しかし同時に、「災禍のリスト」の最もしぶとい項目が抹消され、何十億もの人びとが自分の親、パートナー、その他の愛する人が死にゆくのを見守る悲劇も、もちろん老化の痛みと屈辱に耐えることも、免れることができる。

ここまで重大な変化は慎重を要する。世論調査によると、ほとんどの人は寿命を極端に延ばしたがってはいない。そうではなく、人びとは「健康寿命」——基本的に病気やけがによる障害がない期間——を延ばし、そのあとあっという間に苦しむことなく死にたいと考えている。ほとんどの人は何百年も生きるより、健全な心と動く体で一〇〇歳まで生きてから、ぽっくり死にたいのだ。[*16] それでも不死の研究は、テクノロジー億万長者とソーク研究所のような一流機関から資金提供を受け、突き進んでいる。細胞の時計をリセットして二五歳として永久に生きることが、ほんとうに隣接可能領域に入っているのなら、人類という種は、正式な議論なしにただそのスイッチを入れるのか？　私たちがその重大な一歩を踏み出すかどうか、誰が決めるべきなのか？　たしかに、研究に資金を投じられるほど裕福な人だけに、その選択を任せてはならない。老化プロセスを終わらせるには、エピゲノム研究と遺伝子編集、その他多くの分野の進歩が必要だ。しかし、私たちは新しい種類の機関も考案しなくてはならない。これほど複雑な選択をかじ取りする助けになる、世界的な規制機関のようなものだ。フランシス・オルダムが二二歳でシカゴ大学に到着したとき、誤って人を死なせている薬から人びとを守ることができる規制当局はまだ考案されていなかった。私たちは、死を完全になくす薬を受け入れることを促す、同等の機関を考案する必要があるのかもしれない。

　私たちはまちがった問題を心配している可能性もある。平均寿命が延びた一世紀では、その流れがほぼ不可避だったように思える。公衆衛生版のムーアの法則だ。しかし、そのプラスされた二万日が例外だと判明したらどうだろう？　アメリカでは、スペイン風邪終息以降初めて、三年連続で平均寿命が縮小している。これを書いているいま、COVID-19パンデミックがいまだに地球を席巻している。地球が温暖化し、人口急増が少なくとも二〇八〇年まで続くなか、長寿化の傾向が次の世紀で逆転することはありうるのか？　そして「大脱出」は再び地球に起こるのか？

「人類史上最悪の誤り」

一九二七年、ドン・ディクソンというカイロプラクターが、イリノイ州中部にある家族の農場に点在する、奇妙な土の小山《マウンド》を調査することにした。ほどなくディクソンは、自分が重要な考古学の遺跡を掘り起こしていることに気づいた。彼自身の調査で、何百体分ものアメリカ先住民の骨が出てきた。何世紀も前に、イリノイ川流域の先住民社会によって祭式用の塚に埋められたものだ。ディクソンは骨をその場に保存しようと最善を尽くし、発掘した穴にテントを張って、事実上の期間限定博物館のチケットを売り始めた。やがてその現場に案内所が建てられ、現在、ディクソン・マウンズはイリノイ州立博物館機構に属している。ただしアメリカ先住民に敬意を払って、骨は展示から除外された。

ディクソン・マウンズは考古学者――および人口統計学者――の関心をおおいに引きつけた。その理由は、一九六〇年代末にナンシー・ハウエルをクン人のもとに引き寄せた理由に似ている。ドン・ディクソンの農場にあった最も古い――およそ一〇〇〇年前にさかのぼる――埋葬場所は、イリノイ川流域の狩猟採集民族によって掘られていた。骨は比較的良い状態で保存されていたので、古病理学者が病気や栄養失調の兆候を求めて調べ、骨それぞれの死亡年齢のおおよその推定値にもとづいて、コミュニティの生命表を作成することができた。その調査の結果、描かれた社会の全体像は、ハウエルが現代のクン人文化で見つけたものに似ている。平均寿命は二六年、長く続いた三五年の天井より少し下で、乳幼児の死亡率は三〇パーセント強である。五〇歳を過ぎるまで生きていたのは、コミュニティの一四パーセントだ。

しかしディクソン・マウンズが示したのは、狩猟採集民族の健康状態の断片だけではない。その遺跡は変化の物語も伝えている。一一五〇年ごろ、この地域のアメリカ先住民は祖先の狩猟採集から、おもにトウモロコシの集約栽培という形の初めての農業へと移行した。彼らはさらに二、三世紀のあいだ農業ライフスタイルを続け、最終的に何らかの理由で、その地域での遺体埋葬の慣習は終わった。農耕への転換は、その移行期を経験したアメリカ先住民の骨格に、拭えない痕跡を残している。歯のエナメル質欠損が慢性栄養失調を示唆し、骨は鉄欠乏性貧血によって変形し、きつい労働が増えた結果と思われる脊椎変性の症状が見られる。生命表も同様に残酷な様子を語っている。出生時平均余命は七年縮んでわずか一九年、子どもの死亡率は五〇パーセントを超え、五〇歳まで生き延びる人口はわずか五パーセントだった。[*17] 農業ライフスタイルの採用はアメリカ先住民コミュニティにとって、ウィリアム・ファーが最初の生命表を作成したときのリヴァプールに住む家族にとっての工業化と同じくらい、壊滅的だったのだ。

ディクソン・マウンズの研究によって見えるようになった出生と死亡のパターンは、それ以降、世界各地で、歴史上の農業への移行を研究する古病理学者によって再現されている。栄養摂取の減少、感染性疾患の増加、そして骨の折れる労働のせいで、死亡率が各地で急上昇したことがわかる。たいていの農業社会では、平均寿命と子どもの死亡率が狩猟採集民族と同じレベルにもどるまでに、何千年もかかったようだ。現代人は農業に対して、理想主義的なお手本という思いを抱いているが、初めて経済的生産の一様式として登場したときは、一八〇〇年代初めの北イングランドの工場と同じように悲惨だったのだ。農業社会は平均寿命を縮め、なおかつ新しい形の経済格差を生んだので、進化生物学者のジャレド・ダイアモンドは農耕の採用を「人類史上最悪の誤り」と呼んでいる。[*18]

最も進んだ社会だけでなく世界全体の生と死に見られるように、人間の健康が奇跡的に向上した世紀が終わったいま、ディクソン・マウンズが明らかにした容赦ない衰えは、現状とは遠くかけ離れているように思えるかもしれない。しかし、ディクソン・マウンズの骨の変性や骨折から、大脱出の上昇放物線が必然でないことをあらためて思い知らされる。昔の社会は、自分たちがどういう組織をつくるべきかについて集団で選択し、それが彼らの命を延ばすのでなく縮めてしまい、何千年も続く下方スパイラルをつくり出した。たしかに、祖先が農業時代の黎明期に経験したような退歩を、私たちは避けられると考えるのが自然だ。工業化の黎明期にも平均寿命の縮小が見られた。それでも、そうしたパターンを——死亡報告と生命表、ブロードストリートの集団発生地図で——確認できたことから、闘いと改革のための戦略や新しいイノベーションが促され、それによって最終的にその退歩がわずか一世代か二世代で逆転したのである。現在、私たちははるかに強力なツールを自由に使える。

プラス二万日がもたらした気候危機

COVID-19パンデミックによる死者数は、グレート・インフルエンザの死者数にくらべればわずかである。その理由のひとつは、一〇〇年前にはなかった科学的な公衆衛生の専門知識だ。科学者はSARS-CoV-2ウイルスのゲノムを特定して配列決定することができたが、そこで使われたツールは、一九一八年の集団発生と闘う科学者と医者には魔法に思えただろう。そしてインターネットのおかげで、科学者どうしは情報を一瞬で共有できる。最初のワクチンが二〇二〇年三月に第一相試験に入ったとき、製薬会社は、一九四〇年代にオースティン・ブラッドフォード・ヒルが開拓した統計学的手法を使って、結果を分析することができた。機械学習アルゴリズムは膨大な情報データベースを徹底的に調べて、COVID-19を治療できそうな薬の組み合わせを探した。疫学者は集団発生の経路を推定する高度なモデルを構築することができ、カーブの上昇を抑えるためにはロックダウン戦略が必要だと、当局を説得した。こうした資源のどれも、一〇〇年前にスペイン風邪と闘った医者や公衆衛生当局には利用できなかった。たしかに、失われた命と経済の混乱という点で、COVID-19の代償は多大である。集団発生初期に脅威の規模が過小評価されたり、マスク着用のような単純な公衆衛生の介入が採用されなかったり、無数の過ちがあった。しかし最終的に整備された防御策がなければ、さらに数百万の命が消えていただろう。

将来、SARS-CoV-2よりもっと致死的なウイルスが私たちの防御策を出し抜き、一九一八年規模のパンデミックを起こすおそれはある。あるいは、何か手に負えないテクノロジーが、「大脱出」を覆すくらい大勢の命を奪うかもしれない。しかし私としては、人びとがじつにさまざまな前線で懸命に闘って手に入れた、人生のプラス二万日に対する最大の脅威は、逆説的だが、まさにその勝利によって生じることになったのではないかと思う。いまから一〇〇年後に平均寿命が縮むとしたら、その原因としていちばん可能性が高いのは、工業化された社会に住む一〇〇億の人びとが環境に与える影響だろう。平均寿命を引き延ばしたのと同じような多分野にわたる多くの公共部門ネットワークのおかげで、私たちは、地球温暖化とその現実的・潜在的な影響を知るための驚異的なツールを手にしたが、環境中の温室効果ガスを削減する意志の力も制度もまだないようだ。命を延ばすことが気候危機につながった。この一、二世紀ほどで急激に延びた寿命が、気候危機をきっかけに急激に縮少し、平均への回帰を起こすかもしれない。

その歴史と、そのおこりうる将来を、バングラデシュのボーラ島ほど痛烈に象徴している場所は地球上のどこにもない。四〇年前、そこは人類が公衆衛生の分野で達成した、とりわけ並はずれた業績の現場だった。天然痘の撲滅が、ジェファーソンがほぼ二世紀前に思い描いた夢を実現したのだ。しかし天然痘撲滅から数年後、島は続けざまに壊滅的な洪水に襲われ、ラヒマ・バヌ・ベーグムが天然痘にかかって以降、五〇万人近くがその地を離れざるをえなかった。現在、ボーラ島のかなりの面積が、地球温暖化による海面上昇のせいで、永久に失われている。私たちの子や孫が、二〇七九年に天然痘撲滅一〇〇周年を祝うとき、島全体が世界地図から消えているおそれもある。そのとき、彼らの生命表はどうなっているのだろう？　この一世紀にわたってたくさんのプラスの変化を促した力は、「大脱出」を推進し続けるのか？　天然痘は皮切りにすぎず、ポリオ、マラリア、インフルエンザなど、「災禍のリスト」から次々に脅威が抹消されていくのか？　平等主義の公衆衛生という満ち潮は、あらゆる船を浮かばせ続けていけるのか？　それとも、プラスされた人生という画期的な成果は、海面上昇による現実の潮に洗い流されてしまうのか？

謝辞

生きていることの奇跡にまつわるどんな本も、著者の母親にささげられてしかるべきだと思うが、本書ではとくに感謝に特別な意味がある。私の母は半世紀近く、世界中の患者のために、より公平でより人道的な医療の経験と成果を生み出す改革を、積極的に鼓舞してきた。彼女のおかげで私は幼いころから、医療従事者が社会に果たすきわめて重要な役割に感謝することを教えられ、世の中の健康にまつわるプラスの変化は、科学や技術の進歩の結果であるだけでなく、患者自身とその家族による活動と擁護のおかげでもあることを認識するように育てられた。本書が人間の長寿化に対して専門家でない人や社会運動が果たした役割を強調する根拠は、ひとつには、拙著『感染地図』（河出書房新社）までさかのぼる歳月をかけた、健康と薬の歴史についての調査にある。しかし実際のところ、生涯にわたって母の仕事を見てきたからでもある。

ほかにとくに名前を挙げるべき刺激的な人物が二人いる。友人であり、疫学に関するあらゆる問題の指導者でもあるラリー・ブリリアントは、本書の構想の相談役であり、プロジェクトのテレビ側の貴重な協力者だった（ラリーを紹介してくれたこと、そしてこれまで話し合いに参加してくれたことを、マーク・ビューエルとガイ・ランパードに感謝）。創作のパートナーであるジェーン・ルートにも、このプロジェクトのテレビシリーズとしての可能性を信じてくれたこと、そしてそれを実現する過程で一〇〇回も死ぬ思いを経験したにもかかわらず、信頼し続けてくれたことを感謝する。ジェーンがヌートピアに集めた輝かしいチームにもありがとうと言いたい。フィオナ・コールドウェル、ニコラ・ムーディー、サイモン・ウィルゴス、カール・グリフィン、ヘレナ・テイト、トリスタン・クイン、ダンカン・シン、ヘレン・セージ、デイヴィッド・アルヴァラド、ジェイソン・サスバーグ、ジェン・ビーミッシュ。本書と番組の両方でアイデアを展開することにも、コロナ時代にテレビ番組を製作するという大変なチャレンジに取り組むことにも、力を貸してくれた。

　本書は私のどのプロジェクトよりも、多くの分野とその分野が対象とする時代の専門家と交わした、膨大な量の会話から恩恵を受けている。ブルース・ゲリン、デイヴィッド・ホー、ナンシー・ハウエル、ローナ・E・ソープ、タラ・C・スミス、マーク・N・ゴルヴィッチ、リンダ・ヴィラローサ、カール・ジマー、ジョン・ブラウンスタイン、ジム・キム、サミュエル・スカルピノ、ジェレミー・ファーラー、アンディ・スラヴィット、ナンシー・ブリストウ、アンソニー・ファウチ、クリーヴ・トンプソン、ジュン・ユン、テレビ番組の多才な共同司会者のデイヴィッド・オルソガ。マックス・ローザーとアワ・ワールド・イン・データのチームは、本書の「生命統計」すべてについて、かけがえのない協力をしてくれた——彼らはグラントとファーの真の後継者だ。義理のきょうだいのマネシュ・パテルには専門的な助言に、そして両親にはこんな困難な年に惜しみなく貴重な支援をしてくれたことに、とくに感謝する。ＳＥＲＪグループには、全体像を熟考してくれたことに敬意を。そしてスチュワート・ブランドとライアン・フェランには、タイトルの着想を助けてくれたことに謝意を。

今回のようなマルチプラットフォームのプロジェクトは、さまざまな人と組織の貢献にかかっている。まずはじめにリヴァーヘッド社の出版チームだ。聡明な編集者コートニー・ヤングは、妊娠とパンデミックを押して本書の面倒を見てくれた。出版者のジェフリー・クロスクは、いくつものバージョンすべてでプロジェクトを支援してくれた。ジャクリーヌ・ショスト、アシュレー・ガーランド、メイ・チー・リン、そしてアシュレー・サットンにも感謝する。長年の編集者ビル・ワシクと、ニューヨークタイムズマガジンのジェイク・シルヴァースタインは、重大な初期段階でこのプロジェクトの可能性を理解してくれた。PBSのビル・ガードナーは『世界をつくった6つの革命の物語』(小社)で協力して以来、このようなアイデアを画面に映し出すことにかけては、疲れを知らないチャンピオンだ。私のポッドキャストのプロデューサー、マーシャル・レヴィーとナタリー・チチャは、歴史物語のいくつかを、現在のCOVID-19の現実と結びつけるのを手伝ってくれた。テレビシリーズの製作を助けてくれた財団および個人からの、財政と編集のサポートに感謝する。とくにスローン財団のドロン・ウェーバーは、番組製作プロセスの最悪の時期に、とても大切な励ましの緊急対策を施してくれただけでなく、現在の危機を過去の勝利に織り込む方法を視覚化する手伝いをしてくれた。アーサー・ヴィニング・デイヴィス財団にも、シリーズへの支援を感謝する。エージェントのリディア・ウィルズ、ライアン・マクネイリー、シルヴィー・ラビノー、トラヴィス・ダンラップ、ジェイ・マンデルは、このプロジェクトのさまざまな脱線をうまく処理し、どうにか最終的にすばらしい目的地へとかじ取りしてくれた。

最後に、妻と息子たち、ありがとう。きみたちのおかげで、このすばらしいプラスの人生は真に生きるに値する。

Stretton, UK: Ulric Publishing, 2003.

Winter, R. et al. "Deep Learning for De Novo Drug Design." Interdisziplinärer Kongress | Ultraschall 2019-43. Dreiländertreffen DEGUM | ÖGUM | SGUM, 2019, doi:10.1055/s-0039-1695913.

Wolfe, Robert M., and Lisa Sharp. "Anti-Vaccinationists Past and Present." *BMJ* 325, no. 7361 (2002), 430-32, doi:10.1136/bmj.325.7361.430.

Zaimeche, Salah, and Salim Al-Hassani. "Lady Montagu and the Introduction of Smallpox Inoculation to England." *Muslim Heritage*, February 16, 2010. muslimheritage.com/lady-montagu-smallpox-inoculation-england.

Saul, Toby. "Inside the Swift, Deadly History of the Spanish Flu Pandemic." *National Geographic*, March 5, 2020. www.nationalgeographic.com/history/magazine/2018/03-04/history-spanish-flu-pandemic.

Schultz, Stanley G. "From a Pump Handle to Oral Rehydration Therapy: A Model of Translational Research." *Advances in Physiology Education* 31, no. 4 (2007), 288-93, doi:10.1152/advan.00068.2007.

Silver, David, et al. "A General Reinforcement Learning Algorithm That Masters Chess, Shogi, and Go Through Self-Play." *Science* 362, no. 6419 (2018), 1140-44, doi:10.1126/science.aar6404.

Smith-Howard, Kendra. *Pure and Modern Milk: An Environmental History since 1900*. New York: Oxford University Press, 2017.

Somers, James. "How the Artificial Intelligence Program AlphaZero Mastered Its Games." *New Yorker*, December 28, 2018. www.newyorker.com/science/elements/how-the-artificial-intelligence-program-alphazero-mastered-its-games.

Stapp, J. P. "Problems of Human Engineering in Regard to Sudden Decelerative Forces on Man." *Military Medicine* 103, no. 2 (1948), 99-102, doi:10.1093/milmed/103.2.99.

Starmans, Barbara J. "Spanish Influenza of 1918." *The Social Historian*, September 7, 2015. www.thesocialhistorian.com/spanish-influenza-of-1918.

Straus, Nathan. *Disease in Milk: The Remedy Pasteurization: The Life Work of Nathan Straus*. Smithtown, NY: Straus Historical Society, Inc., 2016.

Szreter, Simon. "The Importance of Social Intervention in Britain's Mortality Decline c.1850-1914: A Re-Interpretation of the Role of Public Health." *Social History of Medicine* 1, no. 1 (1988), 1-38, doi:10.1093/shm/1.1.1.

"Turning Back Time: Salk Scientists Reverse Signs of Aging." *Salk News*, December 15, 2016. www.salk.edu/news-release/turning-back-time-salk-scientists-reverse-signs-aging.

"The Value of Vaccination." *The Lancet* 200, no. 5178 (1922), 1139, doi:10.1016/s0140-6736(01)01172-2.

Wagstaff, Anna. "Richard Doll: Science Will Always Win in the End." *Cancerworld*, November 23, 2017. www.cancerworld.net/senza-categoria/richard-doll-science-will-always-win-in-the-end/.

Wainwright, Milton. "Hitler's Penicillin." *Perspectives in Biology and Medicine* 47, no. 2 (2004), 189-198, doi:10.1353/pbm.2004.0037.

West, Julian G. "The Accidental Poison That Founded the Modern FDA." *The Atlantic*, January 16, 2018. www.theatlantic.com/technology/-2018/01/the-accidental-poison-that-founded-the-modern-fda/550574.

"What's Behind NYC's Drastic Decrease in Infant Mortality Rates?" National Institute for Children's Health Quality, July 24, 2017. www.nichq.org/insight/whats-behind-nycs-drastic-decrease-infant-mortality-rates.

Whitehead, M. "William Farr's Legacy to the Study of Inequalities in Health." *Bulletin of the World Health Organization*, 2000. www.ncbi.nlm.nih.gov/pmc/articles/PMC2560600.

Williams, Max. *Reinhard Heydrich: The Biography, Volume 2: Enigma*.Church

Bostonians During a Smallpox Epidemic." History of Vaccines. historyofvaccines.org/content/blog/onesimus-smallpox-boston-cotton-mather.

Needham, Joseph. "Biology and Biological Technology." *Science and Civilisation in China* 6, Part VI, Medicine. Cambridge, UK: Cambridge University Press, 2000.

Nelson, Bryn. "The Lingering Heat over Pasteurized Milk." *Science History Institute*, April 18, 2019. www.sciencehistory.org/distillations/the-lingering-heat-over-pasteurized-milk.

Opdycke, Sandra. *The Flu Epidemic of 1918: America's Experience in the Global Health Crisis*. New York: Routledge, 2014.

Osler, William. *The Principles and Practice of Medicine*, 8th ed., Largely Rewritten and Thoroughly Revised with the Assistance of Thomas McCrae. Boston: D. Appleton & Company, 1912.

Parke, Davis & Company. *1907-8 Catalogue of the Products of the Laboratories of Parke, Davis & Company, Manufacturing Chemists, London, England*. wellcomecollection.org/works/w5g9s5ac.

Pinker, Steven. *Enlightenment Now: The Case for Reason, Science, Humanism, and Progress*. New York: Penguin Books, 2019.(『21世紀の啓蒙——理性、科学、ヒューマニズム、進歩』橘明美、坂田雪子訳、草思社)

Plough, Alonzo L. *Advancing Health and Well-Being: Using Evidence and Collaboration to Achieve Health Equity*. New York: Oxford University Press, 2018.

"Policy Impact: Seat Belts." Centers for Disease Control and Prevention, January 3, 2011.

Pordeli, Mohammad Reza, et al. A Study of the Causes of Famine in Iran during World War I." *Review of European Studies* vol. 9, no. 2 (2017), p. 296, doi:10.5539/res.v9n2p296.

Razzell, Peter Ernest. *The Conquest of Smallpox: The Impact of Inoculation on Smallpox Mortality in Eighteenth Century Britain*. London: Caliban Books, 2003.

Richtel, Matt. *An Elegant Defense: The Extraordinary New Science of the Immune System: A Tale in Four Lives*. New York: William Morrow, 2020.

Riedel, Stefan. "Edward Jenner and the History of Smallpox and Vaccination." *Baylor University Medical Center Proceedings* 18, no. 1, (2005), 21-25, doi:10.1080/08998280.2005.11928028.

Riley, James C. *Rising Life Expectancy: A Global History*. New York: Cambridge University Press, 2015.(『健康転換と寿命延長の世界誌』門司和彦、金田英子、松山章子、駒澤大佐訳、明和出版)

Rosen, William. *Miracle Cure: The Creation of Antibiotics and the Birth of Modern Medicine*. New York: Penguin Books, 2018.

Ruxin, Joshua Nalibow. "Magic Bullet: The History of Oral Rehydration Therapy." *Medical History* 38, no. 4 (1994), 363-97, doi:10.1017/s0025727300036905.

Ryan, Craig. *Sonic Wind: The Story of John Paul Stapp and How a Renegade Doctor Became the Fastest Man on Earth*. New York: Liveright, 2016.

Sahlins, Marshall. "The Original Affluent Society." *Eco Action*, 2005. www.eco-action.org/dt/affluent.html.

——. *The Ghost Map: The Story of London's Most Terrifying Epidemic-and How It Changed Science, Cities, and the Modern World*. New York: Riverhead, 2006.(『感染地図——歴史を変えた未知の病原体』矢野真千子訳、河出文庫)

——.*Where Good Ideas Come From: The Natural History of Innovation*. New York: Riverhead, 2011.

Kauffman, Stuart A. *Investigations*. New York: Oxford University Press, 2002.(『カウフマン、生命と宇宙を語る——複雑系からみた進化の仕組み』河野至恩訳、日本経済新聞社)

Laskow, Sarah. "Railyards Were Once So Dangerous They Needed Their Own Railway Surgeons." *Atlas Obscura*, July 25 2018. www.atlasobscura.com/articles/what-did-railway-surgeons?do.

Lax, Eric. *The Mold in Dr. Florey's Coat: The Story of the Penicillin Miracle*. New York: Henry Holt, 2005.

Leavell, B. S. "Thomas Jefferson and Smallpox Vaccination." *Transactions of the American Clinical and Climatological Association* 88 (1977), 119-27.

Leslie, Frank. *The Vegetarian Messenger* 10 (1858).

Lewis, David L. *W.E.B. Du Bois: A Biography, 1868-1963*. Kindle edition. New York: Henry Holt and Company, 2009.

Luckin, W. "The Final Catastrophe-Cholera in London, 1866." *Medical History* 21, no. 1 (1977) 32-42, doi:10.1017/s0025727300037157.

Macfarlane, Gwyn. *Howard Florey: The Making of a Great Scientist*. The Scientific Book Club, 1980.

Majd, Mohammad Gholi. *The Great Famine and Genocide in Persia, 1917-1919*. Lanham, MD: University Press of America, 2003.

"The Man Behind High-Speed Safety Standards." National Air and Space Museum, August 22, 2018. www.airandspace.si.edu/stories/editorial/man-behind-high-speed-safety-standards.

McGuire, Michael J. *The Chlorine Revolution: The History of Water Disinfection and the Fight to Save Lives*. American Denver: Water Works Association, 2013.

McKeown, Thomas. *The Role of Medicine: Dream, Mirage, or Nemesis?* Princeton, NJ: Princeton University Press, 2016.

——. *The Modern Rise of Population*. London: Edward Arnold, 1976.

McNeill, Leila. "The Woman Who Stood Between America and a Generation of 'Thalidomide Babies'." *Smithsonian Magazine*, May 8, 2017. www.smithsonianmag.com/science-nature/woman-who-stood-between-america-and-epidemic-birth-defects-180963165.

Moss, Tyler. "The 19th-Century Swill Milk Scandal That Poisoned Infants with Whiskey Runoff." *Atlas Obscura*, November 27, 2017. www.atlasobscura.com/articles/swill-milk-scandal-new-york-city.

Nader, Ralph. *Unsafe at Any Speed: The Designed- In Dangers of the American Automobile*. New York: Knightsbridge Publishing Co., 1991. (『どんなスピードでも自動車は危険だ』河本英三訳、ダイヤモンド社)

Najera, Rene F. "Black History Month: Onesimus Spreads Wisdom That Saves Lives of

Diseases 3, no. 1 (1998), 54-60, doi:10.1016/s1201-9712(98)90096-0.

Guerrant, Richard L., et al. "Cholera, Diarrhea, and Oral Rehydration Therapy: Triumph and Indictment." *Clinical Infectious Diseases* 37, no. 3 (2003), 398-405, doi:10.1086/376619.

Habakkuk, H. J. *Population Growth and Economic Development since 1750*. Leicester, UK: Leicester University Press, 1981.

Hadlow, Janice. *A Royal Experiment: The Private Life of King George III*. New York: Henry Holt and Company, 2014.

Hammond, Andrew, et al. "A CRISPR-Cas9 Gene Drive System Targeting Female Reproduction in the Malaria Mosquito Vector *Anopheles Gambiae*." *Nature Biotechnology* 34, no. 1 (2016), 78-83, doi:10.1038/nbt.3439.

Handley, J. B. "The Impact of Vaccines on Mortality Decline Since 1900-According to Published Science," *Children's Health Defense*, March 12, 2019. www.childrenshealthdefense.org/news/the-impact-of-vaccines-on-mortality-decline-since--1900-according-to-published-science.

Harris, Bernard. "Public Health, Nutrition, and the Decline of Mortality: The McKeown Thesis Revisited." *Social History of Medicine* 17, no. 3 (2004) 379-407.

Hartley, Robert Milham. *An Historical, Scientific, and Practical Essay on Milk, as an Article of Human Sustenance: With a Consideration of the Effects Consequent upon the Present Unnatural Methods of Producing It for the Supply of Large Cities*. London: Forgotten Books, 2016.

Henderson, Donald A. "A History of Eradication: Successes, Failures, and Controversies." *The Lancet* 379, no. 9819 (2012), 884-5.

Hill, A. Bradford. "The Clinical Trial." *New England Journal of Medicine*247, no. 4 (1952), 113-19.

Hollingsworth, T. H. "Mortality." *Population Studies* 18, no. 2 (November 1964).

Hopkins, Donald R. *The Greatest Killer: Smallpox in History*, with a new introduction. Chicago: University of Chicago Press, 2002.

Howell, Nancy. *Demography of the Dobe !Kung*. Kindle edition. New York: Routledge, 2007.

——. *Life Histories of the Dobe !Kung: Food, Fatness, and Well-Being over the Life Span*. Oakland, CA: University of California Press, 2010.

Hull, Charles H. "Graunt or Petty?" *Political Science Quarterly* 11, no. 1 (1896), 105, doi:10.2307/2139604.

James, Portia P. *The Real McCoy: African-American Invention and Innovation, 1619-1930*. Washington, DC: Smithsonian Institution Press, 1990.

Jha, Prabhat, and Witold A. Zatonski, "Smoking and Premature Mortality: Reflections on the Contributions of Sir Richard Doll." *Canadian Medical Association Journal* 173, no. 5 (2005), 476-77, doi:10.1503/cmaj.050948.

Johnson, Steven. "How Data Became One of the Most Powerful Tools to Fight an Epidemic." *New York Times Magazine*, June 11, 2020. www.nytimes.com/interactive/2020/06/10/magazine/covid-data.html.

Fee, Elizabeth, and Daniel M. Fox. *AIDS: The Making of a Chronic Disease*. Oakland, CA: University of California Press, 1992.

Fisher, Ronald Aylmer. *The Design of Experiments*, 3rd ed. London: Oliver and Boyd, 1942.(『実験計画法』遠藤健児・鍋谷清治訳、森北出版)

Foege, William H. *House on Fire: The Fight to Eradicate Smallpox*. Oakland, CA: University of California Press, 2012.

Fogel, Robert W. "Catching Up with the Economy." *American Economic Review* 89, no. 1 (1999), 1-21, doi:10.1257/aer.89.1.1.

——. *The Escape from Hunger and Premature Death, 1700-2100*. New York: Cambridge University Press, 2003.

Frerichs, Ralph R. "Reverend Henry Whitehead." www.ph.ucla.edu/epi/snow/whitehead.html.

Friend, Tad. "Silicon Valley's Quest To Live Forever." *New Yorker*, March 27, 2017. www.newyorker.com/magazine/2017/04/03/silicon-valleys-quest-to-live-forever.

Galloway, James N., et al. "A Chronology of Human Understanding of the Nitrogen Cycle." *Philosophical Transactions of the Royal Society B: Biological Sciences* 368, no. 1621 (2013), 20130120, doi:10.1098/rstb.2013.0120.

Gammino, Victoria M. "Polio Eradication, Microplanning and GIS." *Directions Magazine*-GIS News and Geospatial, July 16, 2017. www.directionsmag.com/article/1350.

Gammino, Victoria M., et al. "Using Geographic Information Systems to Track Polio Vaccination Team Performance: Pilot Project Report." *Journal of Infectious Diseases* 210, issue suppl. 1 (2014), doi:10.1093/infdis/jit285.

Gawande, Atul. "Slow Ideas." *New Yorker*, July 22, 2013. www.newyorker.com/magazine/2013/07/29/slow-ideas.

Gelfand, Henry M., and Joseph Posch. "The Recent Outbreak of Smallpox in Meschede, West Germany." *American Journal of Epidemiology* 93, no. 4 (1971), 234-37, doi:10.1093/oxfordjournals.aje.a121251.

Glass, D. V. "John Graunt and His Natural and Political Observations." *Notes and Records of the Royal Society of London* 19, no. 1 (1964), 63-100, doi:10.1098/rsnr.1964.0006.

Godfried, Isaac. "A Review of Recent Reinforcement Learning Applications to Healthcare." *Medium, Towards Data Science*, January 9, 2019.

Gráda, Cormac Ó. *Famine: A Short History*. Princeton, NJ: Princeton University Press, 2010.

Graunt, John. *Natural and Political Observations: Mentioned in a Following Index and Made upon the Bills of Mortality; With Reference to the Government, Religion, Trade, Growth, Air, Diseases, and the Several Changes of the Said City*. London: Martyn, 1676.

Griffith, G. Talbot. *Population Problems of the Age of Malthus*. Cambridge, UK: Cambridge University Press, 2010.

Gross, Cary P., and Kent A. Sepkowitz. "The Myth of the Medical Breakthrough: Smallpox, Vaccination, and Jenner Reconsidered." *International Journal of Infectious*

藤茂、戸澤由美子訳、人文書院）

“Committee on the History of the New York Section of the American Chemical Society 2007 Annual Report.” American Chemical Society. www.newyorkacs.org/reports/NYACSReport2007/NYHistory.html.

Cox, Timothy M., et al. “King George III and Porphyria: An Elemental Hypothesis and Investigation.” *The Lancet* 366, no. 9482 (2005), 332-35, doi:10.1016/s0140-6736(05)66991-7.

Cushman, G. T. *Guano and the Opening of the Pacific World: A Global Ecological History*. Cambridge, UK: Cambridge University Press, 2013.

Cutler, David, and Grant Miller. “The Role of Public Health Improvements in Health Advances: The Twentieth-Century United States.” *Demography* 42 (2005), 1-22, doi:10.3386/w10511.

Cutler, David, et al. “The Determinants of Mortality.” *Journal of Economic Perspectives* 20, no. 3 (Summer 2006), 97-120, doi:10.3386/w11963.

D’Agostino, Ryan. “How Does Bill Gates’s Ingenious, Waterless, Life-Saving Toilet Work?” *Popular Mechanics*, November 7, 2018. www.popularmechanics.com/science/health/a24747871/bill-gates-life-saving-toilet.

Deaton, Angus. *The Great Escape: Health, Wealth, and the Origins of Inequality*. Princeton, NJ: Princeton University Press, 2015.(『大脱出——健康、お金、格差の起源』松本裕訳、みすず書房）

DeHaven, Hugh. “Mechanical Analysis of Survival in Falls from Heights of Fifty to One Hundred and Fifty Feet.” *Injury Prevention* 6, no. 1, (2000), doi:10.1136/ip.6.1.62-b.

Dillon, John J. *Seven Decades of Milk: A History of New York’s Dairy Industry*. Ann Arbor, MI: University of Michigan Press, 1993.

Doll, Richard, and A. Bradford Hill. “Smoking and Carcinoma of the Lung.” *The British Medical Journal* 2, no. 4682 (1950), 739-748, doi:10.1136/bmj.2.4682.739.

Doll, Richard, and A. Bradford Hill. “The Mortality of Doctors in Relation to Their Smoking Habits.” *The British Medical Journal* 1, no. 4877 (1954), 1451-55, doi:10.1136/bmj.1.4877.1451.

Du Bois, W. E. B. *The Philadelphia Negro* (The Oxford W. E. B. Du Bois). Kindle edition. New York: Oxford University Press, 2014.

Erkoreka, Anton. “Origins of the Spanish Influenza Pandemic (1918-1920) and Its Relation to the First World War.” *Journal of Molecular and Genetic Medicine* 3, no. 2 (2009), doi:10.4172/1747-0862.1000033.

Eyler, John M. “Constructing Vital Statistics: Thomas Rowe Edmonds and William Farr, 1835-1845.” In A. Morabia, ed., *A History of Epidemiologic Methods and Concepts*. Basel, Switzerland: Birkhäuser, 2004, 149-57, doi:10.1007/978-3-0348-7603-2_4.

——. *Victorian Social Medicine: The Ideas and Methods of William Farr*. Baltimore: Johns Hopkins University Press, 1979.

Farris, Chris. “Moldy Mary . . . Or a Simple Messenger Girl?” *Peoria Magazine*, December 2019. www.peoriamagazines.com/pm/2019/dec/moldy-mary-or-simple-messenger-girl.

参考文献

Adler, Adam S., et al. "Motif Module Map Reveals Enforcement of Aging by Continual NF-kB Activity." *Genes and Development* 21, no. 24 (2007), 3244-57, doi:10.1101/gad.1588507.

Adler, Jerry. "How the Chicken Conquered the World." *Smithsonian Magazine*, June 1, 2012. www.smithsonianmag.com/history/how-the-chicken-conquered-the-world-87583657/#IfRbIAss4zRjbFBE.99.

Aldrich, Mark. "History of Workplace Safety in the United States, 1880-1970." *EHnet*. www.eh.net/encyclopedia/history-of-workplace-safety-in-the-united-states-1880-1970.

Anderson, D. Mark, et al. "Public Health Efforts and the Decline in Urban Mortality: Reply to Cutler and Miller." *SSRN Electronic Journal*, 2019, doi:10.2139/ssrn.3314366.

Armitage, Peter. "Fisher, Bradford Hill, and Randomization." *International Journal of Epidemiology* 32, no. 6 (2003), 925-28, doi:10.1093/ije/dyg286.

——. "Obituary: Sir Austin Bradford Hill, 1897-1991." *Journal of the Royal Statistical Society: Series A (Statistics in Society)* 154, no. 3 (1991), 482-84, doi:10.1111/j.1467-985x.1991.tb00329.x

Ballentine, Carol. "Taste of Raspberries, Taste of Death: The 1937 Elixir Sulfanilamide Incident." *FDA Consumer*, June 1981.

Barry, John M. *The Great Influenza: The Story of the Deadliest Pandemic in History*. New York: Penguin Books, 2018.(『グレート・インフルエンザ――ウイルスに立ち向かった科学者たち』平澤正夫訳、ちくま文庫)

Bendiner, Elmer. "Alexander Fleming: Player with Microbes." *Hospital Practice* 24, no. 2 (1989), 283-316, doi:10.1080/21548331.1989.11703671.

Bloom, David E., et al. "The Value of Vaccination," in *Fighting the Diseases of Poverty*, edited by Philip Stevens. New York: Routledge, 2017, 214-38.

Borroz, Tony. "Strapping Success: The 3-Point Seatbelt Turns 50." *Wired*, June 4, 2017. www.wired.com/2009/08/strapping-success-the-3-point-seatbelt-turns-50.

Boylston, Arthur. "The Origins of Inoculation." *Journal of the Royal Society of Medicine* 105, no. 7 (2012), 309-13, doi:10.1258/jrsm.2012.12k044.

Bulletin of the World Health Organization. "Miracle Cure for an Old Scourge. An Interview with Dr. Dhiman Barua." March 4, 2011, www.who.int/bulletin/volumes/87/2/09-050209/en.

Burroughs Wellcome and Company. *The History of Inoculation and Vaccination for the Prevention and Treatment of Disease*. Lecture memoranda, Australasian Medical Congress, Auckland, N.Z., 1914.

Carrell, Jennifer Lee. *The Speckled Monster: A Historical Tale of Battling Smallpox*. New York: Plume, 2004.

Ciecka, James E. "The First Probability Based Calculations of Life Expectancies." *Journal of Legal Economics* 47 (2011), 47-58.

Cohen, Mark Nathan. *Health and the Rise of Civilization*. New Haven, CT: Yale University Press, 2011.(『健康と文明の人類史――狩猟、農耕、都市文明と感染症』中元

11. India Broiler Meat (Poultry) Production by Year. https://www.indexmundi.com/agriculture/?country=in&commodity=broiler-meat&graph=production.

終章　寿命を縮める「災禍のリスト」

1. ナンシー・ハウエルがクン人社会に見たレベルに近い平等主義を標榜する大規模な現代社会がないのは事実だ。しかし、まだ資本が発明されていない社会のほうが、平等主義者でいることははるかに容易である。真の狩猟採集文化で維持できる所有物がとてもたくさんあるにすぎない。スティーヴ・ジョブズ(さらに言うならバーニー・マドフ)になりたかった旧石器時代の策略家はたくさんいたかもしれないが、そうなれなかったのは、狩猟採集文化の隣接可能領域ではそのような富の蓄積を想像することさえ不可能だったからだ。有望さとリスクのある産業資本主義にあれこれ手を加えることにほとんどの時間を費やしてきた国の多く——フランス、オランダ、ドイツ——は、民主社会主義のモデルに落ち着いたように思われる。市場経済派だが、強いセーフティネットと国民皆保険があり、そのおかげでかなり平等な国家経済を成功させることができる(アメリカは悲しいかな、まだそのモデルを受け入れていない)。グラフに見られる傾向にもとづき、国家間でも同じ結果が可能であり、富と長寿両方の勾配がこれから数十年は縮小し続けるのではないかと推測するのは自然である。

2. Fogel, *The Escape from Hunger and Premature Death*, loc. 804-18.
3. City Health Dashboard. https://www.cityhealthdashboard.com.
4. D'Agostino.
5. https://www.who.int/data/gho/data/themes/malariaを参照。
6. Hammond et al., 80-83.
7. Richtel, 298-300.
8. Research Data Alliance. https://www.rd-alliance.org/groups/rda-covid19.
9. HealthWeather. https://healthweather.us/
10. Johnson, "How Data Became."
11. Silver et al., 1140-42.
12. Somers.
13. Richtel, 248.
14. Adler et al., 3254-55.
15. "Turning Back Time."
16. Friend.
17. Cohen, 121.
18. Diamond, Jared. "The Worst Mistake in the History of the Human Race." *Discover*, May 1, 1999. http://discovermagazine.com/1987/may/02-the-worst-mistake-in-the-history-of-the-human-race.

Society 2007 Annual Report." に引用。

11. Farris.

12. Wainwright, 190.

13. Wainwright, 193.

第7章　卵を屋上から落としても割れないようにする方法――自動車と労働の安全

1. "Mary Ward, the First Person to be Killed in a Car Accident-31 August 1869." blog, August 30, 2013. https://blog.britishnewspaperarchive.co.uk/2013/08/30/mary-ward-the-first-person-to-be-killed-in-a-car-accident-31-august-1869.

2. Laskow.

3. Gangloff, 40.

4. DeHaven (1942), 5.

5. DeHaven (1942), 8.

6. Stapp, 100.

7. "The Man Behind High-Speed Safety Standards."

8. Ryan, 107に引用。

9. Nader, 60に引用。

10. Borroz.

11. Nader, 10.

12. the 1965 *Congressional Quarterly,* 783に引用。

13. United States Congress. *Congressional Record*. October 21, 1966. Vol. 112, 28618. https://www.google.com/books/edition/Congressional_Record/FBEb4lvtxMMC?hl=en&gbpv=1&dq=%22crusading+spirit+of+one+individual+who+believed+he+could+do+something%22&pg=PA28618&printsec=frontcover.

14. 安全性評議会が集めたデータにもとづく。injuryfacts.nsc.org/motor-vehicle/historical-fatality-trends/deaths-and-rates.

第8章　土とヒヨコの力で世界を養う方法――飢饉の減少

1. Kauffman, and Johnson, *Where Good Ideas Come From*を参照。

2. Majd, 17.

3. Majd, 23.

4. Fogel, loc. 852.

5. McKeown, *The Modern Rise of Population*, 142.

6. McKeown, *The Modern Rise of Population*, 156.

7. Gráda, 10-24.

8. 飢饉減少のデータに関する優れた概説はhttps://ourworldindata.org/faminesを参照。

9. Adler, "How the Chicken Conquered the World."

10. Cushman, 40-43.

18. "Miracle Cure for an Old Scourge."
19. "Miracle Cure for an Old Scourge."
20. "Miracle Cure for an Old Scourge."
21. Gawande.
22. Ruxin, 396.

第5章　大規模な薬害を起こさない方法——薬の規制と治験

1. Rosen, 242に引用。
2. Barry, Kindle edition, 23.
3. Ballentine, 3-4.
4. "'Death Drug Hunt' Covered 15 States." *New York Times*, November 26, 1937, 42. https://timesmachine.nytimes.com/timesmachine/1937/11/26/94467337.html?action=click&contentCollection=Archives&module=ArticleEndCTA&region=ArchiveBody&pgtype=article&pageNumber=42.
5. Westに引用。
6. Kelsey, 13.
7. Kelsey, 59.
8. Fisher, 49.
9. Hill, 1952, 113-19.
10. Doll and Hill, 743.
11. Eldridge, Lynne. "What Percentage of Smokers Get Lung Cancer?" VerywellHealth, June 26, 2020. verywellhealth.com/what-percentage-of-smokers-get-lung-cancer-2248868.
12. リチャード・ドールの引用はすべて2004年のインタビューより。https://cancerworld.net/senza-categoria/richard-doll-science-will-always-win-in-the-end

第6章　世界を変えるカビを大量生産する方法——抗生物質

1. Rosen, 94-95に引用。
2. Williams, 162-65.
3. Bendiner, 283に引用。
4. Rosen, 45.
5. Macfarlane. 203.
6. Rosen, 123-25.
7. Lax, 186に引用。
8. Lax, 190に引用。
9. 厳密には、チェーンはもっと前にがん患者に対するペニシリンの実験を指揮していたが、これはがんを治療するための実験ではなかった。
10. "Committee on the History of the New York Section of the American Chemical

原注

序章　人類はどのように“二万日”を勝ち取ったのか？

1. Starmans.
2. Erkoreka, 190-94.
3. Barry, 176.
4. Opdycke, 168に引用。
5. Barry, 397.
6. 「南アフリカの都市では、20歳から40歳までで死者の60パーセントを占めていた。シカゴでは、20歳から40歳までの死者は41歳から60歳までの死者のほぼ5倍だった。スイスの医師は『診察した患者に51歳以上の重症者はいない』」。Barry, 238.
7. Barry, 364に引用。
8. Our World in Dataの許可による。 https://ourworldindata.org/grapher/life-expectancy.
9. Our World in Dataの許可による。https://ourworldindata.org/grapher/child--mortality-around-the-world.
10. Bernstein, Lenny. “U.S. Life Expectancy Declines Again, A Dismal Trend Not Seen Since World War I.” *Washington Post,* November 29, 2018. www.washingtonpost.com/national/health-science/us-life-expectancy-declines-again-a-dismal-trend-not-seen-since-world-war-i/2018/11/28/ae58bc8c-f28c-11e8-bc79-68604ed88993_ story.html?utm_term=.382543252d3c.
11. Fogel, “Catching Up with the Economy,” 2.

第1章　「私はあとどれくらい生きられるのか」を知る方法――平均寿命の測定

1. 旅行の詳細はナンシー・ハウエルへの取材をもとにしている。
2. Howell, *Life Histories of the Dobe !Kung*, 1-3.
3. Howell, *Demography of the Dobe !Kung*. loc. 535-38.
4. Sahlins.
5. Graunt, 41.
6. Graunt, 72.
7. Graunt, 135.
8. Howell, *Demography of the Dobe !Kung,* loc. 872-76.
9. Howell, *Demography of the Dobe !Kung,* loc. 851-55.
10. Howell, *Demography of the Dobe !Kung,* loc. 980-96.
11. Devlin, 97に引用。
12. Deaton, 81.
13. Hollingsworth, 54.
14. ほかの社会でもっと早い時点に平均寿命が持続的に延びる傾向が生まれていたが、その

◉著者紹介

スティーブン・ジョンソン

Steven Johnson

『世界をつくった6つの革命の物語——新・人類進化史』『世界を変えた6つの「気晴らし」の物語——新・人類進化史』『世界が動いた「決断」の物語——新・人類進化史』(以上、大田直子訳)、『世界を変えた「海賊」の物語——海賊王ヘンリー・エヴリーとグローバル資本主義の誕生』(山岡由美訳、以上、朝日新聞出版)、『感染地図——歴史を変えた未知の病原体』(矢野真千子訳、河出書房新社)、『完璧な未来(Future Perfect)』『いいアイデアが生まれるところ(Where Good Ideas Come From)』『空気の発明(The Invention of Air)』『悪いことはすべてあなたのためになる(Everything Bad Is Good for You)』などベストセラー9冊を著している。影響力のあるさまざまなウェブサイトを立ち上げ、また、PBSとBBCのテレビシリーズ『私たちはどうして現在にいたったか(How We Got to Now)』の共同制作者であり、司会も務めている。妻と3人の息子とともに、カリフォルニア州マリン郡とニューヨーク市ブルックリンで暮らしている。

◉訳者紹介

大田直子

おおた・なおこ

翻訳家。東京大学文学部社会心理学科卒。訳書は、スティーブン・ジョンソン著『世界をつくった6つの革命の物語』『世界を変えた6つの「気晴らし」の物語』『世界が動いた「決断」の物語』、A・S・バーウィッチ著『においが心を動かす——ヒトは嗅覚の動物である』(河出書房新社)、マット・リドレー著『人類とイノベーション——世界は「自由」と「失敗」で進化する』(NewsPicksパブリッシング)、リチャード・ドーキンス著『魂に息づく科学』『さらば、神よ』、オリヴァー・サックス著『音楽嗜好症』『道程』、ブライアン・グリーン著『隠れていた宇宙』(以上、早川書房)ほか多数。

EXTRA《エクストラ》 LIFE《ライフ》
なぜ100年間《ねんかん》で寿命《じゅみょう》が54年《ねん》も延《の》びたのか

2022年２月28日　第１刷発行

著　者　スティーブン・ジョンソン

訳　者　大田直子

発行者　三宮博信

発行所　朝日新聞出版
〒104-8011　東京都中央区築地5-3-2
電話　03-5541-8814（編集）
03-5540-7793（販売）

印刷所　大日本印刷株式会社

ISBN 978-4-02-331993-6